U0330602

中 等 职 业 教 育 规 划 教 材

全国建设行业中等职业教育推荐教材

房屋设备基础知识(第二版)

主编 李 强

主审 胡世琴

中国建筑工业出版社

图书在版编目(CIP)数据

房屋设备基础知识/季强主编. —2 版. —北京：中国
建筑工业出版社，2019.5（2024.6 重印）
中等职业教育规划教材　全国建设行业中等职业教育
推荐教材
ISBN 978-7-112-23343-4

Ⅰ.①房…　Ⅱ.①季…　Ⅲ.①房屋建筑设备-中等专
业学校-教材　Ⅳ.①TU8

中国版本图书馆 CIP 数据核字(2019)第 032980 号

本书共分 6 个项目，内容包括建筑给水系统、建筑排水系统、建筑供暖系统、建筑通风与空调系统、建筑燃气供应系统、建筑电气系统。

本书既适用于中等职业学校土木水利类各专业，也可作为土建工程技术人员参考用书。

为便于本课程教学，作者自制免费课件资源，请发送至 10858739@qq.com 索取。

责任编辑：刘平平　朱首明
责任校对：姜小莲

中 等 职 业 教 育 规 划 教 材
全国建设行业中等职业教育推荐教材

房屋设备基础知识
（第二版）

主编　季　强
主审　胡世琴

*

中国建筑工业出版社出版、发行（北京海淀三里河路 9 号）

各地新华书店、建筑书店经销

北京红光制版公司制版

建工社（河北）印刷有限公司印刷

*

开本：787×1092 毫米　1/16　印张：14¼　字数：342 千字
2019 年 6 月第二版　　2024 年 6 月第二十五次印刷

定价：29.00 元（赠课件）
ISBN 978-7-112-23343-4
（33648）

第 二 版 前 言

本教材是住房和城乡建设部中等职业教育规划教材，是全国建设行业中等职业教育推荐教材。根据教育部2014年颁布的《中等职业学校专业教学标准（试行）土木水利类（第一辑）》编写。

房屋设备基础知识是中等职业学校土木水利类各专业的专业技能课程。为了充分体现中等职业教育"理实一体化"的特色，体现项目教学、任务驱动等行动导向的课程设计理念，把相关职业活动分解成若干个典型工作任务，结合新技术、新工艺、新材料、新设备、新规范组织课程内容。教师可以根据实际的教学时数选取相关项目组织教学。

本教材由上海市公用事业学校季强主编，李烨任副主编，新疆建设职业技术学院胡世琴主审。参加编写的有上海市公用事业学校季强、闫彩云编写项目1，石瑛编写项目2，朱林霞编写项目3、4；李烨编写项目5；新疆建设职业技术学院张军编写项目6。

本教材在编写过程中，参考了大量的相关文献资料，在此，对文献的原作者表示衷心的感谢！

由于编者时间和水平有限，编写过程中难免有不足之处，恳请广大读者批评指正！

第 一 版 前 言

本书是根据建设部中等专业指导委员会的教材编写计划编写的。

随着国民经济的飞速发展，建筑设备采用了大量的新技术、新工艺、新材料、新设备，本书在编写过程中尽可能多的收集了这方面地资料，充实到教材中去。

本着以人为本的原则，编写过程中尽量贴近中等专业学校学生的特点，以服务为宗旨，以就业为导向，以够用为度，注重编写内容的实用性，以满足建设类中等专业学校的教学需要。本书也可以作为初等工程技术人员和技术工人的参考资料。

本书由广州市建筑工程学校郑继辉主编，北京城建学校田会杰主审。参加编写的有：郑继辉编写第一章的第一、二、三、四节；常州建设高等职业技术学校吴卫芬编写第一章的第五、六节及实践操作；天津建筑工程学校孙敬编写第二章；攀枝花建筑工程学校骆家祥编写第三章、第四章；广州市建筑工程学校杨宏辉和陈晓宜编写第五章。

由于编写时间仓促，编者水平有限，编定过程中难免存在不足之处，恳请读者批评指正。

目　录

绪　　论

"房屋设备基础知识"是中等职业学校土木水利类各专业的专业技能课程。

随着国民经济的快速发展和人民生活水平的不断提高，建筑内各种设施设备采用了大量的新技术、新工艺、新材料、新设备，极大地影响了房屋的使用功能。在设计和施工中，协调好土建施工与设备安装的关系，是建筑工程技术人员必须处理好的问题。作为工程技术人员，必须掌握必备的房屋设备基础知识，才可能综合处理好各种设施设备与建筑主体之间的关系。因此，了解和掌握各种房屋设备的基本知识就显得尤其重要。

现代建筑为了满足生产和生活的需要，提供一个安全、卫生、舒适的生活和工作环境，必须在建筑内设置给水排水、暖通、燃气、供电、消防等各种设备，通过本课程的学习，可以让学生对这些设备有系统的了解。本课程的主要内容有：

1. 建筑给水系统

主要介绍建筑给水、消防、热水和中水等系统的分类、组成、安装、相关设备、管材及各种附件。

2. 建筑排水系统

主要介绍建筑排水系统的分类、组成、安装、常用设备、管材及各种附件。对建筑给水排水施工图也做了简要介绍。

3. 建筑供暖系统

主要介绍供暖系统的分类、组成、安装、常用设备、管材及各种附件。对建筑供暖系统施工图也做了简要介绍。

4. 建筑通风与空调系统

主要介绍建筑通风与空调系统的分类、组成、安装、常用设备、管材及各种附件。对建筑通风与空调施工图也做了简要介绍。

5. 建筑燃气供应系统

主要介绍建筑燃气供应系统的分类、组成、安装、常用设备、管材及各种附件。对建筑燃气管道施工图也做了简要介绍。

6. 建筑电气系统

主要介绍电工基本知识、建筑供电与照明、建筑防雷及建筑弱电的基本知识，对建筑电气施工图也做了简要介绍。

通过本课程的学习，对房屋设备会有一个基本认识。能够了解和掌握各系统的分类、组成、安装、常用设备、管材及各种附件等，能够读懂各系统简单的施工图。对现场施工及技术管理人员也会有一定的帮助。

项目1 建筑给水系统

任务1 建筑给水系统的认知

建筑给水系统的任务就是要经济合理地将水由市政给水管网安全可靠地输送到装置在建筑内的各种用水设备处，满足用户对水质、水量、水压的要求，保证用水安全可靠。

一、建筑给水系统的分类与组成

1. 建筑给水系统的分类

建筑给水系统按其用途一般可以分为三类：生活给水系统、生产给水系统和消防给水系统。

（1）生活给水系统：指供家庭、机关、学校、部队、旅馆等居住建筑、公共建筑及工业企业内部的饮用、烹调、盥洗、洗涤、淋浴等生活用水的系统，其水质必须符合国家规定的《生活饮用水卫生标准》GB 5749—2006。

（2）生产给水系统：指供工业企业生产车间生产用水的系统。例如设备循环冷却水、锅炉用水以及产品制造过程中的生产用水。由于生产工艺的各不相同，生产用水对水质、水量、水压的要求差异很大。

（3）消防给水系统：指供各类消防给水设备扑救火灾用水的系统。根据《建筑设计防火规范》GB 50016—2014规定，对于某些层数较多的民用建筑、公共建筑及容易引起会火灾的仓库、生产车间等，必须设置建筑消防给水系统。

上述三种给水系统，实际并不一定需要单独设置，可以根据水质、水压、水温及室外给水系统情况，考虑技术、经济和安全条件，可以相互组成不同的共用系统，如生活、生产、消防共用给水系统；生活、消防共用系统；生活、生产共用系统；生产、消防共用系统。

2. 建筑给水系统的组成

建筑给水系统一般由下列各部分组成，如图1-1所示。

（1）引入管：是指室外市政给水管网与建筑给水管网之间的联络管，又称进户管，其作用是将水从室外市政给水管网引入到建筑物内部给水系统。

（2）干管：是将引入管送来的水转送到给水立管中去的管段。

（3）立管：是将干管送来的水沿垂直方向输送到各楼层的配水支管中去的管段。

（4）配水支管：是将从立管输送至各个配水龙头或用水设备处的供水管段。

（5）计量设备：建筑给水通常采用水表计量。单独计量水量的建筑物，应在引入管上安装水表，建筑物的某部分和个别设备需单独计量水量时，应在其配水支管上安装水表；对于民用住宅，每户还应安装分户水表。

（6）给水附件：为了便于取用、调节和检修，在给水管路上需要设置各种给水附件，如各种阀门、水龙头等。

（7）升压和贮水设备：在市政给水管网压力不足或建筑内部对安全供水和水压稳定有要求时，需要设置各种附属设备，如水泵、水箱及气压给水设备等。

（8）消防设备：根据建筑物的防火要求及规定需要设置消防给水时，一般应设消火栓消防设备，有特殊要求时，还安装自动喷水灭火或水幕灭火设备等。

二、常用给水方式

建筑内给水系统的给水方式即建筑内给水系统的供水方案。合理的供水方案应根据建筑物的性质、高度、室外管网所能提供的水压和工作情况、各种卫生器具、生产机组所需的压力、室内消防所需的设备及用水点的分布情况加以选择。

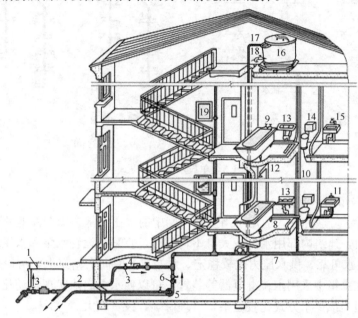

图 1-1　建筑给水系统的组成

1—阀门井；2—引入管；3—闸阀；4—水表；5—水泵；6—逆止阀；7—干管；
8—支管；9—浴盆；10—立管；11—洗涤盆；12—淋浴器；13—洗脸盆；
14—大便器；15—水龙头；16—水箱；17—进水管；18—出水管；19—消火栓

1. 直接给水方式

如图 1-2 所示，建筑物内部只有给水管道系统，不设加压及贮水设备，室内给水管道系统与室外供水管网直接相连，利用室外管网压力直接向室内给水系统供水。一般当室外管网的水压、水量能经常满足用水要求，建筑内部给水无特殊要求时，可以采用此种方式。这种给水方式供水较可靠，系统简单，投资省，并可以充分利用室外管网的压力，节约能源。但缺点是系统内部无贮备水量，室外管网停水时室内立即断水。

2. 单设水箱给水方式

如图 1-3 （a）、图 1-3 （b）所示，这种方式是将建筑内部给水系统与室外给水管网直接，并利用室外管网压力供水，同时设高位水箱调节流量和压力。一般当一天内室外

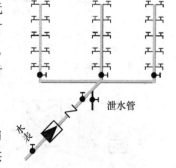

图 1-2　直接给水方式

3

管网的水压大部分时间内能满足建筑内用水要求，仅在用水高峰时，由于室外管网压力降低而不能保证建筑物上层用水时，可以采用此种方式。这种给水方式系统简单，投资省，可以充分利用室外管网的压力，节省能源，供水可靠性比直接供水方式好。但缺点是设置水箱会增加结构负荷，一般建筑物内水箱的容积不大于 $20m^3$。

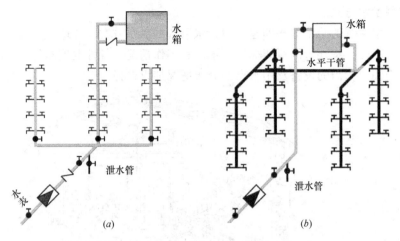

图 1-3　单设水箱给水方式

3. 水泵、水箱给水方式

如图 1-4 所示，这种方式适用于当室外管网中的水压经常或周期性地低于建筑内部给水系统所需压力，建筑内部用水量较大且不均匀时，宜采用设置水泵和水箱的联合供水方式。这种方式供水可靠，供水压力比较稳定，水泵可及时向水箱充水，可以使水箱的容积大为减小，如在水箱中采用水位继电器等装置，可以使水泵启闭实现自动化，使水泵在高效率下运行，但是该供水方式比较复杂，管理麻烦，投资较大。

4. 气压给水方式

如图 1-5 所示，这种给水方式利用密闭压力水罐代替水泵水箱联合给水方式中的高位水箱，形成气压给水方式。这种给水方式适用于室外管网水压经常性不足，不适于设置

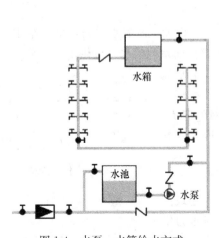

图 1-4　水泵、水箱给水方式

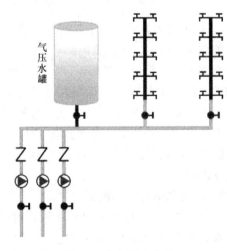

图 1-5　气压给水方式

高位水箱的建筑。这种给水方式设备可安装在建筑物的任何高度上，便于隐蔽，安装方便，水质不易受污染，投资较小，建设周期短，便于实现自动化，但是给水压力波动较大，能量浪费严重。

5. 设变频调速水泵给水方式

如图 1-6 所示，变频调速水泵又称变频调速给水设备，是将单片机技术、变频技术和水泵机组相结合的给水设备。这种方式高效运行，节能效果显著，多台水泵循环启动，可靠性高，全程自动化 结构紧凑，便于管理，水质不会二次污染，水压稳定，适应能力强，但是价格高，对环境要求高，停电即停水，需有备用电源。

6. 分区给水方式

当室外给水管网的压力能满足建筑物低层供水要求时，可以采用分区给水方式，如图 1-7 所示。此时，室外给水管网能满足室内用水要求的区域为低区，由室外管网直接供水，以上楼层为高区，由水箱供水。这种给水方式可以充分利用室外管网的压力，经济性较好。

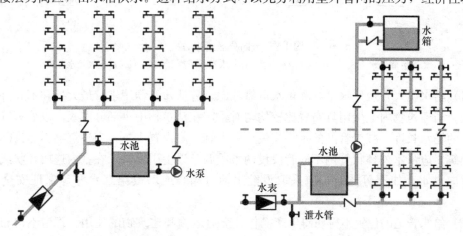

图 1-6　变频给水方式　　　　　　　图 1-7　分区给水方式

7. 高层建筑竖向分区给水方式

如图 1-8 所示，高层建筑常采用竖向分区的供水方式。若不分区，水压过高，会给建筑带来许多不利之处，如：龙头开启，水流喷溅，影响使用；管网须用耐高压管材、零件及配水附件；由于压力过高、水嘴、阀门、浮球阀等器材磨损迅速，受命缩短，漏水增加，检修频繁；低层龙头流出水头过大，产生噪声；水压过大，易产生水锤及水锤噪声；维修管理费和运行电费增高。为了消除上述弊端，高层建筑高度达到某一程度时，其给水系统必须做竖向分区，每个分区负担的层数一般为 10～12 层。分区给水方式最常用的分区方式有三种，分别是并联分区、串联分区和减压分区。不管是何种分区方式，都应根据建筑高度、经济因素、运行管理等要求来选择，其中减压给水方式可以用减压水箱减压，也可以用减压阀减压。

三、建筑给水管道的布置和敷设

建筑给水管道应根据建筑标准及用水要求，合理地布置室内管道和确定管道的敷设方式，以保证供水安全可靠、节省工料、便于施工和日常维护管理。

1. 建筑给水管道的布置

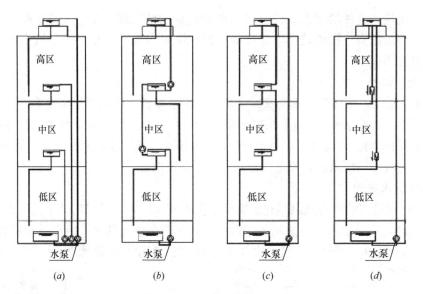

图 1-8　竖向分区给水方式

(a) 并联给水方式；(b) 串联给水方式；(c) 水箱减压给水方式；(d) 减压阀给水方式

（1）给水引入管从配水平衡和供水可靠考虑，宜从建筑物用水量最大处和不允许断水处引入。当建筑物内卫生用具布置比较均匀时，应在建筑物中央部分引入，以缩短管网向不利点的输水长度，减少管网的水头损失。引入管一般设置 1 条，当建筑物不允许间断供水的建筑、应从室外环状管网不同管段设两条或两条以上引入管、在室内连成环状或贯通枝状双向供水。如不可能时，应采取设贮水池（箱）或增设第二水源等保证安全供水措施。

（2）给水管道的位置不得妨碍生产操作、交通运输和建筑物的使用。管道不得布置在遇水会引起燃烧、爆炸或损坏的原料、产品和设备的上面，并应避免在生产设备上面通过。

（3）给水埋地管道应避免布置在可能受重物压坏处。管道不得穿越生产设备基础；在特殊情况下，如必须穿越时、应与有关专业部门协商处理。

（4）给水管道不得敷设在烟道、风道内、生活给水管道不得敷设在排水沟内。管道不宜穿过橱窗、壁柜、木装修，并不得穿过大便槽和小便槽。当给水立管距小便槽端部小于及等于 0.5m 时、应采取建筑隔断措施。

（5）给水管道不宜穿过伸缩缝、沉降缝、如必须穿过时、应采取相应的技术措施。

（6）生活给水引入管与污水排出管管外壁的水平净距不宜小于 1.0m，建筑物内给水管与排水管之间的最小净距、平行埋设时应为 0.5m；交叉埋设时应为 0.15m 且给水管宜在排水管的上面。

（7）生活给水管道宜明设，如建筑有特殊要求时，可暗设，但应便于安装和检修。给水横干管宜敷设在地下室、技术层、吊顶或管沟内；立管可敷设在管道井内。

（8）生产给水管道应沿墙、柱、桁架明设。当工艺有特殊要求时，可暗设、但应便于安装和检修。

（9）给水管道与其他管道同沟或共架敷设时，宜敷设在排水管、冷冻管的上面或热水管、蒸汽管的下面。给水管不宜与输送易燃、可燃或有害的液体或气体的管道同沟敷设。

（10）管道井的尺寸应根据管道数量、管径大小、排列方式、维修条件、结合建筑平面和结构形式等合理确定。管道井当需进入检修时，其通道宽度不宜小于0.6m。管道井应每层设检修设施，每两层应有横向隔断。检修门宜开向走廊。

（11）给水横管宜设0.002～0.005的坡度坡向泄水装置。

（12）给水管道穿过地下室外墙或地下构筑物的墙壁处，应采取防水措施。给水管道穿过承重墙或基础处，应预留洞口，且管顶上部净空不得小于建筑物的沉降量，一般不宜小于0.1m。

（13）通过铁路或地下构筑物下面的给水管宜敷设在套管内。

（14）给水管道外表面如可能结露，应根据建筑物的性质和使用要求，采取防结露措施。给水管宜敷设在不结冻的房间内，如敷设在有可能结冻的地方，应采取防冻措施。

（15）给水管不得穿过配电间。

给水管道的布置形式按水平干管的敷设位置，可以分为上行下给式、下行上给式和中分式三种形式。干管设在用水点下方为下行上给式（如图1-1直接给水方式、图1-6变频给水方式）；干管设在用水点上方为下行上给式（图1-3b为单设水箱给水方式）；干管设在技术层中（一般在高层建筑中），向上、下同时供水为中分式。

2. 建筑给水管道的敷设

建筑内部管道的敷设，根据建筑对卫生、美观方面的要求不同，分为明装和暗装两类。

（1）明装

即管道在建筑物内沿墙、柱、梁、地板暴露敷设。

优点：造价低，安装维修方便。

缺点：管道表面积灰，产生凝积水影响环境卫生，有碍室内美观。

一般的民用建筑和大部分生产车间的给水管道均采用明装。

（2）暗装

管道敷设在地下室的天花板下或吊顶中以及管沟、管道井、管槽和管廊内。

优点：室内整洁、美观。

缺点：施工复杂，维修管理不便，工程造价高。

标准较高的民用建筑、宾馆及工艺要求较高的生产车间内的给水管道一般采用暗装。但必须考虑便于安装和检修。

四、建筑给水管道的防护

要使给水管道系统能在较长年限内正常工作，除在日常加强维护管理外，在设计和施工过程中需要采取防腐、防冻和防结露。

（1）防腐：无论是明装还是暗装的管道，除镀锌钢管、给水塑料管、不锈钢管外，都必须作防腐处理。常用的是刷油法，先将管道表面除锈后在外壁刷防腐涂料。

（2）防冻：设置在室内温度低于零度以下地点的给水管道，例如敷设在不采暖房间的管道，以及安装在受室外冷空气影响的门厅、过道处的管道应考虑防冻问题。在管道安装完毕，经水压试验后和管道外表面除锈并刷防腐涂料后，应采取防冻措施。

（3）防结露：在环境温度较高、空气湿度较大的房间或管道内水温低于室内温度时，管道和设备表面可能产生凝结水，而引起管道和设备的腐蚀，影响使用及卫生，必须采取防结露措施，通常做法与防冻的做法相同。

（4）加固：给水管道由于受自重、温度及外力作用下会产生变形及位移而受到损坏，为此，需将管道位置予以固定，在水平和垂直管道上每隔适当距离装设支、吊架。

任务 2　建筑给水系统管材及设备的认知

一、给水常用管材

给水常用的管材有塑料给水管、塑料和金属复合管、铜管、不锈钢管及经可靠防腐处理的钢管等。

1. 塑料给水管

（1）聚乙烯（PE）管

PE 管加工时不添加重金属盐稳定剂，材质无毒性，无结垢层，不滋生细菌，很好地解决了城市饮用水的二次污染。除少数强氧化剂外，可耐多种化学介质的侵蚀；无电化学腐蚀。在额定温度、压力状况下，PE 管道可安全使用 50 年以上。PE 管韧性好，耐冲击强度高，重物直接压过管道，不会导致管道破裂。PE 管热熔或电熔接口的强度高于管材本体，接缝不会由于土壤移动或活载荷的作用断开。管道质轻，焊接工艺简单，施工方便，工程综合造价低。

（2）硬聚氯乙烯（PVC-U）管

PVC-U 管管径一般在 40～100mm，其无毒无污染、重量轻、耐腐蚀、水流阻力小、不结垢、安装迅捷、造价低，使用温度不大于 40℃，故常用作冷水管。

（3）无规共聚聚丙烯（PP-R）管

PP-R 管又叫三型聚丙烯管，是欧洲在 20 世纪 90 年代初开发应用的新型塑料管道产品。其优点是价格适中，性能稳定，耐热保温，耐腐蚀，内壁光滑不结垢，管道系统安全可靠，并不渗透，使用年限可达 50 年。

（4）氯化聚氯乙烯（PVC-C）管

氯化聚氯乙烯（PVC-C）管的特点是坚固、安装方便、耐腐蚀、良好的阻燃性、不受余氯的影响、耐酸碱、细菌不易繁殖、低的热膨胀系数和耐老化性能及优越的卫生性能标准。

（5）交联聚乙烯管（PEX）管

交联聚乙烯管（PEX）管有卓越的耐热耐寒性能，高温下热强度很高、耐低温韧性、加热不熔融、超凡的抗蠕变能力（其蠕变特性几乎是常见塑料管中最为理想的管材之一）、使用寿命长（其在 70℃下连续使用寿命 50 年）。

2. 复合管

（1）铝塑复合管

铝塑复合管是最早替代铸铁管的供水管，其基本构成应为五层，即由内而外依次为塑料、热熔胶、铝合金、热熔胶、塑料。有较好的保温性能，内外壁不易腐蚀，因内壁光滑，对流体阻力很小；又因为可随意弯曲，所以安装施工方便。市场上主要有三种铝塑给水管：第一种（PE/AL/PE）是内外层为聚乙烯，第二种（PE/AL/PEX）是内层为交联聚乙烯，外层为聚乙烯，第三种（PEX/AL/PEX）是内外层均为交联聚乙烯，中部层均为铝层。第一种一般用于冷水管道系统，后两种一般用于热水管。

（2）钢塑复合管

以无缝钢管、焊接钢管为基管，内壁涂装高附着力、防腐、食品级卫生型的聚乙烯粉末涂或环氧树脂涂料。该管材卫生无毒、不积垢，不滋生微生物、保证流体品质、耐化学腐蚀、耐土壤和海洋生物腐蚀，耐阴极剥离，安装工艺成熟、方便快捷、与普通镀锌管连接雷同，耐候性好，适用沙漠、盐碱等苛刻环境，管壁光滑、提高输送效率、使用寿命长。常见的钢塑复合管有：钢衬聚丙烯复合管（GSF.PP），钢衬聚氯乙烯复合管（GSF.PVC），钢衬聚乙烯复合管（GSF.PE），钢衬聚四氟乙烯复合管（GSF.F4）。

3. 铜管

又称紫铜管。有色金属管的一种，是压制的和拉制的无缝管。其优点是质地坚硬，不易腐蚀，且耐高温、耐高压，是很好的给水管材。但缺点是价格高。

4. 不锈钢管

国内薄壁不锈钢水管是在 20 世纪 90 年代末才问世的新型管材，由于其具有安全卫生、强度高、耐蚀性好、水阻小、坚固耐用、寿命长、免维护、美观等特点，目前不锈钢水管发展势头强劲，已大量应用于建筑给水和直饮水管道。

5. 钢管

钢管有焊接钢管和无缝钢管两种。又分为镀锌和不镀锌钢管，用作给水管道的要专门镀锌，可用在消防供水管网中，具有强度高，抗应变能力强的优点，但缺点是其耐腐蚀性能差，需要作防腐处理。相同管径的钢管具有不同的厚度，在选择的时候应该注明其壁厚。

焊接钢管分为直缝焊管和螺旋焊管。直缝焊管的生产工艺简单，生产效率高，成本低，发展较快；螺旋焊管的强度一般比直缝焊管高，可以用较窄的坯料生产管径较大的焊管，还可以用同样宽度的坯料生产管径不同的焊管。但与同等长度的直缝管相比，焊缝长度增加 30%～100%，且生产速度较低。所以较小口径的焊管一般采用直缝焊，大口径焊管大多采用螺旋焊。

此外，原有的一些建筑还有使用铸铁管的，但是其质脆、重量大、单管长度小等，目前在给水系统中已很少使用。

二、给水管道常用附件

给水管道附件是安装在管道及设备上的启闭和调节装置的总称。一般分为配水附件和控制附件两类。

1. 配水附件

用以调节和分配水量，如放水、盥洗、淋浴及冷热水混合的各式水龙头等。

（1）球形阀式配水龙头（图 1-9）。一般安装在洗涤盆、污水盆、盥洗槽卫生器具上。水流通过时，因改变方向，龙头压力损失较大。

（2）旋塞式配水龙头（图 1-10）。一般是铜制的，多安装在热水管道上。阻力较小。但由于启闭迅速，容易产生水锤。

（3）单放水型洗脸盆水龙头（图 1-11a、b、c）。单供冷水或热水。

（4）混合式单、双手柄水龙头（图 1-12a、b、c，图 1-13a、b、c）。可以安装在各种洗脸盆和浴盆上。

（5）自动水龙头（图 1-14a、b）。利用光电控制启闭的自动水龙头。

图 1-9 球形阀式配水龙头   图 1-10 旋塞式配水龙头

(a)   (b)   (c)

图 1-11 单放水型普通洗脸盆水

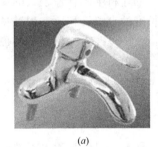

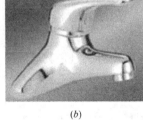

(a)   (b)   (c)   (d)

图 1-12 混合式单手柄水龙头

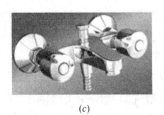

(a)   (b)   (c)   (d)

图 1-13 混合式双手柄水龙头

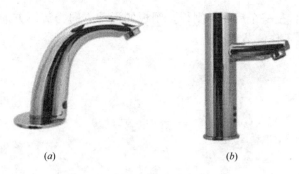

(a) (b)

图 1-14 自动水龙头

2. 控制附件

用来调节水量和水压，关断水流等。如截止阀、闸阀、止回阀、浮球阀和安全阀等。

截止阀（图 1-15）：是使用最广泛的一种阀门，开闭过程中密封面之间摩擦力小，比较耐用，开启高度不大，制造容易，维修方便，不仅适用于中低压，而且还适用于高压。截止阀的闭合原理是依靠阀杠压力，使阀瓣密封面与阀座密封面紧密贴合，阻止介质流通。

球阀（图 1-16）：启闭件（球体）由阀杆带动，并绕球阀轴线作旋转运动的阀门。亦可用于流体的调节与控制，多通球阀在管道上不仅可灵活控制介质的合流、分流及流向的切换，同时也可关闭任一通道而使另外两个通道相连。

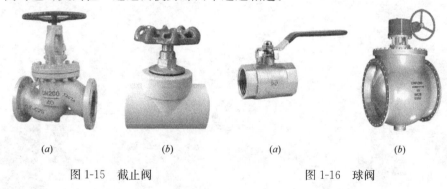

(a) (b) (a) (b)

图 1-15 截止阀   图 1-16 球阀

角阀（图 1-17）：就是角式截止阀，角阀与球形阀类似，其结构和特性是由球型阀修正而来。与球形阀的区别在于角阀的出口与进口成 $90°$直角。角阀又叫三角阀、角形阀、折角水阀。

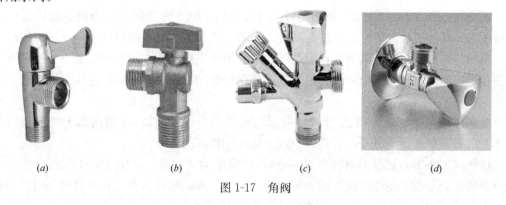

(a) (b) (c) (d)

图 1-17 角阀

闸阀（图 1-18）：是一个启闭件闸板，闸板的运动方向与流体方向相垂直，闸阀只能作全开和全关，一般不作调节和节流。

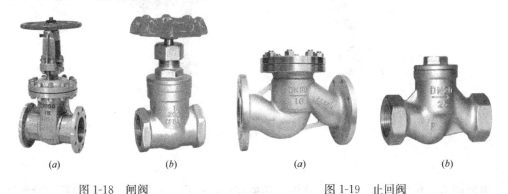

(a)	(b)	(a)	(b)

图 1-18　闸阀　　　　　　　　　　　　　图 1-19　止回阀

止回阀（图 1-19）：指依靠介质本身流动而自动开、闭阀瓣，用来防止介质倒流的阀门，又称逆止阀、单向阀、逆流阀和背压阀。止回阀属于一种自动阀门，其主要作用是防止介质倒流、防止泵及驱动电动机反转，以及容器介质的泄放。

浮球阀（图 1-20）：由曲臂和浮球等部件组成的阀门，用来自动控制水塔或水池的液面。具有保养简单，灵活耐用，液位控制准确度高，水位不受水压干扰且开闭紧密不漏水等特点。

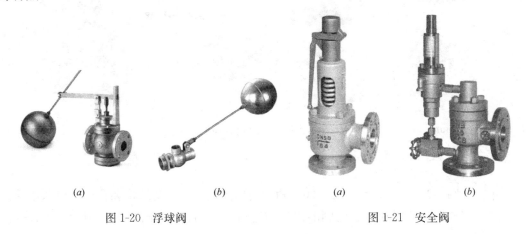

(a)	(b)	(a)	(b)

图 1-20　浮球阀　　　　　　　　　　　　图 1-21　安全阀

安全阀（图 1-21）：安全阀是启闭件受外力作用下处于常闭状态，当设备或管道内的介质压力升高超过规定值时，通过向系统外排放介质来防止管道或设备内介质压力超过规定数值的特殊阀门。安全阀属于自动阀类，主要用于锅炉、压力容器和管道上，控制压力不超过规定值，对人身安全和设备运行起重要保护作用，安全阀必须经过压力试验后才能使用。

旋塞阀（图 1-22）：是关闭件或柱塞形的旋转阀，通过旋转 90°使阀塞上的通道口与阀体上的通道口相通或分开，实现开启或关闭的一种阀门。

蝶阀（图 1-23）：又称翻板阀，是一种结构简单的调节阀，可用于低压管道介质的开关控制的蝶阀是指关闭件（阀瓣或蝶板）为圆盘，围绕阀轴旋转来达到开启与关闭的一种阀,主要起切断和节流作用。启闭件是一个圆盘形的蝶板,在阀体内绕其自身的轴线旋转,从而达到启闭或调节的目的。

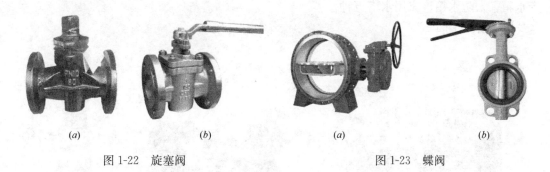

| *(a)* | *(b)* | *(a)* | *(b)* |

图 1-22　旋塞阀　　　　　　　　　　　　图 1-23　蝶阀

三、给水管道常用设备

1. 水表（图 1-24、图 1-25）

水表是一种计量用水量的仪表,按测量原理分为速度式水表和容积式水表。速度式水表安装在封闭管道中,由一个运动元件组成,并由水流运动速度直接使其获得动力速度的水表。容积式水表安装在管道中,由一些被逐次充满和排放流体的已知容积的容室和凭借流体驱动的机构组成的水表,或简称定量排放式水表。

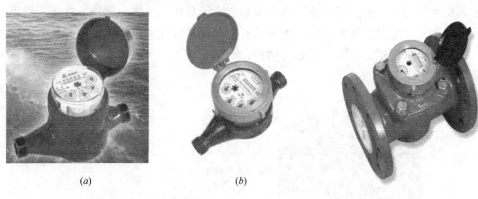

　　　(a)　　　　　　　　　　　*(b)*

图 1-24　旋翼式水表　　　　　　　　　图 1-25　螺翼式水表
　（a）旋翼式水表干式;（b）旋翼式水表湿式

建筑给水系统中广泛使用速度式水表,其根据管径一定时,通过水表的水流流速与流量成正比的原理来量测定。分旋翼式（叶轮式）和螺翼式,旋翼式的叶轮转轴与水流方向垂直,阻力较大,启步流量和计量范围较小,多为小口径水表,用以测量较小流量;螺翼式的叶轮转轴与水流方向平行,阻力较小,启步流量和计量范围比旋翼式大,适用于流量较大的给水系统。

2. 水箱（图 1-26）

水箱是建筑给水系统贮存、调节和稳定水压的设备。有圆形和矩形两种,按材质分为玻璃钢水箱、不锈钢水箱、不锈钢内胆玻璃钢水箱、海水玻璃钢水箱、搪瓷水箱、镀锌钢板水箱六种。一般配有 HYFI 远传液位电动阀、水位监控系统和自动清洗系统以及自洁消毒器,水箱的溢流管与水箱的排水管阀后连接并设防虫网,水箱应有高低不同的两个通气管（设防虫网），水箱设内外爬梯，一般有进水管、出水管（生活出水管、消防出水管）、溢水管、泄水管、水位信号管等配管，按照功能不同分为生活水箱、消防水箱、生产水箱、人防水箱、家用水塔五种。

3. 水泵（图1-27）

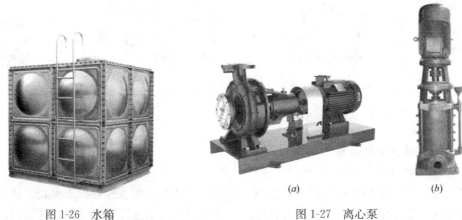

图1-26　水箱

图1-27　离心泵
(a) 卧式离心泵；(b) 立式多级离心泵

建筑给水系统中一般用离心泵，离心泵有立式、卧式、单级、多级、单吸、双吸、自吸式等多种形式。水泵装置形式按进水方式有：直接从室外给水管网抽水和从贮水池抽水两种，运行方式有恒速运行和变速运行两种。

4. 气压给水设备（图1-28）

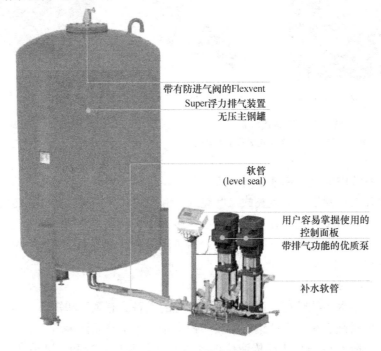

带有防进气阀的Flexvent
Super浮力排气装置
无压主钢罐

软管
(level seal)

用户容易掌握使用的
控制面板
带排气功能的优质泵

补水软管

图1-28　气压给水设备

气压给水设备是利用密闭罐内压缩空气的压力变化，将罐中的水压送到给水管网各配水点去，在给水系统中主要起增压和水量调节的作用，包括气压水罐、稳压泵和一些附件。有单罐式和多罐式；按照罐内压力变化情况又有定压式和变压式之分；按是否设有消防泵组分为设有消防泵组的普通消防气压给水设备和不设消防泵组的应急消防气压给水设备。

任务 3　建筑给水管道系统的安装

建筑给水管道的安装应结合具体条件，合理安排顺序。一般为先地下、后地上，先大管、后小管，先主管，后支管。当管道交叉中发生矛盾时，应小管让大管，给水管让排水管，支管让主管。

给水管道安装的工艺流程一般如下：

安装准备→管道下料→预制加工→引入管安装→管道支架安装→干管安装→立管安装→支管安装→系统水压试验→清洗消毒→管道防腐和保温→质量检验及验收。

一、施工前的准备

建筑给水管道系统施工准备的目的是给以后的施工创造良好条件，主要包括材料准备、技术准备和施工机具准备。材料准备是指根据施工进度计划，提出材料计划，组织材料采购和主要设备的订购，材料进场后，要进行检验；技术准备包括准备和熟悉图纸资料、会审施工图、技术交底和编制施工组织设计；施工机具准备指开工前应先检查与维修现有施工机械，不足的应给以添置。

1. 施工条件

（1）施工现场"五通一平"，满足施工要求。

（2）施工图纸及其他技术文件应齐全。

（3）在熟悉图纸的基础上，核对各种管道的坐标、标高是否有交叉，管道排列所用空间是否合理，有问题应及时与设计和有关人员研究解决，做好变更洽商；根据施工方案确定的施工方法和技术交底的具体措施做好施工准备工作。

（4）施工前，施工人员应了解该建筑物的结构和构造形式，应按设计要求配合土建检查管道穿越墙体、楼板的预留孔洞和预埋套管位置是否正确，尺寸是否合适。

（5）对安装所需要管材、配件和阀门等应核对产品合格证书、质量保证书、规格型号品种和数量，并进行外观检查。

（6）施工机具已到场，并安装固定或定位；管材、管件已运抵现场，并已经放置一段时间。

（7）施工人员分工明确，并经过技术培训，持证上岗。

2. 主要机具

（1）机械：套丝机、砂轮锯、弯管机、台钻、调速电锤、手电钻、电焊机、电动或手动试压泵等。

（2）工具：套丝板、管钳、压力钳、手锯、手锤、活扳手、捻凿、煨弯器、手压泵、断管器等。

（3）其他：水平尺、线坠、钢卷尺、线、压力表等。

二、管道下料

根据管道长度测算结果，用卷尺在整个系统中量出所需管道的长度，然后在不锈钢复合管（或 PPR 管）上用卷尺并用记号笔画下标记线。

三、管道预制、加工

按设计图纸画出管道分路、管径、预留管口、阀门位置等施工草图，在实际安装的结构位置做上标记，按标记分段量出实际安装的标准尺寸，记录在施工草图上，然后按草图测得的尺寸预制加工（断管、套丝、上零件、调直、校对，按管段分组编号）。

镀锌给水管道安装尺量预制。在地面预制、调直后在接口处做好标记，编好码放。立管预制时不编号，经调直只套一头丝扣，其长度比实际尺寸长 20～30mm，顺序安装时可保证立管甩口位置标高的准确性。

四、引入管安装

（1）引入管穿过建筑物外墙进入室内有两种情况，一种是从建筑物的基础下通过，另一种是穿过承重墙或基础。在地下水位高的地区，引入管穿地下室外墙或基础时应采取防水措施，根据情况采用柔性防水套管或刚性防水套管。

1）引入管由基础下通过。如图 1-29（a）所示，引入管应尽量与建筑物外墙的轴线垂直。安装时，引入管下部及转弯处应设置支座，支座用 C15 混凝土浇筑，支座高度比引入管直径大 200mm，其间隙用土回填并压实。

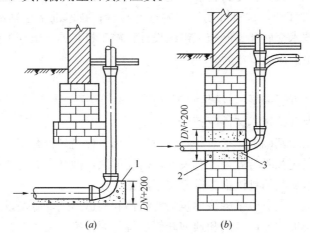

图 1-29　引入管进入建筑物

（a）浅基础；（b）深基础

1—C15 混凝土支座；2—黏土；3—M5 水泥砂浆封口

2）引入管穿墙基础敷设。如图 1-29（b）所示，敷设时应尽量与建筑物外墙的轴线垂直。在穿越建筑物基础时，为了防止建筑物下沉而破坏管道，应配合土建施工预留孔洞或预埋套管，其直径应比引入管直径大 100～200mm。引入管敷设在预留孔内时，其管顶距孔壁的距离不小于 100mm，预留孔与管道间隙用黏土填实，两端用 M5 的水泥砂浆封口。

（2）室内埋地引入管应在底层土建地坪施工前安装。

（3）安装方法：室外引入管安装时经量尺或比量法下料，在地面预制成整体后一次性地穿入基础孔洞进行安装。必要时，引入管预制并经试压合格后再穿入基础孔洞，以确保引入管螺纹连接的严密性；应安装至外墙外 1m 以上，管口应及时封堵。

（4）安装要求：室外埋地引入管要考虑地面荷载和土壤冰冻的影响，管顶覆土厚度不宜小于 0.7m，并应敷设在冰冻线以下 200mm 处，若给水引入管与排水管平行敷设时，其水平净距不得小于 1.0m；交叉敷设时，给水管在上，垂直净距为 150mm；引入管应有不小于 0.003 的坡度，坡向室外给水管网。

五、管道支架的安装

管道的支承结构称为支架，是管道系统的重要组成部分。支架的作用是支撑管道，并限制管道位移和变形，承受从管道传来的内压力、外荷载及温度变形的弹性力，并通过支吊架将这些力传递到支承结构或地基上。

1. 支架的分类

管道支架有固定支架（图 1-30）和活动支架（图 1-31）两种类型；活动支架又可分为滑动支架、导向支架、滚动支架和吊架四种。

2. 管道支架的制作

管道支架的制作应按照图样要求进行施工；支吊架的受力部件，如横梁、吊杆及螺栓等的规格应符合设计及有关技

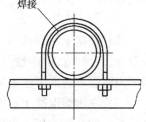

图 1-30　固定支架

术标准的规定；管道支吊架、支座及零件的焊接应遵守结构件焊接工艺。焊缝高度不应小于焊件最小厚度，并不得有漏焊、夹渣或焊缝裂纹等缺陷，制作合格的支吊架，应进行防腐处理和妥善保管。

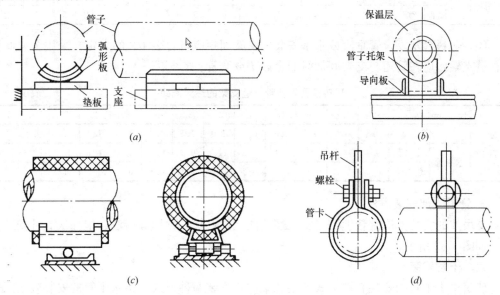

图 1-31　活动支架
（a）滑动支架；（b）导向支架；（c）滚动支架；（d）吊架

3. 管道支架的放线定位

首先根据设计要求定出固定支架和补偿器的位置；根据管道设计标高，把同一水平面直管段的两端支架位置画在墙上或柱上。根据两点间的距离和坡度大小，算出两点间的高度差，标在末端支架位置上；在两高差点拉一条直线，按照支架的间距在墙上或柱上标出每个支架位置。如果土建施工时，在墙上预留有支架孔洞或在钢筋混凝土构件上预埋了焊

接支架的钢板，应采用上述方法进行拉线校正，然后标出支架实际安装位置。

4. 支吊架安装

（1）支架横梁应牢固地固定在墙、柱或其他结构物上，横梁长度方向应水平。

（2）支架顶面应与管中心线平行；固定支架必须严格地安装在设计规定位置，并使管道牢固地固定在支架上。

（3）活动支架不应妨碍管道由于热膨胀所引起的移动，其安装位置应从支承面中心向位移反方向偏移；无热位移的管道吊架的吊杆应垂直安装，吊杆的长度应能调节；有热位移的管道吊杆应沿斜向位移相反的方向倾斜安装。

（4）管道支架上管道离墙、柱及管道与管道中间的距离应按设计图纸要求敷设。

（5）在墙上预留孔洞埋设支架时，埋设前应检查校正孔洞标高位置是否正确，深度是否符合设计和有关标准图的规定要求。校正无误后，清除孔洞内的杂物及灰尘，并用水将洞周围浇湿，将支架埋入填实，用1∶3水泥砂浆填充饱满。

（6）在钢筋混凝土构件预埋钢板上焊接支架时，先校正支架焊接的标高位置，消除预埋钢板上的杂物，校正后施焊。焊缝必须满焊，焊缝高度不少于焊接件最小厚度。

（7）钢管水平安装的支、吊架间距不应大于表1-1的规定。

钢管管道支架的最大间距　　　　　　　　　表1-1

公称直径 DN		15	20	25	32	40	50	65	80	100	125	150	200	250	300
支架的最大间距（m）	保温管	2	2.5	2.5	2.5	3	3	4	4	4.5	6	7	7	8	8.5
	不保温管	2.5	3	3.5	4	4.5	5	6	6	6.5	7	8	9.5	11	12

（8）塑料管及复合管垂直或水平安装的支架间距应符合表1-2的规定。采用金属制作的管道支架，应在管道与支架间加衬非金属垫或套管。

塑料管及复合管管道支架的最大间距　　　　　　　　　表1-2

管径（mm）			12	14	16	18	20	25	32	40	50	63	75	90	110
支架的最大间距（m）	立管		0.5	0.6	0.7	0.8	0.9	1.0	1.1	1.3	1.6	1.8	2.0	2.2	2.4
	水平管	冷水管	0.4	0.4	0.5	0.5	0.6	0.7	0.8	0.9	1.0	1.1	1.2	1.35	1.55
		热水管	0.2	0.2	0.25	0.3	0.3	0.35	0.4	0.5	0.6	0.7	0.8		

5. 管道支架安装方法

支吊架的安装方法有栽埋法、膨胀螺栓法、射钉法、预埋焊接法、抱柱法五种安装方法，如图1-32所示。

六、干管安装

建筑给水干管的安装有埋地式安装和架空式安装两种形式。给水干管的安装应按照先装支架后装管道的原则进行。

（1）敷设埋地干管。埋地干管一般置于管沟内或直接埋设在地面下，应在回填土夯实后再次开挖管沟至管底标高，并且管道穿墙处已预留孔洞或安装套管时进行。

1）安装时，首先按照设计图样确定干管的位置、标高，并开挖土方至适宜的深度；检查预留洞口的尺寸和套管规格、坐标、标高是否正确。

2）埋地管道应有0.002～0.005的坡度坡向给水入口处，以便于检查维修时泄空管内的水。

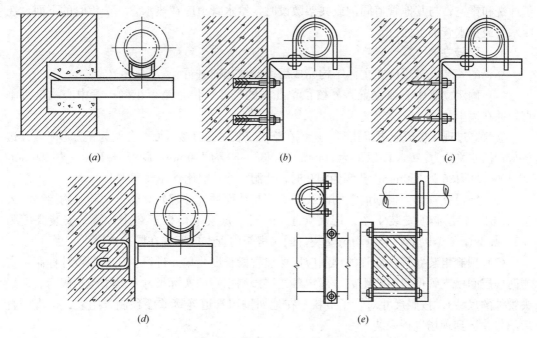

图 1-32　管道支架的安装方法

（a）栽埋法；（b）膨胀螺栓法；（c）射钉法；（d）预埋焊接法；（e）抱柱法

3）管沟内的管道应尽量单层敷设，以便于安装和检修；若为双层或多层敷设时，一般将管径较小、阀门较多的管道安放在上层。

4）对于直接埋地的管道，应进行防腐处理后再行安装；试压合格后方可隐蔽。

（2）安装架空干管。架空干管安装必须在安装层的结构顶板完成，沿管线安装位置的模板及杂物清理干净后进行。

1）确定干管安装位置、标高、坡度。使用卷尺、水平仪等工具，按照图样的设计要求确定干管的实际安装位置、标高、坡度等。

2）安装支架。根据安装管道的实际尺寸和位置制作并埋好支架。栽好的支架待埋固砂浆的强度达到要求后方可在上面安装管道。需要在墙上打洞的位置要画十字线，十字线的长度要大于孔径，以便于校核管道的安装位置。

3）预制组装干管。在主干管中心线上定出各立管分支的位置，然后测量各主管间的管段长度并在地面进行预制、组装和编号，组装长度以吊装方便为宜。

4）安装干管。安装时从总进入口开始操作，将预制好的管道运到安装部位按编号依次排开，清扫管腔后按编号依次进行吊装。吊装上的管道应先用支架上的卡环固定，然后再进行紧固连接。

若干管是铸铁管时，安装前还应将承口内侧和插口外侧端头的沥青除掉，并将承口朝来水方向顺序排列，连接的对口间隙应不小于 3mm。

5）拨正调直。干管安装好以后还应进行拨正调直，使得从管道一端看过去在一条直线上。同时复核甩口的位置、方向及变径，检查无误后，所留管口均要加临时丝堵堵严，以防杂物进入管腔内。

6）安装要求。给水干管应在支架安装时保证使管道具有 0.002～0.005 的坡度，以利

19

于冲洗和排空；与其他管道同沟或共架敷设时，给水管道应在热水管、蒸汽管的下面，在冷水管或排水管的上面。

七、立管安装

立管的安装、试压应在主体结构完成后墙壁抹灰前进行。

（1）确定立管中心线位置。复核预留孔洞的尺寸、位置是否正确，管中心线是否垂直，并在墙上画线。

立管穿过现浇楼板应预留孔洞，避免在施工安装时凿打楼板面。孔洞为正方形时，其边长与管径的关系为：DN32以下为80mm，DN32～50为100mm，DN70～DN80为160mm，DN100～DN125为250mm；孔洞为圆孔时，孔洞尺寸一般比管径大50～100mm。

（2）埋设立管卡。根据墙上的画线和立管与墙面的尺寸埋好立管卡，建筑物层高不大于5m时，每层必须安装1个；层高大于5m时，每层不得少于2个，管卡安装高度为1.5～1.8m，2个以上管卡应均匀安装，同一房间内管卡应安装在同一高度上。

（3）预制组装立管。立管的预制应以楼层管段长度为单元进行。先按照设计标高，实测两楼层间横支管位置间的距离，确定各楼层预制立管的实际尺寸（其中包括阀门、活接头管件的尺寸）。按照尺寸对管子下料，在地面按照管道连接顺序预制、组装、检查调直后编号并运到现场进行安装。

（4）安装立管。安装前先清除立管上横支管处的封堵物和泥砂等，然后按立管上的编号从一层干管甩头处往上逐层进行安装。操作时，应两人配合，一个人在下端托管，另一个人在上端上管。注意支管的接入方向。安装好后进行检查，保证立管的垂直度和管道距墙的距离符合设计要求，使其正面和侧面都在同一垂直线上，最后收紧管卡。

（5）楼板封堵。立管周围楼板的孔隙，用不小于楼板混凝土强度等级的细石混凝土填实，支管的甩口均要做好临时封堵。

（6）安装要求。立管一般沿房间的墙角或墙、梁、柱敷设，当管径不大于32mm时，立管离墙的净距净距为25～35mm，管径大于32mm时，净距为30～50mm；暗装管道时，应配合土建施工预留管槽，阀门及管道活接件不得埋入墙内。立管上在距地面150mm处应装设阀门及可拆卸的连接件；立管穿楼板时应加设套管，套管底面与楼板底齐平，套管上沿一般高出楼板20mm；安装在厨房和卫生间地面的套管，套管上沿应高出地面50mm；给水立管与排水立管并行时，应置于排水立管外侧；与热水立管并行时，应置于热水立管的右侧；与热水支管竖向交叉时，给水立管上应设半圆弯；多层及高层建筑每隔一层在立管上安装一个活接头。

八、支管安装

支管安装应在墙体砌筑完毕，墙面未装修前进行。

（1）画线与打孔。首先在墙上弹出水平支管的安装位置横线，并在横线上画出各分支支管或给水配件位置的中心线。同时找准穿墙孔洞的中心位置，用十字线标记在墙面上，然后用电钻打孔，使孔洞中心与管道中心相吻合，孔洞直径大于管道外径20～30mm。支管暗装时，应在管道安装位置的墙上开槽，管槽宽度应为管道外径加30mm，且管槽的坡度应与管道坡度一致。

（2）预制管材和预组装。测出各支管的实际尺寸，根据尺寸进行预制组装并编号，检查调直后进行安装。

（3）安装支管。将预制好的支管按位置和编号进行安装，找平找正后，用钩钉或管卡进行固定，管卡或钩钉设在管件之间的中间位置。接卫生器具的冷、热水预留口应设在明处并加丝堵。支管口在同一方向开出的配水点管头，应在同一轴线上，保证美观。支管安装完后，应检查并清除所有管头内残留的污物，然后用管堵或管帽进行封闭，以防污物进入并为充水试压做好准备。

（4）暗装管道隐蔽。直埋敷设管道隐蔽后，宜在墙上或地面标明管道的位置和走向，严禁在管道周围用电钻、电锤钻孔、打眼或钉金属钉。

（5）安装要求。给水支管应有不小于 0.002 的坡度坡向立管；给水管道与各种管道之间的净距，应满足安装操作的需要，且不宜小于 0.3m；室内冷热水管上、下平行敷设时，冷水管应在热水管下方；垂直平行敷设时，冷水管应在热水管右侧；卫生器具上的冷热水龙头，热水在左侧，冷水在右侧；支管的始端应安装阀门，阀门还应安装可拆卸件。

九、给水管道的水压试验

建筑给水管道安装完毕后需进行水压试验，其目的是检查管道及接口的强度和严密性。

（1）准备工作。管道系统水压试验前，应将不能参与试验的设备、仪表及管道附件等加以隔离；安全阀应拆卸；系统最高点设置排气阀。室内引入管外侧用盲板封堵，其部位应有明显的标记和记录；水压试验应用清洁水进行。系统注水时应将空气排净；试验宜在环境温度 5℃ 以上进行，否则须有防冻措施；暗装管道的水压试验，应在隐蔽前进行，保温管道的水压试验应在保温前进行。

（2）试验要求与方法。用升压泵向系统中加压，升压过程不能太快，一般以 2～3 次升至试验压力为宜。给水管道的水压试验必须符合设计要求。当设计未注明时，各种材质的给水管道系统试验压力均为工作压力的 1.5 倍，但不得小于 0.6MPa。

试验方法：金属及复合管给水管道系统在试验压力下观测 10min，压力下降不大于 0.02MPa，然后降到工作压力进行检查，系统不渗不漏为合格；塑料管给水系统应在试验压力下稳压 1h，压力下降不得超过 0.05MPa，然后在工作压力的 1.15 倍状态下稳压 2h，压力下降不得超过 0.03MPa，同时检查各连接处，不得渗漏。

（3）试压过程中如遇渗漏，不得带压修理。缺陷消除后，应重新试验，无问题后通知有关人员验收，办理交接手续。

十、给水系统通水试验、冲洗与消毒

给水管道系统施工完毕后与交付使用前，必须进行冲洗及消毒，以确保给水管道的使用功能。

（1）系统冲洗。给水管道系统试压合格后，应分段用水对管道进行清洗，冲洗用水应为清洁水；冲洗时，以系统内最大设计流量或不小于 1.5m/s 的流速进行；冲洗应连续进行，当无设计规定时，则以出口水色和透明度与入口目测的水色和透明度一致为合格；管道冲洗合格后，应填写《管道系统冲洗记录》，冲洗完毕后应将水放尽。

（2）通水试验。给水系统交付使用前必须进行通水试验做好记录。

试验方法：观察和开启阀门、水嘴等放水。

（3）消毒。生活饮用水管道在交付使用前应用每升水中含有 20～30mg 游离氯的水灌满管道进行消毒。含氯水在管道中应留置 24h 以上。消毒完毕后，再用饮用水冲洗，并经卫生部门取样检验，符合国家《生活饮用水卫生标准》GB 5749—2006 后方可使用。

检验方法：冲洗消毒报告、检查相关部门提供的检测报告。

十一、管道防护

1. 防腐

金属给水管材无论明装或暗装，除镀锌钢管外，均应按规范规定做防腐处理以延长管道的使用寿命。通常的防腐做法是管道除锈后，在外壁涂刷防腐涂料。具体做法是：明装的焊接钢管和铸铁管表面除锈后，刷防锈漆 2 道，面漆 1～2 道；暗装和埋地管道刷冷底子油 2 道，再刷沥青胶 2 道。对防腐要求高的管道，应采用有足够的耐压强度，并与金属有良好的黏结性以及防水性、绝缘性和化学稳定性能好的材料做管道防腐层，管外壁所做的防腐层数，可根据防腐要求确定。

2. 保温、防结露

设在温度低于 0℃ 以下位置的管道和设备，为保证冬季安全使用均应采取保温措施。在湿热的气候条件下，或在空气湿度较高的房间内，敷设的给水管道应采取防结露措施。否则管道出现结露现象，不但会加速管道的腐蚀，还会影响建筑的使用，如使墙面受潮、粉刷层脱落，影响墙体质量和建筑美观。

管道保温和防结露的做法基本相同，具体做法见表 1-3。

给水管道的保温及防结露做法　　　　　　　　　　　　　表 1-3

序号	类别	保温材料	保温做法
1	防结露的给水管做绝缘保温	自熄聚氨酯软管套 $DN≤100$，$δ=10mm$ $DN≥125$，$δ=15mm$	外缠玻璃丝布带，再刷 2 道防火漆
2	环境温度<4℃的场所给水管、中水管等做防冻保温	LMGF 复合管壳 内层硅酸铝、外层憎水岩棉管壳 $DN≤200$，$δ=70mm$ $DN≥205$，$δ=90mm$	外缠玻璃丝布带，再刷 2 道乳胶漆
3	管道井及吊顶内的生活热水管及热水循环管做隔热保温	自熄聚氨酯软管套 $DN≤40$，$δ=20mm$ $DN≥50$，$δ=30mm$	外缠玻璃丝布带，再刷 2 道防火漆

十二、质量检验与验收

1. 建筑给水系统的质量检验

（1）水压试验，必须符合设计要求和本任务的有关规定。

检验方法：检查分段和系统试验记录。

（2）给水系统交付使用前必须进行通水试验并做好记录。

检验方法：观察和开启阀门、水嘴等放水。

（3）生活给水管道系统在交付使用前必须冲洗和消毒，并经有关部门取样检验，符合国家《生活饮用水卫生标准》GB 5749—2006 方可使用。

检验方法：检查清洗、消毒记录，有关部门提供的检测报告。

（4）室内直埋给水管道（塑料管和复合管道除外）应做防腐处理。埋地管道防腐层材质和结构应符合设计要求。

检验方法：观察和局部解剖检查。

（5）给水引入管与排水排出管的水平净距不小于1m。室内给水与排水管道平行敷设时，两管间的最小水平净距不小于0.5m；交叉铺设时，垂直净距不小于0.15m，给水管应铺在排水管上面，若给水管必须铺在排水管的下面时，给水管应加套管，其长度不小于排水管管径的3倍。

检验方法：尺量检查。

（6）焊缝表面不得有裂纹、烧穿、结瘤和严重的夹渣、气孔等缺陷，有特殊要求的焊口必须符合有关规定。

检验方法：用放大镜观察检查。有特殊要求的焊口，检查试验记录。按系统抽查10%，但不少于5个。

（7）给水水平管道应有2‰～5‰的坡度坡向泄水装置。

检验方法：水平尺，尺量检查。按系统每50m直线管抽查2段，不足50m时抽查1段。

（8）给水管道和阀门安装的允许偏差应符合表1-4的要求。

（9）支、吊、托架的安装位置正确，平整、牢固，支架与铜管之间应用石棉橡胶垫、软金属垫或木垫隔开，且接触紧密。活动支架的活动面与支承面接触良好，移动灵活。吊架的吊杆应垂直，丝扣完整，防腐良好。

检验方法：用手拉动和观察检查。按系统抽查10%，但不少于3件。

管道和阀门安装的允许偏差和检验方法　　　　　　　　　　表1-4

项次	项目			允许偏差（mm）	检验方法
1	水平管道纵横方向弯曲	钢管	每米 全长25m以上	1 25	用水平尺、直尺、拉线和尺量检查
		塑料管复合管	每米 全长25m以上	1.5 25	
		铸铁管	每米 全长25m以上	2 25	
2	立管垂直度	钢管	每米 全长5m以上	3 8	吊线和尺量检查
		塑料管复合管	每米 全长5m以上	2 8	
		铸铁管	每米 全长5m以上	3 10	
3	成排管道和成排阀门		在同一平面上间距	3	尺量检查

2. 建筑给水系统验收

（1）检验和检测的主要内容：

1）承压管道系统的水压试验；

2）阀门水压试验；

3）给水管道通水试验及冲洗、消毒检测。

（2）验收资料。建筑给水工程验收时，需提供以下资料：

1）图纸会审记录、设计变更及洽商记录；

2）施工组织设计或施工方案；

3）主要材料、成品、半成品、配件、器具和设备出厂合格证及进场验收记录；

4）隐蔽工程验收及中间试验记录；

5）设备试运转记录；

6）安全、卫生和使用功能检验和检测记录；

7）检验批、分项、子分部、分部工程质量验收记录；

8）竣工图。

任务4 建筑消防给水系统的安装

在建筑物内部设置消防给水系统，用于扑灭建筑物中一般物质的火灾，是最经济有效的方法。

设置室内消防给水系统的目的是为了有效地控制和扑救室内的初期火灾，对于较大的火灾主要求助于城市消防车赶赴现场，由室外消防给水系统取水加压进行扑救灭火。对于高层建筑，原则上立足于自救。

建筑消防给水系统按功能和作用原理不同可分为室内消火栓给水系统、自动喷水灭火系统等。

消防给水和消防设施的设置应根据建筑的用途及其重要性、火灾危险性、火灾特性和环境条件等因素综合确定。

一、室内消火栓灭火系统

建筑消火栓给水系统是建筑内最基本的消防给水系统。其作用是把室外给水系统提供的水量，经过加压（外网压力不满足需要时），输送到建筑物内的固定灭火设备，以供建筑灭火之用。

建筑消火栓系统广泛应用于各类工业与民用建筑中，用于扑灭初期火灾，在消防车能力达不到时，还要扑灭大火灾，其灭火机理主要是冷却降温。

1. 室内设置消火栓系统的规定

按照《建筑设计防火规范》GB 50016—2014 中 8.2.1 的规定，下列建筑或场所应设置室内消火栓系统：

（1）建筑占地面积大于 300m² 的厂房和仓库；

（2）高层公共建筑和建筑高度大于 21m 的住宅建筑；

注：建筑高度不大于 27m 的住宅建筑，设置室内消火栓系统确有困难时，可只设置干式消防竖管和不带消火栓箱的 DN65 的室内消火栓。

（3）体积大于 5000m³ 的车站、码头、机场的候车（船、机）建筑、展览建筑、商店建筑、旅馆建筑、医疗建筑和图书馆建筑等单、多层建筑；

（4）特等、甲等剧场，超过 800 个座位的其他等级的剧场和电影院等以及超过 1200 个座位的礼堂、体育馆等单、多层建筑；

（5）建筑高度大于 15m 或体积大于 10000m³ 的办公建筑、教学建筑和其他单、多层民用建筑。

以上《建筑设计防火规范》GB 50016—2014 8.2.1 未规定的建筑或场所和符合本规

范第8.2.1条规定的下列建筑或场所，可不设置室内消火栓系统，但宜设置消防软管卷盘或轻便消防水龙：

（1）耐火等级为一、二级且可燃物较少的单、多层丁、戊类厂房（仓库）。

（2）耐火等级为三、四级且建筑体积不大于3000m³的丁类厂房；耐火等级为三、四级且建筑体积不大于5000m³的戊类厂房（仓库）。

（3）粮食仓库、金库、远离城镇且无人值班的独立建筑。

（4）存有与水接触能引起燃烧爆炸的物品的建筑。

（5）室内无生产、生活给水管道，室外消防用水取自储水池且建筑体积不大于5000³的其他建筑。

此外，该规范还规定：

国家级文物保护单位的重点砖木或木结构的古建筑，宜设置室内消火栓系统。

人员密集的公共建筑、建筑高度大于100m的建筑和建筑面积大于200m²的商业服务网点内应设置消防软管卷盘或轻便消防水龙。高层住宅建筑的户内宜配置轻便消防水龙。

2. 消火栓给水系统组成

室内消火栓给水系统由消防水源、消防管道、室内消火栓设备、供水设施（消防水泵、消防水箱、消防水池、水泵接合器）等组成，如图1-33所示。

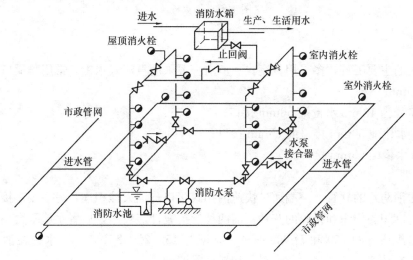

图1-33 室内消火栓给水系统的组成

（1）消防水源

消防水源水质应满足水灭火设施灭火、控火和冷却等消防功能的要求。

根据《消防给水及消火栓系统技术规范》GB 50974—2014，消防水源应符合下列规定：

市政给水、消防水池、天然水源等可作为消防水源，宜采用市政给水管网供水；雨水清水池、中水清水池、水景和游泳池宜作为备用消防水源。

（2）消防管道

消防管道包括进户管、干管、立管、横支管等。一般选用镀锌钢管。对于7～9层单元式住宅，可设置一条进水管。超过10个消火栓，应设置两条进水管，并与室外环状管网连接。

室内消火栓系统管网应布置成环状，当室外消火栓设计流量不大于 20L/s（但建筑高度超过 50m 的住宅除外），且室内消火栓不超过 10 个时，可布置成枝状。

（3）室内消火栓设备

1）消火栓

分为单出口（图 1-34a）和双出口（图 1-34b），单出口直径有 DN50、DN65 两种。对应的水枪最小流量分别为 2.5L/s 和 5L/s。双出口消火栓直径为 DN65，用于每支水枪最小流量不小于 5L/s。消火栓进口端与管道相连接，出口与水带相连接。

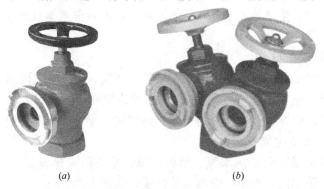

图 1-34　消火栓
(a) 单出口；(b) 双出口

2）水枪

是灭火的主要工具，多采用直流式。室内一般采用直流式水枪。常用喷嘴口径规格有 13、16、19mm 三种。

喷嘴口径为 13mm 水枪配 50mm 接口；

16mm 水枪配 50mm 接口或 65mm 接口；

19mm 水枪配 65mm 接口。

3）水带

是输送消防水的软管，一端通过快速内扣式接口与消火栓相连，另一端连接水枪。常用的水带有麻织、棉织和衬胶的三种。前两种抗折叠性能较好，后者水流阻力小。室内常用消防水带规格有 DN50 和 DN65 两种。长度有 15、20、25、30m。水带在消火栓箱内的安置方式有挂置式、盘卷式、卷置式和托架式四种。

4）消防卷盘

又称消防水喉，是在启用室内消火栓之前供建筑物内一般人员自救初期火灾的消防设施。它由 DN25 的小口径消火栓、内径不小于 19mm 的橡胶胶带和口径不小于 6mm 的消防卷盘喷嘴组成，胶带缠绕在卷盘上。设置在消防箱内，对于没有经过专业训练的人员可以使用消防卷盘进行有效的自救灭火。

5）消火栓箱

用来放置消火栓、水枪、水带的箱子。明装或嵌入式安装在墙体内。规格有800mm×650mm×320（200）mm。用铝合金、钢板或木材制作，外装玻璃门，并设有"消火栓"字样的明显标志，如图 1-35 所示。

6）水泵结合器

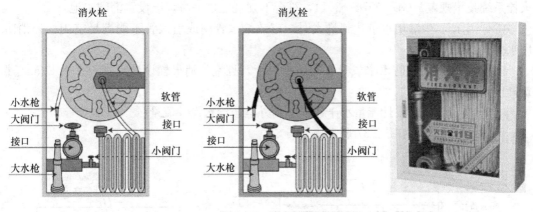

图 1-35　消火栓箱

水泵结合器一端与室内消防给水管道连接，另一端供消防水车向室内管网供水。

当建筑物发生火灾，室内消防水泵不能启动或流量不足时，消防车可由室外消火栓、水池或天然水源取水，通过水泵结合器向室内消防给水管网供水。水泵结合器就是消防车或移动式水泵向室内消防管网供水的连接口。

水泵结合器接口直径 DN65 和 DN80 两种，分地上式、地下式、墙壁式三种类型，如图 1-36 所示。

(a)　　　　　　　　　　(b)　　　　　　　　　　(c)

图 1-36　水泵接合器
(a) 地上式；(b) 地下式；(c) 墙壁式

按照《建筑设计防火规范》GB 50016—2014 和《消防给水及消火栓系统技术规范》GB 50974—2014 的规定，下列建筑的室内消火栓给水系统应设置消防水泵接合器：

① 高层民用建筑；

② 设有消防给水的住宅、超过五层的其他多层民用建筑；

③ 超过 2 层或建筑面积大于 10000m² 的地下或半地下建筑（室）、室内消火栓设计流量大于 10L/s 平战结合的人防工程；

④ 高层工业建筑和超过四层的多层工业建筑；

⑤ 城市交通隧道。

（4）供水设施

1）消防水池

消防水池是人工建造的供固定或移动消防水泵吸水的储水设施。按照《消防给水及消火栓系统技术规范》GB 50974—2014，符合下列规定之一时，应设置消防水池：

① 当生产、生活用水量达到最大时，市政给水管网或引入管不能满足室内、外消防用水量；

② 当采用一路消防供水或只有一条引入管，且室外消火栓设计流量大于 20L/s 或建筑高度大于 50m；

③ 市政消防给水设计流量小于建筑室内外消防给水设计流量。

消防水池构造详如图 1-37 所示。

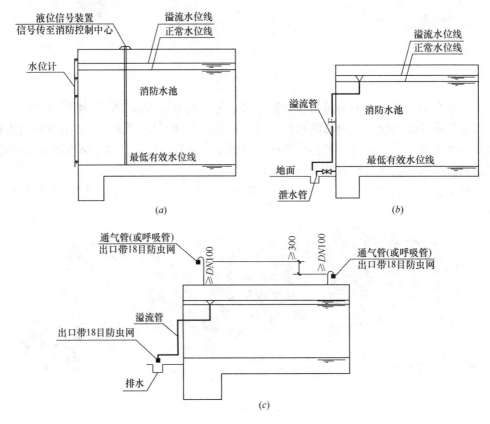

图 1-37　消防水池构造图

（a）消防水池水位计和液位信号装置；（b）消防水池溢流管和泄水管；（c）消防水池防止虫鼠措施

消防水池有效容积的计算应符合下列规定：

① 当市政给水管网能保证室外消防给水设计流量时，消防水池的有效容积应满足在火灾延续时间内室内消防用水量的要求。

② 当市政给水管网不能保证室外消防给水设计流量时，消防水池的有效容积应满足火灾延续时间内室内消防用水量和室外消防用水量不足部分之和的要求。

③ 消防水池的给水管应根据其有效容积和补水时间确定，补水时间不宜大于 48h，但当消防水池有效总容积大于 2000m³ 时不应大于 96h，消防水池给水管管径应经计算确定，且不应小于 DN50。

④ 当消防水池采用两路消防供水且在火灾情况下连续补水能满足消防要求时，消防水池的有效容积应根据计算确定，但不应小于 100m³，当仅设有消火栓系统时不应小于 50m³。

火灾时消防水池连续补水应符合下列规定：

① 消防水池应采用两路消防给水。

② 消防水池容量过大时应分成2个，以便水池检修、清洗时仍能满足消防用水的供给。

③ 消防用水与生产、生活用水合并时，为防止消防用水被生产、生活用水所占用，因此要求有可靠的技术设施（例如生产、生活用水的出水管设在消防水面之上）保障消防用水不作他用，如图1-38所示。

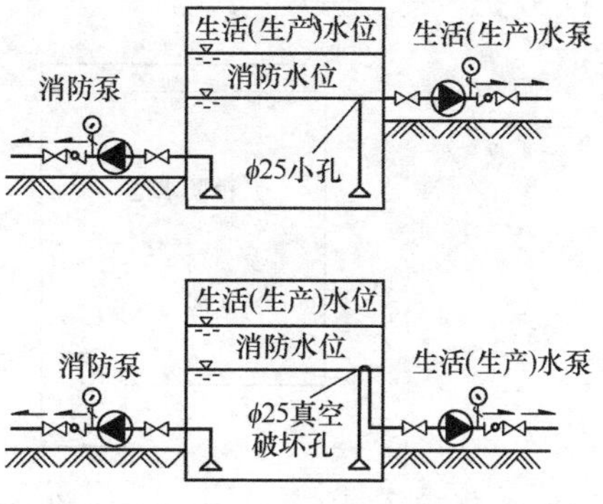

消防水池的出水、排水和水位应符合下列规定：

① 消防水池的出水管应保证消防水池的有效容积能被全部利用；

② 消防水池应设置就地水位显示装置，并应在消防控制中心或值班室等地点设置显示消防水池水位的装置，同时应有最高和最低报警水位；

③ 消防水池应设置溢流水管和排水设施，并应采用间接排水。

详见图1-39。

图1-38 合用水池保证消防水不被动用的技术措施

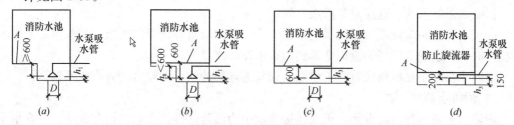

图1-39 消防水池最低水位

A—消防水池最低水位线；D—吸水管喇叭口直径；
h_1—喇叭口底到吸水井底的距离；h_3—喇叭口底到池底的距离

消防水池的通气管和呼吸管等应符合下列规定：

① 消防水池应设置通气管；

② 消防水池通气管、呼吸管和溢流水管等应采取防止虫鼠等进入消防水池的技术措施。

2）消防水泵

消防水泵是指专用消防水泵或达到国家标准《消防泵》GB 6245—2006的普通清水泵。大多数消防水源提供的消防用水，都需要消防水泵进行加压，以满足灭火时对水压和水量的要求。

消防水泵宜根据可靠性、安装场所、消防水源、消防给水设计流量和扬程等综合因素确定水泵的型式。

消防水泵的安装形式如图1-40所示。

消防水泵应保证在火警5min在开始工作，并在火场断电时仍能正常运转。

消防水泵机组应由水泵、驱动器和专用控制柜等组成；一组消防水泵可由同一消防给

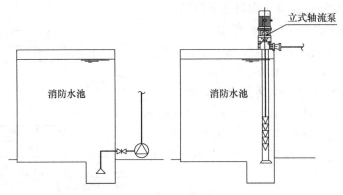

图 1-40　消防水泵安装形式

水系统的工作泵和备用泵组成。

单台消防水泵的最小额定流量不应小于 10L/s，最大额定流量不宜大于 320L/s。

消防水泵应采取自灌式吸水。

消防水泵从市政管网直接抽水时，应在消防水泵出水管上设置减压型倒流防止器。

一组消防水泵，吸水管不应少于两条，当其中一条损坏或检修时，其余吸水管应仍能通过全部消防给水设计流量。

消防水泵吸水管布置应避免形成气囊。

一组消防水泵应设不少于两条的输水干管与消防给水环状管网连接，当其中一条输水管检修时，其余输水管仍能供应全部消防给水设计流量。

消防水泵的主要材质应符合：水泵外壳宜为球墨铸铁，叶轮宜为青铜或不锈钢。

3）消防水箱

消防水箱是一种消防设施，灭火救援活动中为消防队提供水源的消防设施。具有水质好，清洁无污染，强度高，重量轻等优点。

消防水箱构造组成如图 1-41 所示。

消防水箱储存 10min 的消防水量。

消防水箱的主要作用是供给建筑初期火灾时的消防用水水量，并保证相应的水压要求。水箱压力的高低对于扑救建筑物顶层或附近几层的火灾关系也很大，压力低可能导致不能出水或达不到要求的充实水柱，也不能启动自动喷水系统报警阀压力开关，影响灭火效率，为此高位消防水箱应规定其最低有效压力或者高度。

高位消防水箱的设置位置应高于其所服务的水灭火设施，且最低有效水位应满足水灭火设施最不利点处的静水压力，并应符合下列规定：

① 一类高层公共建筑，不应低于 0.10MPa，但当建筑高度超过 100m 时，不应低于 0.15MPa；

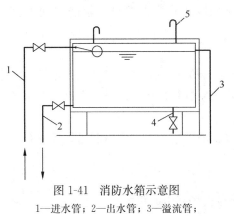

图 1-41　消防水箱示意图

1—进水管；2—出水管；3—溢流管；

4—排水管；5—通气管

② 高层住宅、二类高层公共建筑、多层公共建筑，不应低于 0.07MPa，多层住宅不宜低于 0.07MPa；

③ 工业建筑不应低于 0.10MPa，当建筑体积小于 20000m³ 时，不宜低于 0.07MPa；

④ 自动喷水灭火系统等自动水灭火系统应根据喷头灭火需求压力确定，但最小不应小于 0.10MPa。

当高位消防水箱不能满足以上四条的静压要求时，应设稳压泵。

当市政供水管网的供水能力在满足生产生活最大小时用水量后，仍能满足初期火灾所需的消防流量和压力时，可由市政给水系统直接供水，并应在进水管处设置倒流防止器，系统的最高处应设置自动排气阀。

高位消防水箱可采用热浸锌镀锌钢板、钢筋混凝土、不锈钢板等建造。

3. 室内消火栓布置

建筑室内消火栓的设置位置应满足火灾扑救要求，并应符合下列规定：

(1) 设置室内消火栓的建筑，包括设备层在内的各层均应设置消火栓；

(2) 室内消火栓应设置在楼梯间及其休息平台和前室、走道等明显易于取用，以及便于火灾扑救的位置；

(3) 住宅的室内消火栓宜设置在楼梯间及其休息平台；

(4) 汽车库内消火栓的设置不应影响汽车的通行和车位的设置，并应确保消火栓的开启；

(5) 同一楼梯间及其附近不同层设置大的消火栓，其平面位置宜相同；

(6) 冷库的室内消火栓应设置在常温穿堂或楼梯间内。

建筑室内消火栓栓口的安装高度应便于消防水带的连接和使用，其距地面高度宜为 1.1m；其出水方向应便于消防水带的敷设，并宜与设置消火栓的墙角成 90°角或向下。

设有室内消火栓的建筑应设置带有压力表的试验消火栓，其设置位置应符合下列规定：

① 多层和高层建筑应在其屋顶设置，严寒、寒冷等冬季结冰地区可设置在顶层出口处或水箱间内等便于操作和防冻的位置；

② 单层建筑宜设置在水力最不利处，且应靠近出入口。

室内消火栓宜按行走距离计算其布置间距，并应符合下列规定：

A. 消火栓按 2 支消防水枪的 2 股充实水柱布置的高层建筑，消火栓的布置间距不应大于 30.0m；

B. 消火栓按 1 支消防水枪的 1 股充实水柱布置的建筑物，消火栓的布置间距不应大于 50.0m。

4. 室内消火栓系统的安装

为满足消防系统的压力要求和耐温要求，消火栓给水管道一般采用镀锌钢管，安装时，可采用螺纹连接、法兰连接、焊接连接等方式。在一般建筑物内，消防给水管道采用统一规格的管道明装。施工时，按自下而上顺序安装，并及时固定好管道支架。

(1) 消火栓箱的安装

消火栓箱有明装、半暗装和暗装三种安装方式。消火栓箱应设在不会冻结的地方，如有可能冻结，应采取相应的防冻、防寒措施。消火栓箱主要由钢板、铝合金等材料制成，其常用规格为 800mm×650mm×200mm。

① 暗装或半暗装消火栓箱的安装。可在土建砌墙时，预留好消火栓箱洞。安装前，检查预留箱洞的位置、标高、尺寸等参数，确保无误。安装前，必须取下箱内的消防水带和水枪等部件。镶入箱体时，不允许用钢钎撬、锤子敲的办法将箱体硬塞入预留孔内。箱体镶入后，应根据高度及位置找平找正，使箱边沿与抹灰墙面保持水平，再使用水泥砂浆塞满箱体四周空隙，将箱体固定。箱体周围不应出现空鼓现象，管道穿过箱体处的空隙应用水泥砂浆或密封膏封严。

② 明装消火栓箱的安装。先在墙上栽好螺栓，按螺栓的位置，在消火栓箱背部钻孔，将箱子就位、加垫，拧紧螺帽固定。消火栓箱安装在轻质隔墙上时，应有固定措施。

等消火栓安装完毕后，应消除箱内的杂物，箱体内外漆层有损坏的要补刷，箱门上应标出"消火栓"三个红色大字。

（2）室内消火栓的安装

消火栓的安装，应平整牢固，各零件齐全可靠。消火栓栓口应朝外并与墙面垂直安装，且不能安装在门轴侧，栓口中心安装高度为 1.1m。

消防水带、消防水枪等消防配件的安装应在交工前进行。消防水带与水枪、快速接头连接时，采用 14 号钢丝缠 2 道，每道不少于 2 圈；使用卡箍连接时，在里侧一道钢丝。然后，应根据箱内构造将水带挂放在箱内的挂钉、托盘或支架上。若设置电控按钮，注意与电气专业配合施工。

（3）消火栓系统试验

① 管道试压。消防管道试压可分层、分段进行，上水时最高点要有排气装置，高、低点各装 1 块压力表，上满水后检查管路有无渗漏；如有法兰、阀门等部位渗漏，应在加压前紧固，升压后再出现渗漏时做好标记，卸压后处理、必要时泄水处理。试压环境温度不得低于 5℃，当低于 5℃时，水压试验应采取防冻措施。

A. 强度试验。当系统设计工作压力等于或小于 1.0MPa 时，水压强度试验压力应为设计工作压力的 1.5 倍，并不低于 1.4MPa；当系统设计工作压力大于 1.0MPa 时，水压强度试验压力应为该工作压力加 0.4MPa。

水压强度试验的测试点应设在系统管网最低点。对管网注水时，应将管网内的空气排净，并应缓慢升压，达到试验压力后，稳压 30min，目测管网应无泄漏和无变形，且压力降不大于 0.05MPa 为合格。

B. 严密性试验。试验压力应为设计工作压力，稳压 24h，应无泄漏。

② 管道冲洗。消防管道在试压完毕后可连续做冲洗工作。冲洗前先将系统中的流量减压孔板、过滤装置拆除，冲洗水质合格后重新装好。冲洗出的水要有排放去向，不得损坏其他成品。

③ 系统通水调试，消防系统通水调试应达到消防部门测试规定条件。消防水泵应接通电源并已试运转，最不利点的消火栓的压力和流量经测试能满足设计要求。

（4）消防水泵接合器的安装

消防水泵接合器组装时，应按接口、本体、连接管、止回阀、安全阀、放空管、控制阀的顺序进行。止回阀的安装应注意方向性，安全阀需按系统工作压力定压，防止消防车加压过高破坏室内管网和部件。

A. 墙壁式消防水泵接合器，应安装在建筑物外墙上，且不应安装在玻璃幕墙下方。墙壁式水泵接合器应设明显标志，使其与地上式消火栓有明显区别。

B. 地上式消防水泵接合器，一部分安装在阀门井中，另一部分安装在地面上。为防止阀门井内部件锈蚀，对积水坑内积水应定期排除，对阀门井内活动部件进行防腐处理。在接合器入口处注意设置与消火栓区别的固定标志。

C. 地下式消防水泵接合器，设在建筑物附件的专用井室内，采用铸有"消防水泵接合器"标志的铸铁井盖，并在附近设置指示其位置的固定标志，以便识别。安装时，注意使地下消防水泵接合器进水口与井盖底面的距离大于井盖的半径且小于0.4m。

5. 室内消火栓给水系统的质量检验

(1) 消火栓水带与水枪和快速接头绑扎好后，应根据箱内构造将水带挂放在箱内的挂钉、托盘或支架上。

检验方法：观察检查。

(2) 箱式消火栓的安装应符合下列规定：栓口应朝外，并不应安装在门轴侧；栓口中心距地面为1.1m，允许偏差为±20mm；阀门中心距箱侧面为140mm，距箱后内表面为100mm，允许偏差为±5mm；消火栓箱体安装的垂直度允许偏差为3mm。

检验方法：观察和尺量检查。

(3) 室内消火栓系统安装完成后应取屋顶层（或水箱间内）试验消火栓和首层取两处消火栓做试射试验，达到设计要求为合格。

检验方法：实地试射检查。

(4) 消防水泵接合器应安装在便于消防车接近的人行道或非机动车行驶地段，距室外消火栓或消防水池的距离宜为15～40m。地下消防水泵接合器应采用铸有"消防水泵接合器"标志的铸铁井盖，并在附近设置指示其位置的永久性固定标志。

检查方法：采用观察法全数检查。

(5) 墙壁式消防水泵接合器的安装应符合设计要求，设计无要求时，其安装高度距地面宜为0.7m；与墙面上的门、窗、孔、洞的净距离不应小于2.0m，且不应安装在玻璃幕墙下方。

检查方法：观察检查和尺量检查。

(6) 地下式消防水泵接合器的安装，应使进水口与井盖底面的距离不大于0.4m，且不小于井盖半径。

检查方法：尺量检查。

二、自动喷水灭火系统

自动喷水灭火系统是由洒水喷头、报警阀组、水流报警装置（水流指示器或压力开关）等组件，以及管道、供水设施等组成，能在发生火灾时喷水的自动灭火系统。

自动喷水灭火系统是当今世界上公认的最有效的自救灭火设施，也是应用最广泛、用量最大的自动灭火系统。当发生火灾时，该系统能自动喷水灭火并同时发出火警信号，尤其是在扑救初期火灾时其功效较高，成功率在95%以上。国内外应用实践证明，该系统具有安全可靠、经济实用、控灭火成功率高等优点。

1. 自动喷水灭火系统的设置场所

详见《建筑设计防火规范》GB 50016—2014 8.3的规定。

2. 自动喷水灭火系统的组成

自动喷水灭火系统一般由水源、供水设施、管道、洒水喷头、报警阀组、水流报警装置及火灾自动报警系统等组成。

图 1-42 闭式喷头
（a）易熔合金喷头；（b）玻璃球喷头

（1）喷头

喷头有闭式喷头、开式喷头和特殊喷头。

闭式喷头，是闭式自动喷水灭火系统的关键组件，系通过热敏释放机构的动作而喷水，由喷水口、温感释放器和溅水盘组成，如图 1-42 所示。

按其热敏元件不同，有玻璃球喷头和易熔元件喷头。按其溅水盘形式和安装位置不同有：直立型、下垂型、边墙型、吊顶型和干式下垂型。

开式喷头按用途不同，有开启式、水幕式、喷雾式等，如图 1-43 所示。

（2）报警阀组

是自动喷水灭火系统中能接通或切断水源，并启动报警器的装置。由报警阀、延时器、水力警铃、压力开关、压力表及试验阀、报警试验阀、平衡阀和过滤器等组成。

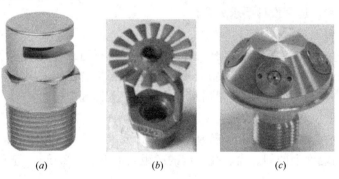

图 1-43 开式喷头
（a）水幕喷头；（b）雨淋喷头；（c）水喷雾喷头

报警阀根据系统不同，可分为：湿式报警阀、干式报警阀、雨淋阀，如图 1-44 所示。

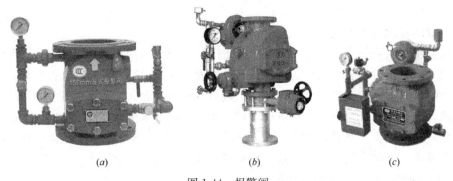

图 1-44 报警阀
（a）湿式；（b）干式；（c）雨淋

（3）水流报警装置

起检测、控制、报警的作用，并能发出声、光等信号。有水流指示器和压力开关两种。每个防火分区和每个楼层都应设有水流指示器。

（4）末端试水装置

末端试水装置由试水阀、压力表和试水接头组成。每个报警阀组控制的最不利点洒水喷头处应设末端试水装置，其他防火分区、楼层均应设直径为 25mm 的试水阀。

（5）系统的必要配件

必要的配件有减压阀、减压孔板、泄水阀、排气阀、排污口等。

（6）火灾自动报警装置

由火灾自动报警控制器和火灾探测器等组成。

可单独作火灾自动报警用，也可与自动喷水灭火系统联动，组成自动报警两栋控制系统。

3. 自动喷水灭火的类型

自动喷水灭火系统根据喷水不同，可分为闭式和开式系统。闭式系统有：湿式自动喷水灭火系统、干式自动喷水灭火系统、预作用喷水灭火系统、干湿两用灭火系统；开始系统有：雨淋系统、水幕系统等。

（1）湿式喷淋水灭火系统

湿式自动喷水灭火系统主要由水系统和相应的电控系统组成。水系统包括消防水池、消防水箱、消防水泵、报警阀、水流指示器、管网、闭式喷头等组成。电控系统由报警控制器、压力开关、烟感器、温感器、手动报警按钮、声光讯响器部分组成，具有报警、联动控制水系统的功能。

湿式系统适用于常年室温在 4～70℃，能用水灭火的建筑物内。如图1-45所示。

（2）干式自动喷水灭火系统

系统内平时充有压缩空气（或氮气），水不能进入配水管网，适于布置在室内温度低于 0℃ 或环境温度可能超过 70℃ 的房间或建筑物内，其喷头宜向上设置。发生火灾时，喷头爆裂后打开，首先喷出压缩空气，配水管网内气压降低，利用压力差原理，干式报警阀打开，水流人配水管，再从喷头喷出。同时水到达压力继电器，令报警控制器和水力警铃报警。

（3）预作用喷水灭火系统

该系统在报警系统报警后（喷头还未开启）管道就充水，等喷头开启

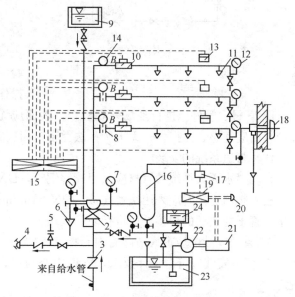

图1-45　湿式自动喷水灭火系统

1—湿式报警阀；2—闸阀；3—止回阀；4—水泵接合器；5—安全阀；6—排水漏斗；7—压力表；8—节流孔板；9—高位水箱；10—水流指示器；11—闭式喷头；12—压力表；13—烟感探测器；14—火警报警装置；15—火灾收信机；16—延迟器；17—压力继电器；18—水力警铃；19—电气控制箱；20—按钮；21—电动机；22—水泵；23—蓄水池；24—泵灌水箱

时已成湿式系统，不影响喷头开启，及时喷水。

适用于不允许出现水渍的重要建筑物内，如宾馆、重要档案、资料、图书及珍贵文物贮藏室。

（4）雨淋灭火系统

该系统为喷头常开的灭火系统，当火灾发生时，探测器动作，向控制箱发出报警信号，报警箱接到信号后，经过确认，发出指令，打开雨淋阀上的电磁泄压阀，使整个保护区域所有的开式喷头喷水灭火同时启动水泵供水。该系统具有出水量大、灭火及时大的优点，适用于火灾危险性大的建筑或部位。

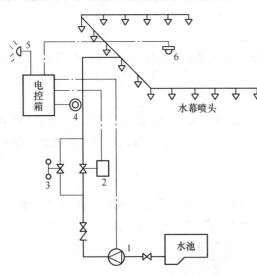

图 1-46　水幕系统
1—水泵；2—电动阀；3—手动阀；4—电钮；
5—警铃；6—火灾探测器

（5）水幕系统

水幕系统（图 1-46）采用开式的水幕喷头，喷头沿线布置，喷出的水形成水帘状。因此，它不是直接用来扑灭火灾，而是与防火卷帘、防火幕配合使用。发生火灾时主要起阻火、冷却、隔离作用。

4. 自动喷水灭火系统的安装

（1）施工前的准备

自动喷水灭火系统施工前应对采用的系统组件、管件及其他设备、材料进行现场检查，主要包括：

A. 喷头、报警阀组、压力开关、水流指示器、消防水泵、水泵接合器等系统主要组件，应经国家消防产品质量监督检验中心检测合格；应有清晰的铭牌、安全操作指示标志及说明书。

B. 管材、管件应进行现场外观检查，表面应无裂纹、缩孔、夹渣、折叠和重皮；螺纹密封面应完整、无损伤、无毛刺；法兰密封面应完整光洁。

（2）管道系统的安装

自动喷水灭火系统的管材应采用镀锌钢管，$DN{\leqslant}100mm$ 时用螺纹连接，当管子与设备、法兰阀门连接时应采用法兰连接；$DN{>}100mm$ 时可采用法兰连接或专用的沟槽管件连接，管子与法兰的焊接处应进行防腐处理。

A. 管道安装前应彻底清除管内异物及污物。

B. 管道安装应符合设计要求，管道中心与梁、柱、顶棚的最小距离应符合表 1-5 的规定。

管道中心与梁柱顶棚的最小距离（mm）　　　　　　　　　　　表 1-5

公称直径	25	32	40	50	65	80	100	125	150	200
距离	40	40	50	60	70	80	100	125	150	200

C. 水平敷设的管道应有 0.002～0.005 的坡度，坡向泄水点。

（3）喷头的安装

A. 喷头在安装前应在现场进行外观检验。喷头的商标、型号、公称动作温度、响应时间指数（RTI）、制造厂及生产日期等标志应齐全；喷头的型号、规格等应符合设计要求；喷头外观应无加工缺陷和机械损伤；喷头螺纹密封面应无伤痕、毛刺、缺丝或断丝现象。

闭式喷头应进行密封性能试验，以无渗漏、无损伤为合格。试验数量宜从每批中抽查1%，但不得少于5只，试验压力为3.0MPa；保压时间不得少于3min。当两只及两只以上不合格时，不得使用该批喷头。当仅有一只不合格时，应再抽查2%，但不得少于10只，并重新进行密封性能试验；当仍有不合格时，亦不得使用该批喷头。

B. 喷头的安装应在系统管道试压、冲洗合格后进行。

C. 根据溅水盘的不同，将喷头外为直立型、下垂型、边墙型和通用型四种。不同型式的喷头，它的向上、向下喷水量是不一样的，不同的建筑场所要求使用相应形式的喷头，安装时注意核对。喷头的安装如图1-47所示。

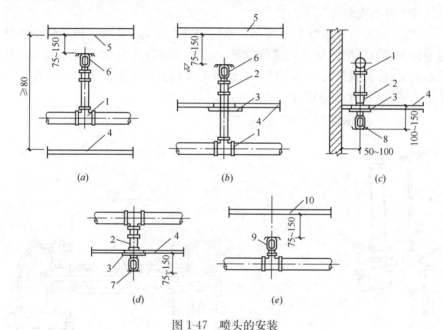

图1-47　喷头的安装

(a) 直立型暗装；(b) 直立型明装；(c) 边墙型；(d) 下垂型；(e) 通用型

1—三通；2—异径管接头；3—装饰板；4—吊顶；5—楼面或屋面板；6—直立型喷头；

7—下垂型喷头；8—边墙型喷头；9—通用型喷头；10—集热罩

D. 喷头安装时，应注意：喷头溅水盘与楼板或屋面板的距离不宜大于300mm；边墙型喷头在其两侧1m范围内和墙面垂直方向2m内，均不得有障碍物；安装喷头时，不得对喷头进行拆装、改动，并严禁给喷头附任何装饰性涂层；在施工安装中，用塑料薄膜包裹喷头，以防止涂料覆盖玻璃球，影响喷头的感温动作性能，系统通水调试前，再将塑料薄膜取下；安装在易受机械损伤处的喷头，应加设喷头防护罩。

E. 喷头安装应使用专用扳手，严禁利用喷头的框架施拧；喷头的框架、溅水盘产生变形或释放元件受损时，应采用规格、型号相同的喷头更换。

（4）报警阀组的安装

A. 安装前应对报警阀进行检验：阀门的商标、型号、规格等标志应齐全，阀门的型号、规格应符合设计要求；阀门及其附件应配备齐全，不得有加工缺陷和机械损伤；报警阀应有水流方向的永久性标志；报警阀和控制阀的阀瓣及操作机构应动作灵活、无卡涩现象，阀体内应清洁、无异物堵塞。

B. 报警阀安装前应进行渗漏试验。试验压力应为额定工作压力的 2 倍，保压时间不应小于 5min。阀瓣处应无渗漏。

C. 报警阀组应安装在便于操作的明显位置，距室内地面高度为 1.2m，两侧与墙的距离不应小于 0.5m；正面与墙的距离不应小于 1.2m。

D. 下面以应用较广的湿式报警阀组为例，说明报警阀组的安装。

如图 1-48 所示，湿式报警阀组在进水方向安装水源控制阀，其安装位置应便于操作，并设置明显开闭标志和可靠的锁定设施；然后安装湿式报警阀；再连接延迟器、压力表等各种配件。过滤器应安装在延迟器前；排水管和试验阀安装在便于操作的位置。

（5）其他组件的安装

1）水力警铃的安装。如图 1-49 所示，水力警铃主要由水轮机、传动轴和铃身三部组成。水力警铃和报警阀的连接采用镀锌钢管。当镀锌钢管的公称直径为 15mm 时，其长度不大于 6m；当镀锌钢管的公称直径为 20mm 时，其长度不应大于 20m。安装后的水力警铃启动压力不应小于 0.05MPa。

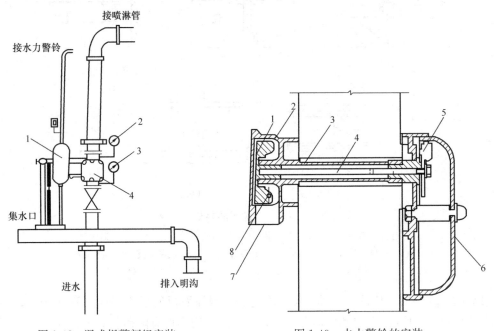

图 1-48　湿式报警阀组安装　　　　　图 1-49　水力警铃的安装

1—延迟器；2、3—压力表；4—报警阀检查口　　1—传动轮；2—水马达外壳；3—支持管；4—传动杆；

　　　　　　　　　　　　　　　　　　　5—报警臂；6—铃身；7—排水口；8—进水口

安装时应按照以下顺序进行：首先，确定墙面开孔位置，按规定孔径在墙上开孔；然后，安装水轮机进水和排水管道，安装时，注意区分水轮机进水口和排水口，排水口正对水轮机轴、进水口则在切线方向；其后，连接支持管及传动杆；最后，安装铃身。

2）水流指示器安装。水流指示器的安装在管道试压和冲洗合格后进行。安装时，先开孔，再安装其余部件，安装时需注意：水流指示器一般竖直安装在水平管道上方，安装位置应以有检修空间的水平干管为宜；吊顶内的水流指示器处应设检修孔；水流指示器安装方向应正确；安装后的水流指示器浆片、膜片应动作灵活，不得与管壁发生碰擦；水力警铃的铃锤应转动灵活、无阻滞现象；传动轴密封性能好，不得有渗漏水现象。

5. 自动喷水灭火系统质量检验

（1）热镀锌钢管安装应采用螺纹、沟槽式管件或法兰连接。管道连接后不应减小过水横断面面积。

检查方法：抽查20％，且不得少于5处。

（2）配水干管（立管）与配水管（水平管）连接，应采用沟槽式管件，不应采用机械三通。

检查方法：抽查20％，且不得少于5处，观察检查。

（3）埋地的沟槽式管件的螺栓、螺帽应作防腐处理。水泵房内的埋地管道连接应采用挠性接头。

检查方法：全数观察检查或局部解剖检查。

（4）当管道变径时，宜采用异径接头；在管道弯头处不宜采用补芯，当需要采用补芯时，三通上可用1个，四通上不应超过2个；公称直径大于50mm的管道不宜采用活接头。

检查方法：全数观察检查。

（5）管道支架、吊架的安装位置不应妨碍喷头的喷水效果；管道支架、吊架与喷头之间的距离不宜小于300mm；与末端喷头之间的距离不宜大于750mm。

检查方法：抽查20％，且不得少于5处，尺量检查。

（6）配水干管、配水管应做红色或红色环圈标志。红色环圈标志，宽度不应小于20mm，间隔不宜大于4m，在一个独立的单元内环圈不宜少于2处。

检查方法：抽查20％，且不得少于5处，采用观察检查和尺量检查。

（7）喷头安装时，溅水盘与吊顶、门、窗、洞口或障碍物的距离应符合设计要求。

检查方法：抽查20％，且不得少于5处，对照图纸，尺量检查。

（8）当喷头溅水盘高于附近梁底或高于宽度小于1.2m的通风管道、排管、桥架腹面时，喷头溅水盘高于梁底、通风管道、排管、桥架腹面的最大垂直距离应符合设计要求。

检查方法：尺量检查。

三、水喷雾灭火系统

其灭火原理是在火焰上形成隔氧层，同时，水雾化吸收热量，降低火焰温度。

它是利用对燃烧物起窒息、冷却、乳化、稀释等作用而进行灭火的。

适用范围：可用于扑救固体火灾、闪点温度高于60℃的液体或电气火灾，或可燃气体等。但不能用于扑救遇水发生化学反应造成燃烧、爆炸的火灾。

四、其他形式灭火系统

1. CO_2灭火系统

原理：通过减少空气中O_2得含量，使其达不到支持燃烧的浓度。

2. 1211灭火系统

卤代烷 1211 灭火剂主要使对燃烧反应起抑制作用，能中断燃烧得连锁反应，达到灭火的目的。

3. 干粉灭火系统

主要适用于扑救可燃气体、可燃、易燃液体火灾，也适用于扑救电气设备火灾。

4. 泡沫灭火系统

是油田、炼油厂、发电厂、油库及油罐区的重要灭火设施。

五、消防系统质量通病及其防治

1. 消火栓安装不符合要求

（1）产生原因

消火栓几何尺寸不符合要求，箱体厚度小于 240mm，不能满足栓口朝外的规定。

消火栓箱洞口上部不设置过梁，受荷的箱体变形，导致箱门开启不灵。

消火栓箱底板留孔位置错误，无法组装导致栓口不能朝下或与墙面成 90°角。

消火栓栓口不能朝外，导致消防水龙带在此处打折，影响出水量。

（2）预控措施

消火栓箱体的几何尺寸和厚度必须符合现行技术标准的规定，箱体厚度不得小于 240mm，满足栓口朝外的规定。

消火栓箱体上部应设过梁，预防箱体受压变形而影响箱门的开启。

消火栓支管应从箱体底预留孔位正确引入，不可随意改动。

2. 消防喷头标高与喷洒支管规格不合要求

（1）现象

喷头标高与平顶不一致，喷洒支管直接开出 $DN15$ 的三通支管连接喷头。

（2）产生原因及预控措施

喷头安装时未划出平顶标高线，基准线不准确。

喷洒支管直接开出 $DN15$ 的三通支管连接喷头是对消防规范不了解，按规范规定配水支管的直径不应小于 25mm，因此三通直径应开 25mm，应用 $DN25$ 短管加异径管接头连接消防喷淋头，不得用 $DN15$ 短管连接。

任务 5　建筑热水供应系统的安装

热水供应系统是水的加热、储存和输配的总称。

一、热水供应系统的分类

建筑内热水供应系统依据供应范围大小可分为局部热水供应系统、集中热水供应系统和区域热水供应系统。

局部热水供应系统：一般采用小型加热器在用水场所就地加热，供局部范围内一个或几个配水点使用。一般适用于热水用量小且分散的建筑，如饮食店、理发店、门诊所、办公楼等。

集中热水供应系统：采用锅炉或换热器在锅炉房或热交换站中将水集中加热，通过热水管道向一栋或几栋建筑输送热水。适用于热水用水量大，用水点多且较集中的建筑，如旅馆、医院、住宅、公共浴室等。

区域热水供应系统：一般以集中供热的热网做热源来加热冷水或直接从热网中取水，通过室外热水管网向城市街坊、住宅小区各建筑输送热水。一般适用于要求热水供应的建筑甚至多且较集中的城镇住宅区和大型工业企业。

二、热水供应系统的组成

以集中热水供应系统为例，热水供应系统一般由两个循环系统组成。第一循环系统包括发热设备、加热设备及热媒管道，其功能是制备一定水温和水量的热水；第二循环系统包括建筑内部热水配水管网，回水管网及各种附件，其作用是将热水送至各用水点，并保证各配水点热水的温度，如图 1-50 所示。

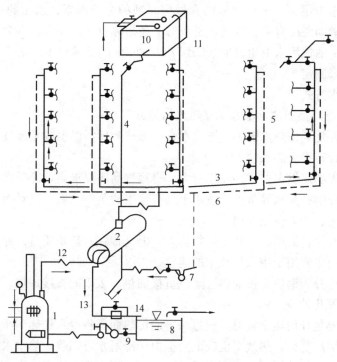

图 1-50　热媒为蒸汽的集中热水系统

1—锅炉；2—水加热器；3—配水干管；4—配水立管；5—回水立管；
7—循环泵；8—凝结水池；9—冷凝水泵；10—给水水箱；
11—透气管；12—热媒蒸汽管；13—凝水管；14—疏水器

1. 热媒系统也称第一循环系统（热媒、水加热器和热媒管网）

由锅炉生产的蒸汽通过热媒管网送到水加热器加热冷水而后变成冷凝水，靠余压回到凝结水池，冷凝水和新补充的软化水经冷凝水泵作用压送至锅炉重新加热为蒸汽，如此循环完成热传递过程。

2. 热水供应系统也称第二循环系统（热水配水管网和回水管网）

在水加热器中冷水被加热到一定温度经配水管网送至各热水配水点，而消耗的冷水由高位水箱或给水管网直接补给。本系统中各立管、水平干管甚至支管处都设了回水管，其目的是在循环水泵的作用下使一定量的热水通过回水管流回加热器重新加热，以补充管网所散失的热量，从而保证了各配水点设计水温。

3. 附件

包括热媒和热水的控制附件、配水附件。如温度自动调节器、疏水器、减压阀、安全阀、膨胀罐、补偿器、闸阀、水嘴等。

三、热水水温

生活热水的水温一般为 $25\sim60℃$，综合考虑水加热器到配水点系统管路不可避免的热损失，水加热器的出水温度一般不应超过 $75℃$，但也不宜过低。水温过高，管道易结垢，易发生人体烫伤事故，水温过低则不经济。

四、热水水质

管道和设备的腐蚀和结垢是热水供应系统中较普遍的两个问题，它直接影响管道的使用寿命与投资维修费用。水中溶解氧的含量是腐蚀的主要因素；水垢的形成主要与水中钙、镁离子的含量即硬度有关。因此，必须对上述指标有一定要求。生活用热水水质应符合我国现行的《生活饮用水卫生标准》GB 5749—2006 的要求；生产用热水水质应按生产工艺的不同要求来制定。

五、热水供水方式

1. 直接加热与间接加热供水方式（热水加热方式）

直接加热主要是利用热水锅炉，把冷水直接加热到所需温度或是通过蒸汽锅炉将蒸汽直接通入冷水混合转换成热水。

对于蒸汽直接加热供水方式存在噪声大，对蒸汽品质要求高，冷凝水不能回收，热源需大量经水质处理的补充水等特点，适用于具有合格的蒸汽热媒，且对噪声无严格要求的公共浴室、洗衣房、工矿企业等用户。

直接加热具有设备简单、热效率高等优点，但又存在对热媒质量、冷水硬度条件要求较高的缺点，因而主要用于用水量较少的建筑。

直接加热又可分为锅炉直接加热、蒸汽直接加热、太阳能直接加热、电加热器直接加热和煤气加热器等几种。

间接加热主要是利用热交换器，通过一定的传热面积将冷水加热到所需设计温度。尽管其设备较直接加热复杂，热效率也较低，但由于冷凝水可回收，热水水温和水量较易调节，系统使用寿命较长等优点，因而应用较广泛，适用于供水稳定、安全，对噪声要求低的旅馆、住宅、医院、办公楼等。

2. 开式系统和闭式系统供水方式（管网压力工况）

开式系统：不需设置安全阀或闭式膨胀水箱，只需设置高位冷水箱和膨胀管或高位形式加热水箱等附件。管网与大气相通，系统内的水压主要取决于水箱的设置高度，而不受室外给水管网水压波动影响，系统运行安全可靠并且稳定。其最大缺点是，高位水箱占用使用空间，开式水箱水质易受外界污染。适用于要求水压稳定，且允许设置高位水箱的热水用户。

闭式系统：管网不与大气相通，冷水直接进入水加热器。系统中需设安全阀、隔膜式压力膨胀罐或膨胀管、自动排气阀等附件，以确保系统安全运行。由于系统供水水压稳定性较差，安全可靠性差，一般适用于不设置屋顶水箱的热水供应系统。

3. 全天循环和定时循环供水方式

全天循环是指在热水供应时间内，循环水泵全日工作，热水管网中任何时刻都维持着设计水温的循环流量。适用于需全日供应热水的建筑，如宾馆、医院等。

定时循环是指每天在热水供应前，将管网中冷却了的水强制循环一定时间，在热水供应时间内，根据使用热水的繁忙程度，使循环水泵定时工作。

4. 机械循环和自然循环供水方式

自然循环指利用热水管网中配水管和回水管内的温度差所形成的自然循环作用水头（自然压力），使管网内维持一定的循环流量，以补偿热损失，保持一定的供水温度。因一般配水管与回水管内的水温差仅为5～10℃，自然循环作用水头值很小，所以实际使用自然循环的很少，尤其对于中、大型建筑采用自然循环有一定的困难。

机械循环指利用水泵强制水在热水管网内循环，造成一定的循环流量，以补偿管网热损失，维持一定的水温。目前实际运行的热水供应系统，多数采用这种循环方式。

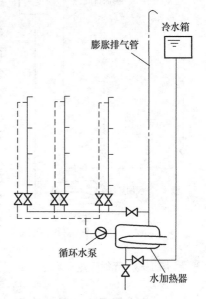

图 1-51　全循环热水系统

5. 全循环、半循环、无循环管网的供水方式

全循环热水供水方式是指热水干管、立管及支管均能保持热水的循环，打开配水龙头均能及时得到符合设计水温要求的热水，适用于有特殊要求的高标准建筑中。如图 1-51 所示。

半循环热水供水方式又分为立管循环和干管循环的供水方式。如图 1-52 所示。

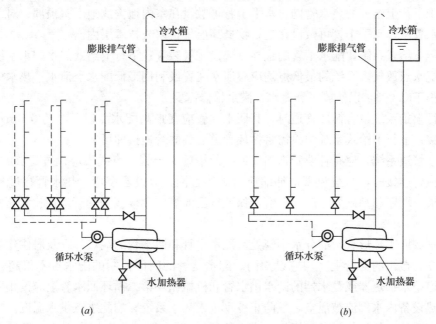

图 1-52　半循环热水系统
(a) 立管循环；(b) 干管循环

立管循环是指热水干管和立管内均保持有热水循环，打开配水龙头只需放掉支管中少

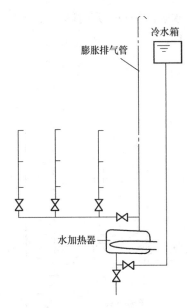

膨胀排气管

冷水箱

水加热器

图 1-53　无循环热水系统

量的存水，就能获得规定水温的热水，适用于有全日供应热水的建筑和设有定时供应热水的高层建筑中。

干管循环是指仅保持热水干管内的循环，使用前先用把干管中已冷却的存水加热，打开配水龙头时只需放掉立管和支管内的冷水就可流出符合要求的热水，多用于采用定时供应热水的建筑中。

无循环热水供水方式是指管网中不设任何循环管道，适用于热水供应系统较小，使用要求不高的定时供应系统，如公共浴室、洗衣室。如图 1-53 所示。

对于高层建筑一般采用分区热水供应方式，根据水加热器设置位置不同分集中设置的分区热水供应系统和分散设置的分区热水供应系统。前者各区水加热器、热水循环泵统一布置在地下室或底层辅助建筑等专用设备间。一般适用于高度不大于 100m 的高层建筑中。后者不需要耐高压的水加热器及热水管道等附件，但防噪音要求高。一般适用于高度在 100m 的超高层建筑。

六、热水管网的布置与敷设

建筑内部热水管道常采用铜管或镀锌钢管，其布置原则是在满足各配水点水压、水量及水温的条件下，管线长度最短；一般与给水管平行布置，以保证各配水点冷热水压的大致平衡。

对于下行上给式的热水管网，水平干管可敷设在室内地沟或地下室顶部；对于上行下给的热水管网，水平干管可敷设在建筑物最高层吊顶内或技术层内。

上行下给式系统，配水干管的最高点应设排气装置；下行上给式热水配水系统，应利用最高配水点放气。系统的最低点均应有泄水装置或利用最低配水点泄水；热水横管的坡度不应小于 0.003，以便放气和泄水，满足检修需要。

下行上给系统设有循环管道时，其回水立管应在最高配水点以下（约 0.5m）与配水立管连接；上行下给式系统中只需将循环管道与各立管连接即可。

热水管道系统，应有补偿管道温度伸缩的措施。干管的直线段应设置足够的伸缩器。立管与横管连接时，为避免管道伸缩应力破坏管网，应设乙字弯。热水管穿过建筑物顶棚、楼板、墙壁和基础处，应加套管，保证自己伸缩。穿楼板的套管应高出楼板地面 5～10cm。

配水或回水环形管网的分水干管处、配水立管和回水管的端点，以及居住建筑和公共建筑从立管接出的支管上，均应设阀门。配水支管的阀门控制的配水点不得超过 10 个。热水管道中水加热器或贮水器的冷水供水管和机械循环第二循环回水管上应设止回阀，以防止加热设备内水倒流被泄空，或防止冷水进入热水系统影响配水点供水温度。

热水系统中的加热设备（锅炉、水加热器）、贮水器、热水配水干管、机械循环回水干管和有结冻可能的自然循环回水管，应保温，以减少热损失，保证最不利点的热水设计温度。常用的保温材料有膨胀珍珠岩、膨胀蛭石、玻璃棉、石棉、硅藻土和泡沫混凝土等制品。其施工方法有涂抹式、充填式、包扎式、预制式。为增加保温结构力学强度及防湿能力，在保温层外面一般均应有保护层。常用的有石棉水泥保护层、麻刀灰保护层、玻璃布保护层、铁皮保护层等。

七、热水供应管道的水压试验和冲洗

1. 热水供应系统安装完毕，管道保温之前应进行水压试验。试验压力应符合设计要求。当设计未注明时，热水供应系统水压试验压力应为系统顶点的工作压力加 0.1MPa，同时在系统顶点的试验压力不小于 0.3MPa。

试验方法：钢管或复合管系统在试验压力下稳压 10min 内压力下降不得大于 0.02MPa，然后降至工作压力检查，压力应不降，且不渗不漏；塑料管道系统在试验压力下稳压 1h，压力降不得超过 0.05MPa，然后在工作压力 1.15 倍状态下稳压 2h，压力下降不得超过 0.03MPa，连接处不得渗漏。

2. 热水供应系统竣工后必须进行冲洗。

八、加热与贮热设备

1. 小型锅炉

热水系统的发热设备主要为锅炉。民用建筑热水系统所需要的耗热量一般不大，故选用小型快装锅炉。常采用小型快装锅炉，有燃煤、燃油和燃气三种。

燃煤锅炉有立式和卧式两类。立式有横水管、横火管、直水管之分；卧式有外燃回水管、内燃回水管、快装卧式内燃之分。其中快装卧式内燃锅炉效率较高，但污染环境。

使用液体燃料的锅炉称为燃油锅炉或油炉，燃油炉属于悬浮燃烧炉型的一种。常用液体有重油和渣油。液体燃料的发热量很高，一般在 36800～41800kJ/kg，又容易着火，燃烧迅速而稳定。因此燃烧很完全。液体燃料在运输、贮存和对周围环境的污染方面，都比固体燃料优越。

燃油锅炉的运行调节比较灵活，也容易实行机械化和自动化。由于燃油中灰尘极少，不会对受热面产生磨损，所以对燃油炉的对流受热面可以采用较高的烟气流速，一般可达到 20～39m/s，以提高传热效果，缩小锅炉体积，降低锅炉的耗钢量。燃油锅炉房一般无需设置除尘设备，也减少了锅炉房的基建投资和运行费用。

燃油和燃气是通过燃烧器向正在燃烧的炉膛内喷射成雾状油或煤气，使燃烧迅速、完全，具有热效率高、排污总量少的特点。

2. 水加热器

（1）容积式水加热器

是内部设有热媒导管具有热水贮存容积的设备，并具有加热冷水和贮备热水两种功能，热媒为蒸汽或热水，其型式有卧式、立式之分。它具有较大的贮存和调节能力被加热水通过时压力损失小，用水点处压力变化平稳，出水温度较为稳定等优点，但热交换效率低，容积利用率很低。

（2）快速式水加热器

适用于用水量大且均匀的建筑。当配有自动温度调节器或贮水罐时，可供应较稳定的热水。热水箱设置在建筑物屋顶，水箱内装有加热盘管，若进水管压力较大时，应配置减压水箱，以防浮球阀漏水。根据热媒不同，有汽—水和水—水两种类型，前者热媒为蒸汽，后者热媒为高温热水；根据加热导管的构造不同，又有单管式、多管式、板式、波纹板式等多种型式，可以采用串联或并联形式。其缺点是不能贮热水，水头损失大，当热水

压力不稳定时，出水温度波动较大。

（3）半容积式水加热器

半容积式水加热器是带有适量贮存与调节容积的内藏式容积式水加热器。具有加热快、换热充分、供水温度稳定的优点。

（4）半即热式水加热器

半即热式水加热器是带有超前控制，具有少量贮存容积的快速式水加热器。具有快速加热被加热水，浮动盘管自动除垢，热水出水温度稳定（偏差±2.2℃）且体积小，适用于各种不同负荷需求的机械循环热水供应系统。

（5）加热水箱和热水贮水箱（罐）

贮存设备在热水系统中起着调节水量和水温的作用，有热水箱和热水罐两种。前者置于屋顶，后者常与加热设备安装在一起，其底部高出加热设备 10cm 以上。

汽—水加热水箱适用于公共浴室等用水量大而均匀的定时热水供应系统。

热水贮水箱（罐）是一种专用调节热水量的容器，可在用水不均匀的热水供应系统中放置，以调节水量，稳定出水温度。

九、附件

1. 自动温度调节器

当加热器出口温度需要控制时，应设置直接式自动温度调节器或间接式自动温度调节器。由温包、感温元件和调压阀组成。

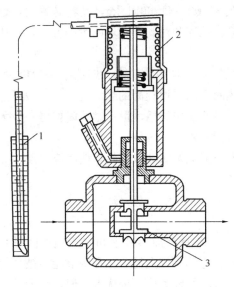

图1-54　直接式自动温度调节器构造
1—温包；2—感温元件；3—调压阀门

直接式自动调节器由温包、感温元件和调压阀组成，温包内装有沸点较低的液体，安装在加热器出口处，当温包内水温度变化时，温包感受温度变化，并产生压力降，传导到装设在蒸汽管上的调压阀，自动调节进入加热器的蒸汽量，达到控制温度的目的。如图1-54所示。

其调节阀安装在蒸汽管上对蒸汽量进行调节。

间接式自动温度调节器：由温包、电触点温度计、电动调压阀组成，若加热器出口水温高于设计要求，电动阀门关小减少热媒进量，若加热器出口水温低于设计要求，电动阀门开大，增加热媒进量，达到自动调节加热器出水口水温的目的。如图1-55所示。

2. 疏水器

当采用蒸汽间接加热冷水时，凝结水管上宜安装疏水器，以防止蒸汽漏失，同时排放凝结水。自动迅速地排出蒸汽供暖设备及系统中的凝结水，并阻止蒸汽进入凝结水管道。热水供应系统通常采用高压疏水器，常用的有浮桶式、吊桶式、热动力式、脉冲式、温调式等。如图1-56所示。

疏水器分低压蒸汽系统使用的恒温疏水器（恒温疏水器又分为直角式和直通式两种）和高压蒸汽系统用疏水器（常用的有浮筒式、吊管式、热动力式三种）。

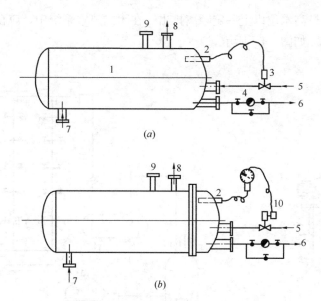

图 1-55　温度调节器安装示意图

1—加热设备；2—温包；3—自动调节器；4—疏水；

5—蒸汽；6—凝水；7—冷水；8—热水；

9—装设安全阀；10—齿轮传动变速开关阀

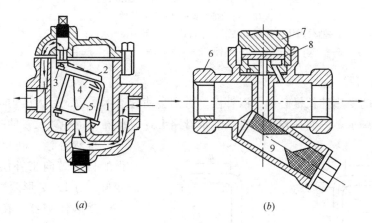

图 1-56　疏水器的构造

（a）吊桶式疏水器；（b）热动力式疏水器

1—吊桶；2—杠杆；3—珠阀；4—快速排气孔；5—双金属

弹簧片；6—阀体；7—阀盖；8—阀片；9—过滤器

当热媒的工作压力不大于 0.06MPa 时，可采用吊桶式疏水器，当工作压力不大于 1.6MPa 时，排水温度不大于 100℃时，可采用热动力式疏水器。

3. 自动排气阀

排除管网中热水汽化产生的气体，以保证管网内热水畅通。若系统为下行上给式，则气体可通过最高处配水龙头直接排出；若系统为上行下给式，则应在配水干管的最高部位设置，以免集聚的气体影响热水的流动。

在开式热水系统中，最简单且安全的排气措施是在管网最高处装置排气管，向上伸至超过屋顶冷水箱的最高水位以上一定距离排出。在闭式热水系统中，应在管网最高处安装自动排气阀来排气。如图 1-57 所示。

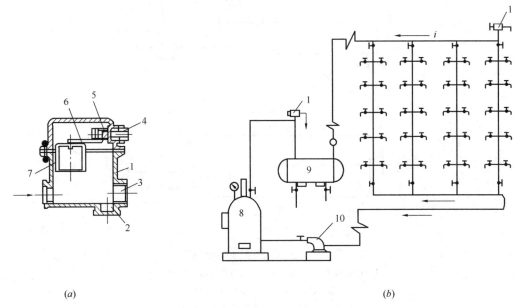

(a)　　　　　　　　　　　　　　　　　　　　　(b)

图 1-57　自动排气阀及其装置位置

(a) 自动排气阀；(b) 装置位置

1—排气阀体；2—直角安装出水口；3—水平安装出水口；4—阀座；

5—滑阀；6—杠杆；7—浮钟；8—锅炉；9—热水罐；10—循环水泵

4. 管道伸缩器

金属管道的受热伸长量必须予以补偿，否则会使管道承受较大巨大压力，管路产生挠曲，接头破裂漏水。因而在较长的直线热水管路上，应每隔一定距离设置伸缩器。

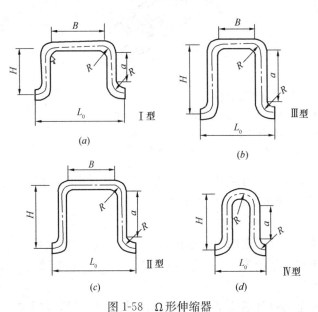

(a)　　　　　　　　　　　　　　　　　(b)

(c)　　　　　　　　　　　　　　　　　(d)

图 1-58　Ω 形伸缩器

自然补偿：利用管路布置敷设的自然转向来补偿管道的伸缩变形。分 L、Z 形两种型式。

Ω 形伸缩器：在较长的直线管道上，不能采用自然补偿方式，每隔一定距离设伸缩器。Ω 形伸缩器是用整根管道弯制而成，工作可靠，制造简易，严密性好，维护方便，但占地面积较大。一个 Ω 形伸缩器可承受 50mm 左右的伸缩量。如图 1-58 所示。

套管伸缩器：适用于安装空间小且管径较大的直线管路。（伸缩量大，易漏水及经常检修）。如图 1-59 所示。

球形伸缩器：伸缩量大且占室内空间较Ω形伸缩器小，但造价较高。如图1-60所示。

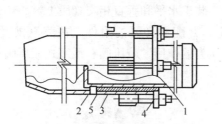 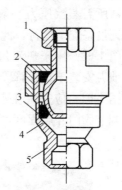

图1-59　单向套管伸缩器　　　　　图1-60　球形伸缩器
1—芯管；2—壳体；3—填料圈；　　1—球形接头；2—压盖；3—密封；
4—前压盘；5—后压盘　　　　　　4—卡环；5—接头

此外，还有波形管伸缩器、橡胶软管伸缩器等，均适用于安装空间较小的地方。

5. 膨胀管、释压阀和闭式膨胀水箱

主要是解决由于水量膨胀而使管道设备破坏的方法。把冷水加热，水的体积要膨胀，如果热水系统是密闭的，加热时卫生设备不用水，膨胀水量必然会增加系统压力，有胀裂管道设备的危险，解决的办法是设置膨胀管或释压阀或膨胀水箱。

膨胀管：用于高位冷水箱向水加热器供应冷水的开式热水系统。装设于水加热器，并高出水箱最高水位有足够的高度，以免加热时热水从膨胀管中溢出。膨胀管可与排气管结合使用，称为膨胀泄气管。膨胀管上严禁装设阀门，冬季需要采取保温措施。

释压阀（图1-61）与膨胀水箱：从室外给水管道直接进水的闭式热水系统，可在加热器上设置释压阀。在热水系统的压力超过释压阀设定压力时，释压阀开启，排出部分热水，使压力下降，而后再关闭，如此往复。其灵敏度低，动作可靠性差。

膨胀水箱适用于闭式热水系统，以吸收加热时的膨胀水量（补水、排气、控制水压），一般安装在热水供水的总管，也可安装在回水总管上或加热器冷水进水管上。

膨胀水箱接有：检查管、泄水管——都装有阀门；循环管、溢流管，如图1-62所示。

 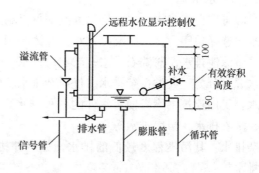

图1-61　释压阀　　　　　图1-62　膨胀水箱的构造与配管

6. 节流阀与减压阀

热水加热器所需蒸汽压力一般不大于 0.5MPa，若蒸汽压力大于加热器所需蒸汽压力，则不能保证设备安全运行，此时应在蒸汽管上设置减压阀，以降低蒸汽压力。

节流阀（图1-63）用于热水供应系统回水管上，可粗略调节流量与压力，有直通式和角式两种，前者安装于直线管段上，后者安装于水平和垂直相交管段上。

减压阀（图1-64）应安装在水平管段上，并配有必要的附件。在蒸汽供暖系统中，减压阀起自动调节阀门开启程度，稳定阀后压力的作用。减压阀有活塞式减压阀和薄膜式减压阀两种。

图 1-63　节流阀　　　　　　　　　图 1-64　减压阀

热水供应系统的附件除上述几种外，还有除污器、捕碱器、磁水器和分水器等。

任务6　建筑中水系统的安装

所谓"中水"，是相对于"上水（给水）"和"下水"（排水）而言的。主要是指各种排水经处理后，达到规定的水质标准，可在生活、市政、环境等范围内杂用的非饮用水。

主要用于冲厕、洗车、绿化、道路清扫和消防。

一、中水水源

1. 建筑物中水水源

中水水源可取自建筑物的生活排水和其他可以利用的水源。

中水水源选择顺序为：①冷凝冷却水；②沐浴用水；③盥洗排水；④空调循环冷却系统排水；⑤游泳池排水；⑥洗衣排水；⑦厨房排水；⑧厕所排水。

中水水源可分为三大类：杂排水、优质杂排水、生活污水。

杂排水：民用建筑中除粪便污水外的各种排水，如冷却排水、泳池排水、沐浴排水、盥洗排水、洗衣排水、厨房排水等

优质杂排水：其污染程度较低的排水，如冷却排水、泳池排水、沐浴排水、盥洗排水、洗衣排水等。

生活污水：是居民日常生活中排出的废水，主要来源于居住建筑和公共建筑，如住

宅、机关、学校、医院、商店、公共场所及工业企业卫生间等。

2. 建筑小区中水水源

建筑小区中水水源有：小区内建筑物杂排水、城市污水处理厂出水、相对洁净的工业排水、小区生活污水或市政排水、建筑小区内的雨水、可利用的天然水体。

二、中水供水水质

中水水质必须满足以下条件：

1. 满足卫生安全要求，无有害物质。主要衡量指标：大肠杆菌、细菌总数、余氯量、悬浮物量、生化需氧量、化学需氧量等。

2. 满足人们感官要求。主要衡量指标：浊度、色度、臭味、表面活性剂、油脂等。

3. 满足设备构造方面的要求，即水质不引起设备、管道的严重腐蚀和结垢。主要衡量指标：pH 值、硬度、蒸发残留物、溶解性物质等。

三、中水系统的类型和组成

1. 中水系统的基本类型

按照供应的范围和规模，一般可分为：城市中水系统、建筑小区中水系统、建筑中水系统。后两种系统总称为建筑中水系统。

建筑中水系统宜采用原水污、废分流，中水专供的完全系统。

2. 中水系统的组成

中水系统是由中水源水的收集、储存、处理和中水供给等工程设施组成的有机结合体，是建筑物或建筑小区的功能配套设施之一。

（1）中水原水系统

指确定为中水水源的建筑物原排水的收集系统。它分为污、废水合流系统和污、废水分流系统。一般情况下，推荐采用污、废水分流系统。

（2）中水处理设施

中水处理一般讲处理过程分为预处理、主要处理和后处理三个阶段。

预处理设施

化粪池：以生活污水为原水的中水系统，必须在建筑物的粪便排水系统中设置化粪池，使污水得到初级处理。

格栅：其作用是截流中水原水中漂浮和悬浮的机械杂质，如毛发、布头和纸屑等。

调节池：其作用是对原水流量和水质起调节均化作用，保证后续处理设备的稳定和高效运行。

主要处理设施

沉淀池：通过自然沉淀或投加混凝剂，使污水中悬浮物借重力沉降作用从水中分离。

气浮池：通过进入污水后的压缩空气在水中析出的微波气泡，将水中比重接近于水的微小颗粒粘附，并随气泡上升至水面，形成泡沫浮渣而去除。

生物接触氧化池：在生物接触氧化池内设置填料，填料上长满生物膜，污水与生物膜相接触，在生物膜上微生物的作用下，分解流经其表面的污水中的有机物，使污水得到净化。

生物转盘：其作用机理与生物接触氧化池基本相同，生物转盘每转动一周，即进行一次吸附—吸氧—氧化—分解过程，衰老的生物膜在二沉池中被截留。

后处理设施

当中水水质要求高于杂用水时，应根据需要增加深度处理，即中水再经过后处理设施处理，如过滤、消毒等。

消毒设备主要有加氯设备和臭氧发生器。

（3）中水管道系统

中水原水集水系统是指建筑内部排水系统排放的污废水进入中水处理站，同时设有超越管线，以便出现事故，可直接排放。

中水供应系统：原水经中水处理设施处理后成为中水，首先流入中水贮水池，再经水泵提升后与建筑内部的中水供水系统连接，建筑物内部的中水供水管网与给水系统相似。

四、建筑中水系统的安装

1. 中水原水集水系统

（1）合流制集水系统

即将生活污水和生活废水用一套排水管道排出的系统。集水系统的立管、支管均同建筑内部排水设计。集流干管可设计为室内和室外集流干管。

（2）分流集水系统

适于设置分流管道的建筑

有洗浴设备且和厕所分开设置的住宅；有集中盥洗设备的办公楼、教学楼、旅馆、招待所、集体宿舍；公共浴室、洗衣房；大型宾馆、饭店。

分流管道布置和敷设：

便器与洗浴设置最好分设或分侧布置，以便用单独支管、立管排出。

多层建筑洗浴设备宜上下对应布置，以便接入单独立管。

高层公共建筑的排水宜采用污水、废水、通气三管组合系统。

明装污废水立管宜在不同墙角布设以利美观，污废水支管不宜交叉，以免横支管标高降低过大。

室内外原水集水管及附属构筑物均应防渗、防漏，井盖应做"中"字标准。

中水原水系统分设分流、溢流设施和超越管，其标高应能满足重力排放要求。设置这些设施具有如下功能：既能把原水引入处理系统，又能把多余水量或事故停运时的原水排水排水系统而不影响原建筑排水系统的使用，又不能产生倒灌。

其他设置、敷设有关要求同排水管道。

2. 中水供水系统

对中水管道和设备的要求

中水供水系统必须独立设置。

中水管道必须具有耐腐蚀性，因为中水保持有余氯和多种盐类，产生多种生物和电化腐蚀，采用塑料管、衬塑复合管和玻璃钢管比较适宜。

不能采用耐腐蚀材料的管道和设备，应做好防腐蚀处理，使其表面光滑，易于清洗结垢。

中水供水系统应根据使用要求安装计量装置。

中水管道不得装设取水龙头，便器冲洗宜采用密闭型设备和器具。绿化、浇洒、汽车冲洗宜采用壁式或地下式的给水栓。

中水管道、设备及受水器具应按规定着浅绿色，以免引起误用。

五、安全防护措施

为确保系统安全稳定运行，防止中水对人体健康产生不良影响，应采取一些安全防护措施：

1. 中水管道严禁与生活饮用水给水管道连接。

2. 中水贮存池（箱）内的自来水补水管应采取防污染措施，自来水补水管应从水箱上部或顶部接入，补水管口最低点高出溢流边缘的空气间隙不应小于 150mm。

3. 室外中水管道与生活饮用水给水管道、排水管道平行埋设时，其水平净距不得小于 0.5m；交叉埋设时，中水管道应位于生活饮用水给水管道下面，排水管道的上面，其净距均不得小于 0.15m。中水管道与其他专业管道的间距按现行国家标准《建筑给水排水设计规范》GB 50015 中给水管道要求执行。

4. 中水贮存池（箱）设置的溢流管、泄水管，均应采用间接排水方式。溢流管应设隔网，溢流管管径比补水管大一号。

5. 中水管道应采取下列防止误接、误用、误饮的措施：

(1) 中水管网中所有组件和附属设施的显著位置应配置"中水"耐久标识，中水管道应涂浅绿色，埋地、暗敷中水管道应设置连续耐久标志带；

(2) 中水管道取水接口处应配置"中水禁止饮用"的耐久标识；

(3) 公共场所及绿化、道路喷洒等杂用的中水用水口应设带锁装置；

(4) 中水管道设计时，应进行检查防止错接；工程验收时应逐段进行检查，防止误接。

6. 对中水处理站采用药剂可能产生的危害应采取有效的防护措施。

7. 采用电解法现场制备二氧化氯，或处理工艺可能产生有害气体的中水处理站，应设置事故通风系统。事故通风量应根据放散物的种类、安全及卫生浓度要求，按全面排风计算确定，且每小时换气次数不应小于 12 次。

8. 电气装置的外露可导电部分，应与保护导体相连接；钢结构、金属排气管和铁栏杆等金属物应采用等电位联结后作保护接地。

9. 中水处理站应具备日常维护、保养与检修、突发性故障时的应急处理能力。

10. 中水处理站应具备应对公共卫生突发事件或其他特殊情况的应急处置条件，并应符合下列规定：

(1) 应有对调节池内的污水直接进行消毒的条件；

(2) 应为相关工作人员做好安全防范措施。

思 考 题

1-1　简述建筑给水系统的分类和组成。

1-2　常用的建筑给水系统给水方式有哪几种，有什么特点，其适用范围是哪些？

1-3　建筑给水管道的敷设方式有哪几种，各有什么优缺点？

1-4　建筑给水管道防护措施有哪些？

1-5　目前常用的给水管材有哪些？多层建筑选用哪种管材比较合适？

1-6　建筑给水系统常用附件有哪些？

1-7　建筑给水系统常用给水设备有哪些？

1-8　简述给水管道安装的工艺流程。

1-9　试述给水干管、立管、支管安装的方法及要求。

1-10　常见的室内消防给水系统有哪些？

1-11　室内消防给水主要由哪几部分组成，各自的作用是什么？

1-12　简述水泵接合器和消火栓的作用，异同点。

1-13　简述室内消火栓系统安装特点及安装要点。

1-14　简述自动喷水系统的组成及各部分的作用。

1-15　简述建筑热水系统的分类。

1-16　集中热水供应系统由哪几部分组成，并绘制简图。

1-17　简述中水供水系统的特点。

1-18　中水系统由哪几部分组成？各自的特点是什么？

项目2 建筑排水系统

任务1 建筑排水系统的认知

建筑排水系统的任务是排除居住建筑、公共建筑和生产建筑内的污水。建筑排水系统分为：生活污水排水系统，工业废水排水系统和建筑雨水排水系统。三类污（废）水，如分别设独立的系统排出建筑物，称为分流制排水系统；若将其中两类或三类污（废）水合流排出则称为合流制排水系统。民用建筑，雨水一般单独排出，盥洗、洗涤的生活废水与粪便污水可合并排出，也可分别排出。

一、建筑排水系统的组成

建筑内部排水系统一般由下列部分组成，如图2-1所示。

二、建筑排水系统各部分介绍

1. 污（废）水收集器

包括卫生器具、生产污废水的排水设备（生产设备受水器）及雨水斗。

卫生器具是排水系统的起点，接纳各种污水排入管网系统。污水从器具排出口经过存水弯和器具排水管流入横支管。

（1）便溺器具

便溺器具设置在卫生间和公共厕所，用来收集粪便污水。便溺器具包括便器和冲洗设备。便器有大便器和小便器，前者分为坐式大便器、蹲式大便器和大便槽，后者分为立式小便器、挂式小便器和小便槽。便溺器

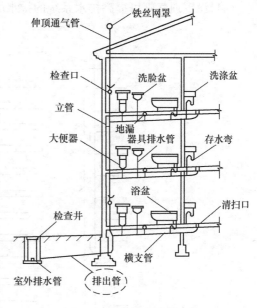

图 2-1　建筑排水系统组成

具的冲洗设备有冲洗阀和冲洗水箱两类，其中冲洗水箱又分为高冲洗水箱和低冲洗水箱。

（2）盥洗、淋浴器具

盥洗、淋浴器具设置在盥洗室、浴室、卫生间和理发室内，包括盥洗槽、洗脸盆、淋浴器、浴盆和净身器等。

（3）洗涤器具

洗涤器具包括设在厨房或食堂的洗涤、设在化验室或实验室的化验盆、设在公共的污水池和用于排出地面水的地漏。

2. 排水管道系统

由器具排水管、排水横支管、排水立管和排出管等组成。

（1）器具排水管：是指连接卫生洁具与排水横支管之间的短管。除了坐便器外，其他

的器具排水管均应设水封装置。

（2）排水横支管：作用是将器具排水管都送来的污水转输到立管中去。应有一定的坡度，坡向立管。

（3）排水立管：用来收集其上所接的各横支管排来的污水，然后再排至排出管。

（4）排出管：用来收集一根或几根立管排出的污水，并将其排至室外排水管网中去。排出管是室内排水立管与室外排水检查井之间的连接管段，其管径不得小于其连接的最大立管管径。

3. 通气管系统

有伸顶通气管，专用通气内管，环形通气管等几种类型，如图 2-2 所示。

排水通气管系统的作用：

（1）将排水管道内有毒有害气体排放出去，以满足卫生要求。

（2）通气管向排水管道内补给空气，减少气压波动幅度，防止水封破坏。

（3）通过补充新鲜空气，减轻金属管道的腐蚀，延长使用寿命。

（4）设置通气管可提高排水系统的排水能力。

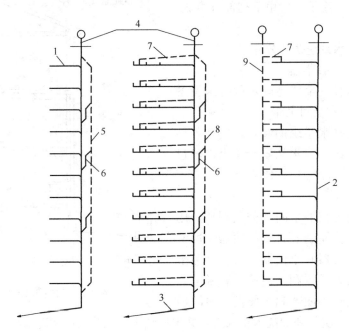

图 2-2　集中典型的通气管示意图

1—排水横支管；2—排水立管；3—排出管；4—伸顶通气管；5—专用通气管；
6—结合通气管；7—环形通气管；8—主通气立管；9—副通气立管

4. 清通设备

一般有检查口、清扫口，检查井以及带有清通门的弯头或三通等设备，作为疏通排水管道之用，如图 2-3～图 2-6 所示。

5. 特殊排水设备

（1）抽升设备

图 2-3 检查口

图 2-4 清扫口

图 2-5 检查井

图 2-6 带有清通门的弯头

民用建筑中的地下室、人防建筑物、高层建筑的地下技术层、某些工业企业车间或半地下室、地下铁道等地下建筑物内的污、废水不能自流排至室外时必须设置污水抽升设备。如水泵、气压扬液器、喷射器将这些污废水抽升排放以保持室内良好的卫生环境。

（2）污水局部处理构筑物

当建筑内部污水未经处理不允许直接排入城市下水道或水体时，在建筑物内或附近应设置局部处理构筑物予以处理。我国目前多采用在民用建筑和有生活间的工业建筑附近设化粪池、使生活粪便污水经化粪池处理后排入城市下水道或水体。

6. 屋面雨水的排放

降落在建筑物屋面的雨水和融化的雪水，必须妥善的予以迅速排除，以免造成屋面积水、漏水、影响生活及生产。屋面雨水的排除方式，一般可分为外排水和内排水两种，如图 2-7～图 2-9 所示。

图 2-7 檐沟外排水

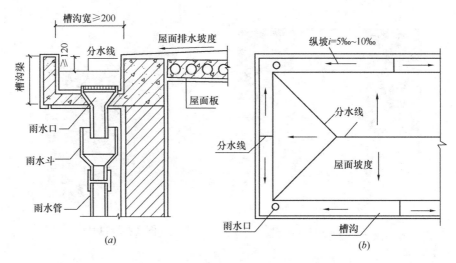

图 2-8 天沟外排水

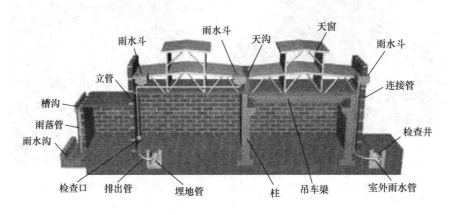

图 2-9 屋面内排水系统

任务 2 建筑排水系统管材及设备的认知

一、建筑排水管材

生活污水管道一般采用排水铸铁管或硬聚氯乙烯管；当管径小于 50mm 时，可采用钢管；生活污水埋地管道可采用带釉的陶土管。

1. 排水铸铁管

是室内排水系统的主要管材，管材耐腐蚀性能强，直管长度一般为 1.0~1.5m。其连接方式为承插连接。优点：有一定的强度、寿命长、价格低、种类和配件齐全。如图 2-10 所示。

2. 塑料管

常用的塑料管有硬聚氯乙烯管（UPVC）、聚丙烯管（PP）、聚丁烯管（PB）和工程塑料管（ABS）等。优点是重量轻、易安装、耐腐蚀、阻力小、美观等。如图 2-11 所示。

排水塑料管道连接方法：粘接、橡胶圈连接、螺纹连接、热熔连接等。

应用排水塑料管时，应注意的问题：

（1）污水连续排放时，水温不大于 40℃，瞬时排放温度不大于 60℃。

（2）受环境温度和污水温度变化而引起长度伸缩，为了消除管道受温度影响而产生的胀缩，通常采用设伸缩节的方法。

3. 钢管

用于卫生器具与横支管间的链接短管，管径一般为 32、40、50mm，也可用于雨水管。常用的室内排水系统常用的管材及连接方法见表 2-1。

室内排水系统常用管材及连接方法　　　　　　　　表 2-1

管材	用途	连接方法
塑料排水管	生活污水管、雨水管	粘接、胶圈接口
铸铁排水管	生活污水管、雨水管	承插连接
混凝土管	生活污水管、雨水管	承插连接
陶土管	生活污水管、工业污费水管	承插连接
镀锌焊接钢管	卫生设备排水短管、雨水管	螺纹连接
非镀锌焊接钢管	卫生设备排水短管、雨水管	螺纹连接、焊接

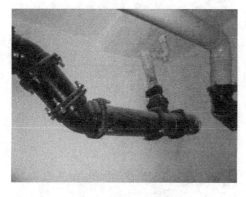

图 2-10　排水铸铁管

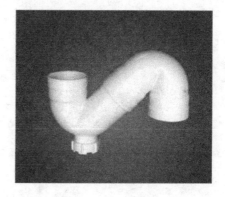

图 2-11　排水塑料管

二、排水管道附件

1. 存水弯（水封管）

存水弯是设置在卫生器具排水支管上及生产污（废）水受水器泄水口下方的排水附件。其构造有 S 型和 P 型两种，见图 2-12 所示。在弯曲段内存有 50～100mm 高度的水柱，称作水封，其作用是阻隔排水管道内的气体通过卫生器具进入建筑内而污染环境。存水弯的最小水封高度不得小于 50mm。当卫生器具的构造已有存水弯时，在排水口以下可不设存水弯。

2. 检查口与清扫口

（1）检查口：设在排水立管上及较长的水平管上。其装设规定为立管上除建筑最高层及最底层必须设置外，可每隔两层设置一个，若为两层建筑，可在底层设置。检查口一般据地面 1m，并应高于该层卫生器具上边缘 0.15m。如图 2-13 所示。

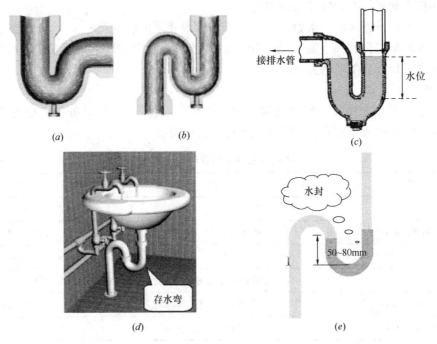

图 2-12　存水弯

(a) p 型存水弯；(b) s 型存水弯；(c) 带清通丝堵的 p 型存水弯水封

(d) 洗脸盆 S 型存水弯；(e) 水封高度

图 2-13　检查口

（2）清扫口：当悬吊在楼板下面的污水横管上游两个及两个以上的大便器或三个及三个以上的卫生器具时，应在横管的起端设置清扫口。如图 2-14 所示。

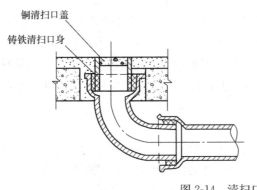 

图 2-14　清扫口

（3）检查井：对于不散发有害气体或大量蒸汽的工业废水的排水管道，在管道转弯、变径处和坡度改变及连接支管处，可在建筑物内设检查井。对于生活污水排水管道，在建筑物内不宜设检查井，如图 2-15 所示。

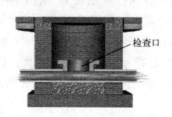

图 2-15　检查井

3. 通气帽

在通气管顶端应设通气帽，以防止杂物进入管内，如图 2-16 所示。

甲型通气帽采用 20 号钢丝编绕成螺旋形网罩，可用于气候较暖和的地区；乙型通气帽采用镀锌铁皮制成，适用于冬季室外温度低于－12℃的地区，它可避免因潮气结冰霜封闭网罩而堵塞通气口的现象发生。

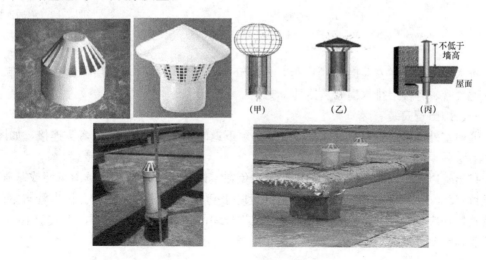

图 2-16　通气帽

4. 地漏

是一种内有水封，用来排放地面水的特殊排水装置。一般设置在地面需要经常清洗或地面有水要排出的场所。水封形式和高度决定地漏的质量，通常有：普通地漏、高水封地漏、多用地漏，双箅杯式地漏、防回流地漏等，如图 2-17 所示。

图 2-17　地漏

任务3　建筑排水管道系统的安装

排水管道分为生活排水（污水、废水）和雨水排水。排水管道一般采用铸铁管和塑料管（PVC排水管、聚丙烯超静音排水管）。雨水管道一般采用铸铁管、镀锌钢管和塑料管（PVC、抗紫外线）。铸铁管的连接方式有柔性连接（卡箍连接W型或W1型和A型法兰两种）、承插连接，如图2-18和图2-19所示。PVC排水管一般都为粘接。镀锌钢管为螺纹或卡箍连接。生活污水柔性排水铸铁管道、生活污水塑料管道、悬吊式雨水管道横管坡度必须符合设计要求或规范规定。

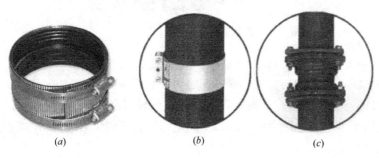 

图2-18　柔性连接　　　　　　　　　　　　　图2-19　承插连接

（a）不锈钢卡箍；（b）卡箍连接；（c）法兰连接

排水管道系统在安装时的顺序是：排出管、底层埋地横管、底层器具排水短管、立管、通气管、各楼层排水横贯、器具短支管。

一、排出管安装

通向室外的排水管，穿过墙壁或基础必须下返时，最常用两个45°弯头连接，如图2-20所示。

排出管以最短的距离排出室外，尽量避免在室内转弯。埋地管穿越承重墙或基础处，应预留（300+d）×（300+d）孔洞，并设防水套管，如图2-21所示。排出管与室外排水管连接处应设检查井，检查井中心到建筑物外墙的距离不宜小于3m，不大于10m。排出管管顶距室外地面不应小于0.7m，如图2-22所示。

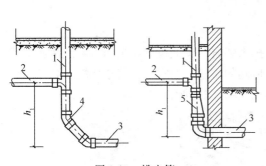 

图2-20　排出管　　　　　　　　　　　　　　图2-21　排出管的连接

1—立管；2—横支管；3—排出管；

4—45°弯头；5—偏心异径管

灌水试验

隐蔽或埋地的室内排水管道在隐蔽前必须做灌水试验，灌水高度应不低于底层卫生器具的上边缘或一层地面高度。检验方法与合格条件：灌水到满水 15min，水面下降后再灌满观察 5min，液面不降，室内排水管道的接口无渗漏为合格。

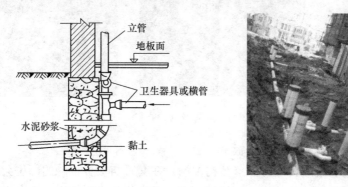

图 2-22　排出管安装

二、立管安装

立管在安装时，应根据施工图校对预留管洞尺寸，如为混凝土预制楼板，则需凿楼板洞，如需断筋，必须征得土建有关人员同意，按规定处理。立管检查口应按设计或施工验收规范要求设置，当排水立管暗装在管槽或管井中时，在检查口处应设检修孔，管道检修孔如图 2-23 所示。

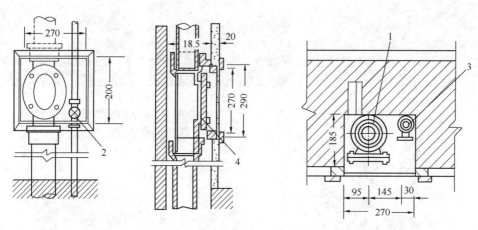

图 2-23　管道检修孔
1—污水立管；2—阀门；3—给水立管；4—检查口

安装立管应两人上下配合，一人在上一层楼板上，由管洞投下一个绳头，下面另一人将预制好的立管上部拴牢，上拉下托，将管子插口插入其下管子承口内。这时，下层的人把预留分支管口及立管检查口方向找正，上层的人用木楔将管子在楼板洞处临时卡牢、打麻、调直、打灰、复查立管垂直度，将立管临时固定牢靠。立管安装完毕后，配合土建用不低于楼板强度等级的混凝土将洞灌满堵实，拆除临时支架。检查口的安装如图 2-24 所示。

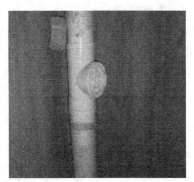

图 2-24　立管及其检查口

案例分析：卫生间排水立管穿楼板

卫生间排水管安装使用传统方法（结构留洞）在套管与楼板接触的部位会因伸缩出现细小缝隙，若卫生间地面防水这道工序把关不严，卫生间在今后使用时就会很容易渗漏。

而防水套管翼环（止水片）的作用就会增加与楼板接触的密实度，保证了不会因材质的因素导致的细小缝隙，也就降低了漏水、渗水的概率。前期预埋防水套管只要定位准确，成品保护到位，后期安装工序变得简单，另外，防水套管还具有一般套管的维修时方便的特点，因此值得推广。卫生间排水立管穿楼板做法如图 2-25 所示。

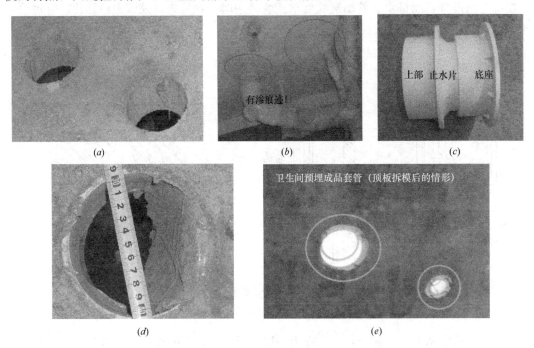

图 2-25　卫生间排水立管穿楼板做法

(a) 生间排水管穿楼板安装采用传统留洞方法；(b) 施工不当容易产生渗漏；
(c) 卫生间成品套管样品；(d) 预埋成品套管后；(e) 顶板拆模后

三、通球试验

立管、干管安装完后，应进行通球试验。立管通球试验时，根据立管管径选择球径，一般不小于管径的 2/3。从立管顶端投入小球，并用线系住小球，在干管检查口或室外排水口处观察，发现小球为合格。干管通球试验时，从干管起始端投入塑料小球，并向干管内通水，在户外的第一个检查井处观察，发现小球流出为合格。通球试验小球如图 2-26 所示。

图 2-26 通球试验小球

四、通气管安装

通气管高出屋面不得小于 0.3m，且必须大于最大积雪厚度。通气管顶端应装设风帽或网罩。通气管的管径一般与排水立管相同或小一号。专用通气管应每层或隔层设结合通气管（H 管）与排水立管连接，H 管中心高 1m，检查口在 H 管的下方。如图 2-27 所示。

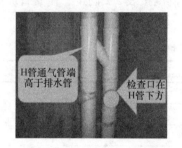

图 2-27 通气管安装

五、横支管安装

横支管安装也应先搭好架子，并将支、吊架按坡度栽好，将预制好的管段放到架子上，再将只管插入立管预留口的承口内，将支管预留口尺寸找准，并固定好支管，然后打麻、打灰口。如支管设在吊顶内，末端有清扫口时，应将管子接至上层地面上，便于清扫。支管安装完毕后，可讲卫生器具或设备的预留管安装到位，找准尺寸并配合土建将楼板洞堵严，预留管口临时封堵。横支管安装如图 2-28 所示。

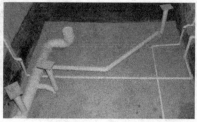

图 2-28 横支管安装

六、排水管道坡度

排水系统基本是采取重力流排水的，因此力求减少管件局部压力损失，避免 90°的急转弯，防止污水的排出不畅通，出现返流现象。用两只 45°弯代替 90°弯，使水流转弯平缓，减小阻力。如图 2-29 所示。

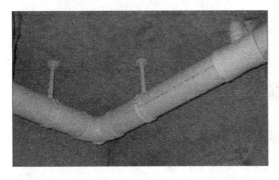
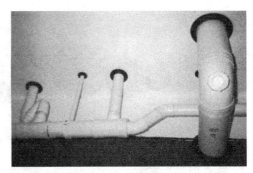

图 2-29　横支管坡度

排水系统属于重力流系统，因此排水横管在敷设时应有一定的坡度。建筑物内生活排水铸铁管道的通用坡度、最小坡度和最大设计充满度按表 2-2 确定。横支管坡度及阻水圈如图 2-30 所示。

排水管道坡度

表 2-2

管径	通用坡度	最小坡度	最大设计充满度
50	0.035	0.025	0.5
75	0.025	0.015	
100	0.020	0.012	
125	0.015	0.010	
150	0.010	0007	0.6
200	0.008	0.005	

安装阻水圈

管道坡度：
110管是12‰
50管是25‰

图 2-30　横支管坡度及阻水圈

七、聚氯乙烯（UPVC）排水管道伸缩节

UPVC 排水管道应根据其管道的伸缩量设置伸缩节，立管伸缩节间距一般不得大于

4m，伸缩节宜设置在汇合配件处。排水横管应设置专用伸缩节。如图 2-31 所示。

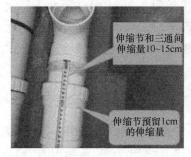

图 2-31　管道伸缩节

八、UPVC 排水管道阻火圈

UPVC 排水管穿越楼层、防火墙、管道井井壁时，应根据建筑物性质、管径和设置条件（如高层建筑中明设的），及穿越部位防火等级要求设置阻火装置（阻火圈或防火套管）。

阻火圈由金属材料制作外壳，内填充阻燃膨胀芯材，套在硬聚氯乙烯管道外壁，固定在楼板或墙体部位，火灾发生时芯材受热迅速膨胀，挤压 UPVC 管道，在较短时间内封堵管道穿洞口，阻止火势沿洞口蔓延，如图 2-32 所示。

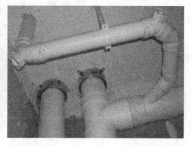

图 2-32　管道阻火圈

九、金属排水管道上的吊钩或管卡

应固定在承重结构上。间距为：横管不大于 2m，立管不大于 3m。楼层高度不超过 4m 时，立管装 1 个固定件。管道安装注意事项见表 2-3。

管道安装注意事项　　　　　　　　　　　　　　　　　表 2-3

进（出）户总管	90°弯	两 45°弯
水平干管	坡度，坡向	坡度
垂直干管	立管的始端安装阀门，管卡固定	排水量最大和杂质最多的污水点，不穿越卧室病房等，伸缩节、检查口
横支管	坡度，3 个及以上要安装阀门和可拆卸的连接件	与卫生器具相连时，除坐式大便器和地漏外均应设置存水弯，清扫口
安装完毕后	试压—冲洗—通水—消毒	灌水——通球

十、施工技术要求

（1）排水通气管不得与风道或烟道连接，通气管应高出屋面 0.3m，但必须大于最大积雪厚度；在通气管出口 4m 以内有门、窗时，通气管应高出门、窗顶 600mm 或引向无门、窗一侧；在经常有人停留的平屋顶上，通气管应高出屋面 2m，并应根据防雷要求设置防雷装置；屋顶有隔热层应从隔热层板面算起。

（2）通向室外的排水管，穿过墙壁或基础必须下返时，应采用 45°三通和 45°弯头连接。

（3）用于室内排水的水平管道与水平管道、水平管道与立管的连接，应采用 45°三通或 45°四通和 90°斜三通（TY）或 90°斜四通（TY）；立管与排出管端部的连接，应采用两个 45°弯头或曲率半径不小于 4 倍管径的 90°弯头（大弯）。管道安装过程如图 2-33 所示。

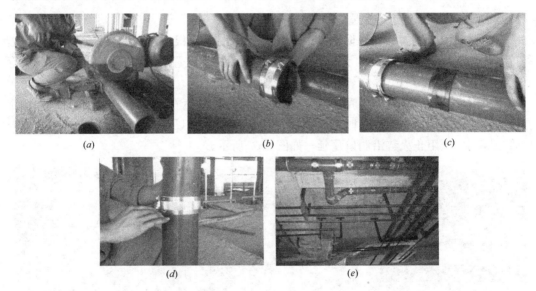

图 2-33　管道安装过程

（a）切管；（b）套卡箍；（c）装胶圈；（d）卡箍安装；（e）安装完成后效果

任务 4　卫生器具的安装

一、卫生器具的安装

安装工艺流程：安装准备→卫生器具及配件检验→卫生洁具安装→卫生洁具配件预装→卫生洁具稳装→卫生洁具与墙、地缝隙处理→卫生洁具外观检查→通水试验。

浴盆应在土建做完防水层及保护层后配合进行稳装；其他卫生器具在室内装修基本完成后进行稳装。

1. 卫生器具

（1）坐式大便器

按冲洗的水力原理可分为冲洗式和虹吸式两种。坐式大便器都自带存水弯，后排式大便器与其他坐式大便器不同在于排水口设在背后，便于排水横支管敷设在本层楼板上时选用。坐式大便器如图 2-34 和图 2-35 所示。

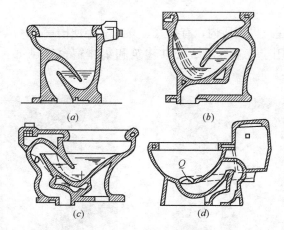

图 2-34 坐式大便器

(*a*) 冲洗式；(*b*) 虹吸式；(*c*) 喷射虹吸式；(*d*) 旋涡虹吸式

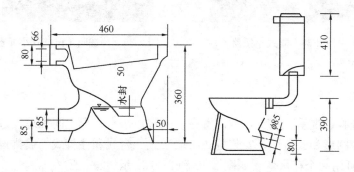

图 2-35 后排式坐式大便器

（2）蹲式大便器

一般用于普通住宅、集体宿舍、公共建筑物的公用厕所和防止接触传染的医院内厕所。蹲式大便器比坐式大便器的卫生条件好，但蹲式大便器不带存水弯，设计安装时需另外配置存水弯。如图 2-36 所示。

（3）大便槽

用于学校、火车站、汽车站、码头、游乐场及其他标准较低的公共厕所，可代替成排的蹲式大便器，常用瓷砖贴面，造价低。如图 2-37 所示。

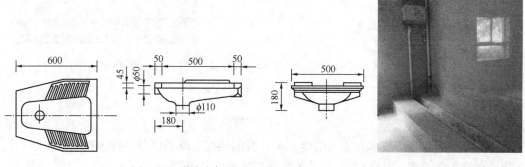

图 2-36 蹲式大便器

图 2-37 大便槽

（4）小便器

小便器设于公共建筑男厕所内，有挂式、立式和小便槽三类。其中立式小便器用于标准高的建筑，小便槽用于工业企业、公共建筑和集体宿舍等建筑。如图 2-38 和图 2-39 所示。

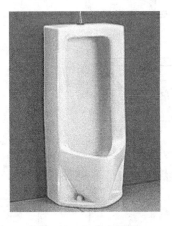

图 2-38　立式小便器　　　　　图 2-39　冲洗阀角位挂式小便器

2. 盥洗器具

（1）洗脸盆

一般用于洗脸、洗手、洗头，常设置在盥洗室、浴室、卫生间和理发室等场所。洗脸盆有长方形、椭圆形和三角形，安装方式有墙架式、台式和柱脚式。成排设置时，中心距为 700mm，并可用一个存水弯。如图 2-40 和 2-41 所示。

（2）盥洗台

盥洗台一般采用瓷砖、水磨石等材料现场建造的卫生设备，设置在同时有多人使用的地方，如工厂的生活间、集体宿舍和公共建筑的盥洗室等。配水龙头的间距一般为 700mm，槽内靠墙的一侧设有泄水沟，污水由此沟流至排水栓。如图 2-42 所示。

图 2-40　墙架式洗脸盆　　　图 2-41　柱脚式洗脸盆　　　图 2-42　盥洗台

3. 淋浴器具

（1）浴盆

浴盆的一端配有冷热水龙头或混合龙头，有的还配有淋浴设备，排水口及溢水口均设在装置水龙头的一端，盆底有 0.02 的坡度坡向排水口。如图 2-43 所示。

浴盆安装应在土建完成防水层及保护层后进行。

有饰面的浴盆，应留有通向浴盆排水口的检修门。

（2）淋浴器

多用于工厂、学校、机关、部队、公共浴室和集体宿舍和体育馆的卫生间内。淋浴器有成品的，也有现场安装的。如图 2-44 所示。

图 2-43　浴盆　　　　　　　　　　　　　　　　图 2-44　淋浴器

淋浴器成排设置时，相邻两喷头之间的距离为 900～1000mm，莲蓬头距地面高度为 2000～2200mm，浴室地面应有 0.005～0.01 的坡度坡向排水口。

4. 洗涤器具

（1）洗涤盆

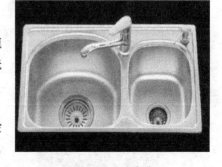

洗涤盆装设在厨房或公共食堂内，用来洗涤碗碟、蔬菜等。医院的诊室、治疗室等处也需设置洗涤盒。洗涤盆有单格和双格之分。如图 2-45 所示。

（2）化验盆

设置在工厂、科研机关和学校的化验室或实验室内，根据需要可安装单联、双联、三联鹅颈龙头。如图 2-46 所示。

图 2-45　洗涤盆

（3）污水池

污水池设置在公共建筑的厕所和盥洗室内，供洗涤拖布、打扫卫生、倾倒污水之用。盆深一般为 400～500mm，多为水磨石或瓷砖贴面后钢筋混凝土制品。如图 2-47 所示。

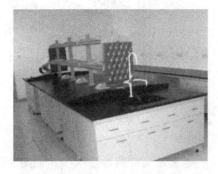

图 2-46　化验盆　　　　　　　图 2-47　污水池

二、卫生器具的冲洗设备

1. 大便器冲洗设备

(1) 坐式大便器冲洗设备

常用低水箱冲洗和直接连接管道进行冲洗。低水箱与座体又有整体和分体之分，采用管道连接时必须设延时自闭式冲洗阀。如图 2-48 所示。

(2) 蹲式大便器冲洗设备

常用冲洗设备有高位水箱和直接连接给水管加延时自闭式冲洗阀。为节约冲洗水量，有条件时尽量设置自动冲洗水箱。如图 2-49 所示。

(3) 大便槽冲洗设备

常在大便槽起端设置自动控制高位水箱或采用延时自闭式冲洗阀。如图 2-50 所示。大便器的水箱结构如图 2-51 所示。

图 2-48　坐式大便器冲洗设备

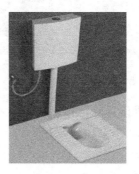

图 2-49　蹲式大便器冲洗设备

图 2-50　大便槽冲洗设备

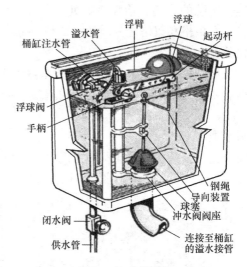

图 2-51　水箱结构

2. 小便器和小便槽冲洗设备

(1) 小便器冲洗设备

常采用按钮式自闭式冲洗阀，既满足冲洗要求，又节约冲洗水量。如图 2-52 所示。

(2) 小便槽冲洗设备

常采用多孔管冲洗,多孔管孔径2mm,与墙成45°安装,可设置高位水箱或手动阀。为克服铁锈水污染贴面,除给水系统采用优质管材外,多孔管常采用塑料管。如图2-53所示。

图 2-52　按钮式自闭式冲洗阀

图 2-53　多孔管冲洗

三、卫生器具布置

卫生器具的布置,应根据厨房、卫生间和公共厕所的平面位置、房间布置大小、建筑质量标准、有无管道竖井或管槽、卫生器具数量及单件尺寸等来布置,既要满足使用方便、容易清洁、占房间面积小,还要充分考虑为管道布置提供良好的水力条件,尽量做到管道少转弯、管线短、排水畅通,即卫生器具应顺着一面墙布置,如卫生间、厨房相邻,应在该墙两侧设置卫生器具,有管道竖井时,卫生器具应紧靠管道竖井的墙面布置,这样会减少排水横管的转弯或减少管道的接入根数。

根据《住宅设计规范》GB 50096—2011的规定,每套住宅应设卫生间。第四类住宅宜设两个或两个以上卫生间,每套住宅至少应配置三件卫生器具。不同卫生器具组合时应保证设置和卫生活动的最小使用面积,避免蹲不下或坐不下、靠不拢等问题。

卫生器具的布置应在厨房、卫生间、公共厕所等的建筑(大样图)上用定位尺寸加以明确。

四、卫生器具安装工艺流程

1. 定位放线

根据土建水平控制线和施工图进行卫生器具定位放线。

2. 支架安装

确定支架的安装位置,用墨线弹出准确坐标,对于混凝土墙体,打孔后用膨胀螺栓固定支架;对于砖墙,打孔后放置螺栓,用水泥捻牢;对于轻质隔板墙,在墙的一侧增加薄钢板固定。支架安装尽量不破坏土建防水层。

3. 卫生器具安装

去掉给排水管甩口封堵,卫生器具就位安装,给水管、排水管和卫生器具的连接,卫生器具安装分为低水箱坐便器安装、高水箱蹲便器安装、挂式小便器安装、墙架式脸盆安装、浴盆安装等。

4. 卫生器具试验

卫生器具安装完成后,应进行满水和通水试验,通水试验前应检查地漏是否畅通,各分户阀门是否关好,然后按层段分房间逐一进行通水试验,以免漏水使装修工程受损。试验时，临时封堵排水口，将器具灌满水后检查各连接件不渗不漏，打开排水口，给水、排水通畅为合格。

五、卫生器具安装注意事项

（1）卫生器具安装应在室内装修完工后进行，给水排水管甩口位置应准确；

（2）根据卫生器具安装位置及尺寸划线定位，打孔，安装固定件（各种卫生设备与地面或墙体的连接应用金属固定件安装牢固）（卫生器具的安装应采用预埋螺栓或膨胀螺栓安装固定）；

（3）卫生洁具及铜活应预组装并注意表层保护；

（4）固定卫生器具时应加橡胶垫，以免损坏器具；

（5）各种卫生器具与台面、墙面、地面等接触部位均应采用硅酮胶或防水密封条密封；

（6）卫生器具的接管应准确，器具排水管的管径和最小坡度应符合规定。卫生器具与存水弯之间需设置排水栓，其常用规格为 DN32、DN40、DN50；卫生间洁具、挡板细部打胶处理如图 2-54 所示。

图 2-54　卫生间洁具、挡板细部打胶处理

任务5　建筑给水排水施工图的识读

一、建筑给水排水施工图分类与组成

建筑给水排水工程图是建筑工程图的组成部分，建筑给水排水施工图（又称室内给水排水工程图）主要表示一幢建筑内或一片小区内建筑物的生活、生产、消防给水设施和生活、生产污废水及屋面雨雪水排除设施。它包括平面图、系统图、屋面雨水平面图、剖面图、详图等。

二、建筑给水排水施工图的表达特点

建筑给水排水施工图中的平面图、详图等均应采用正投影法绘制。

建筑给水排水系统图宜按正面斜等轴测投影法绘制。管道系统图应与平面图布图方向一致，并宜按比例绘制，当局部管道按比例不易表示清楚时，可不按比例绘制。

建筑给水排水施工图中管道附件和设备等，一般采用统一图例表示。

有关管道的连接配件属规格统一的定型工业产品，在图中均不予画出。

建筑给水及排水管道一般采用单线画法，以粗线绘制，给水管道以粗实线绘出，排水管道以粗虚线绘出。建筑给水排水施工图中，管道类别应以汉语拼音字母表示。

建筑给水排水施工图中管道设备的安装应与土建施工图相互配合，尤其在留洞、预埋件、管沟等方面对土建的要求，须在图纸上注明。

三、建筑给水排水施工图的有关规定

1. 图线

建筑给水排水施工图中采用的各种线型应符合表 2-4 的规定。

图线规定 表 2-4

名称	线型	线宽	用途
粗实线	——	b	新设计的各种排水和其他重力流管线
粗虚线	— — — —	b	新设计的各种排水和其他重力流管线的不可见轮廓线
中粗实线	——	0.7b	新设计的各种给水和其他压力流管线；原有的各种排水和其他重力流管线
中粗虚线	— — —	0.7b	新设计的各种给水和其他压力流管线及原有的各种排水和其他重力流管线的不可见轮廓线
中实线	——	0.5b	给水排水设备、零（附）件的可见轮廓线；总图中新建的建筑物和构筑物的可见轮廓线；原有的各种给水和其他压力流管线
中虚线	 — — —	0.5b	给水排水设备，零（附）件的不可见轮廓线；总图中新建的建筑物和构筑物的不可见轮廓线；原有的各种给水和其他压力流管线的不可见轮廓线
细实线	 ——	0.25b	建筑的可见轮廓线；总图中原有的建筑物和构筑物的可见轮廓线；制图中的各种标注线
细虚线	 - - - -	0.25b	建筑的不可见轮廓线；总图中原有的建筑物和构筑物的不可见轮廓线
单点长画线	—·—·—	0.25b	中心线、定位轴线
折断线	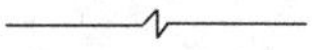 —~—	0.25b	断开界线
波浪线	 ～～～	0.25b	平面图中水面线；局部构造层次范围线；保温范围示意线

2. 比例

（1）平面图一般采用与建筑平面图相同的比例，常用 1：100；

（2）系统轴测图一般采用与平面图相同的比例，常用 1：100、1：50；

（3）系统原理图，一般表示官网的系统位置，仅是示意，不按比例；

（4）大样图（也称详图），尽量采用通用图集，若在图纸上绘制，一般采用 1：50、1：20 的比例。

3. 标高

（1）单位

在图纸中标高都是以米（m）为单位，在图纸中不标出；

（2）标注位置

压力管道应标注管中心标高；重力流管道和沟渠宜标注管（沟）内底标高。标高单位以米计时，可注写到小数点后第二位。

（3）标注种类

室内工程应标注相对标高；室外工程宜标注绝对标高，当无绝对标高资料时，可标注相对标高，但应与总图专业一致。

（4）标注方法

标高的标注方法如图 2-55 所示。

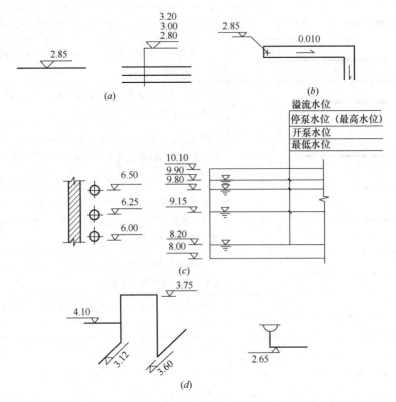

图 2-55　标高的标注方法

4. 管径

建筑给水排水管管径单位为 mm，管径的表达方法应符合下列规定。

（1）水煤气输送钢管（镀锌或非镀锌）、铸铁管等管材，管径宜以公称直径 DN 表示。

（2）无缝钢管、焊接钢管（直缝或螺旋缝）等管材，管径宜以外径 DX 壁厚表示。

（3）铜管、薄壁不锈钢管等管材，管径宜以公称外径 Dw 表示。

（4）建筑给水排水塑料管材，管径宜以公称外径 dn 表示。

（5）钢筋混凝土（或混凝土）管，管径宜以内径 d 表示。

（6）复合管、结构壁塑料管等管材，管径应按产品标准的方法表示。

（7）当设计中均采用公称直径 DN 表示管径时，应有公称直径 DN 与相应产品规格对照表。

管径标注方法如图 2-56 和图 2-57 所示。

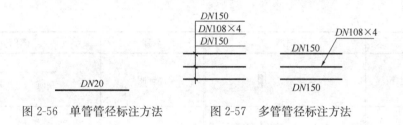

图 2-56　单管管径标注方法　　　　图 2-57　多管管径标注方法

5. 管道编号

建筑给水排水施工图中，应对给排水管道进行编号，具体应符合下列规定，如图 2-58 和图 2-59 所示。

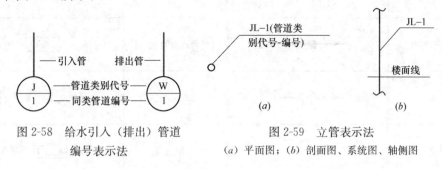

图 2-58　给水引入（排出）管道　　　　图 2-59　立管表示法
　　　　编号表示法　　　　　　　　（a）平面图；（b）剖面图、系统图、轴侧图

四、建筑给水排水施工图的识读

识读建筑给水排水施工图时，应按水流方向进行识读。图纸中各种构筑物和配件的图例见表 2-5。

给水排水图例　　　　　　　　　　　　　　　　表 2-5

名称	图例	名称	图例
生活给水管	—— J ——	存水管	
污水管	—— W ——	立管检查口	
通风管	—— T ——	阀门井 检查井	
交叉管		清扫口	平面　系统
三通连接		通气帽	成品　铅丝球
四通连接		雨水斗	YD- 平面　系统 XL-1
管道立管	XL-1 平面　XL-1 系统 X：管道类别 L：立管 I：编号	排水漏斗	平面　系统
		圆形地漏	

名称	图例	名称	图例
自动冲洗水箱		浮球阀	平面　系统
管道交叉	 在下方和后面的管道就断开	配水龙头	 平面　系统
淋浴喷头		多孔管	
水表井		台式洗脸盆	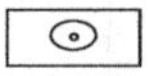
水表		立式洗脸盆	平面　系统 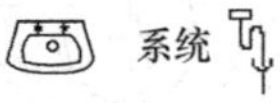
闸阀		浴盆	平面　系统 
截止阀	DN≥50　DN＜50	污水池	
止回阀		蹲式大便器	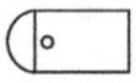
碟阀		坐式大便器	平面 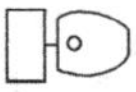　系统　Y
旋塞阀	 平面　系统	小便槽	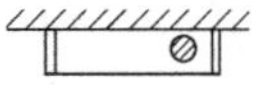
球阀		立式小便器	

1. 建筑给水排水平面图

可从图中了解各种用水设备的类型及平面位置、各给水干管、立管、支管的平面位置、立管编号和管道的敷设方式、管道附件，如阀门、消防栓、清扫口的位置以及给水引入管和污水排出管的平面位置、编号以及与室外给排水管网的联系。

建筑给水系统的读图顺序是：城市管网→建筑外网给水管道→建筑室内给水引入管（入户管）→给水横干管→给水立管→给水支管→配水支管→用水设备；

建筑排水系统的读图顺序是：用水设备排出管→排水横管→排水立管→排出管（出户管）→室外检查井→化粪池。

某住宅楼给水排水平面图，该住宅楼共有 6 层，底层平面布置如图 2-60 所示，室内详细布局如图 2-61，二至六层平面图如图 2-62。各层卫生器具的布置均相同；各层管道的布置，除底层设有一条引入管和四条排出管外，其余各层的管道布置也都相同。

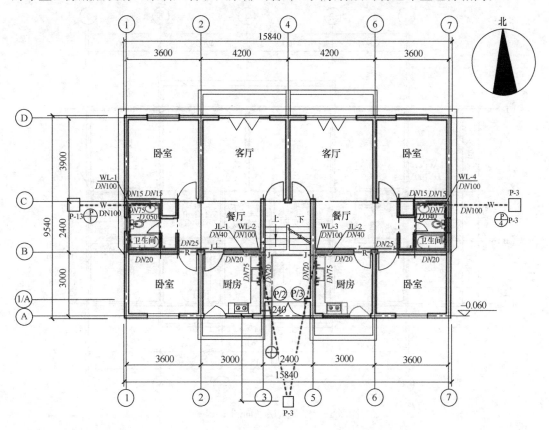

图 2-60 底层平面图 1:100

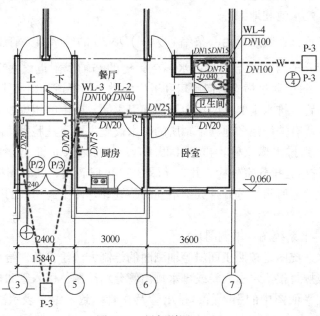

图 2-61 局部详图 1:50

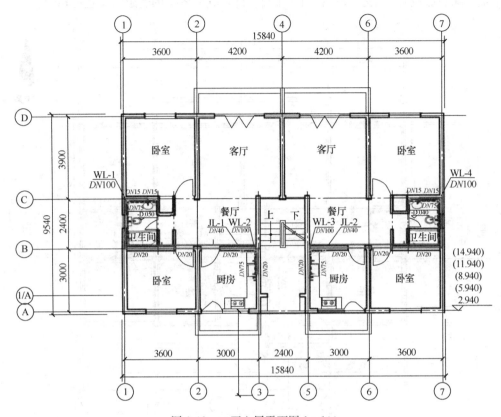

图 2-62　二至六层平面图 1：100

卫生器具的布置：在卫生间内，设有洗脸盆、坐式大便器、地漏和浴盆等。在厨房内，设有污水池、贮水池和地漏等。

给水管道的布置：在底层，由一条编号为 ①DN20 的给水引入管引入，由南向北进入该楼，水平干管分东西两路给两户供水，在厨房的 Ⓑ 轴线附近设两个立管"JL-1"和"JL-2"纵向供水，每层通过横支管向厨房和卫生间供水，管道为粗实线绘制。

排水管道的布置：排水主要是两户的厨房和卫生间。图中的粗虚线表示排水管道，厨房间的排水设施主要有洗涤池和地漏，厕所的排水设施主要有洗脸盆、浴盆和大便器，排水由设备排出管排到排水横支管，再到 4 根 DN100 的排水立管 WL-1、WL-2、WL-3、WL-4，最后经过排出管排到室外检查井，从图 2-58 可以看出，共有 4 根排出管，分别排到 3 个室外检查井，厕所污水分开排放到不同的检查井，两个厨房间的污水共同排到同一检查井。

2. 建筑给水排水系统图（轴侧图）

建筑给水排水系统图是按照正面斜等轴测图的绘制方法绘出的。给水管道轴测图与排水管道轴测图一般按每根给水引入管或排水排出管分组绘制。引入管和排出管道及立管的编号均应与其对应平面图中的引入管、排出管及立管一致，编号表示法仍同平面图，如图 2-63、图 2-64 所示。

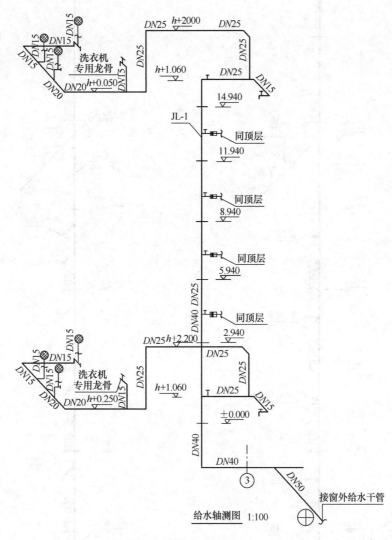

给水轴测图 1:100

图 2-63 给水系统图 1:100

给水排水管道在平面图上沿 X1 和 Y1 方向的长度直接从平面图上量取,管道的高度一般根据建筑物的层高、门窗高度、梁的位置及卫生器具、配水龙头、阀门的安装高度来决定。

当空间交叉的管道在图中相交时,应判别其可见性,在交叉处可见管道应连续画出,而把不可见管道断开。

可将管径直接注写在相应的管道旁边,或注写在引线上。

绘制给水管道时,应以管道中心为准,通常要标注横管、阀门和放水龙头等部位的标高。

绘制排水管道时一般要标注立管或通气管的管顶、排出管的起点及检查口等的标高。必要时只标注横管的起点标高,横管的标高以管内底为准。

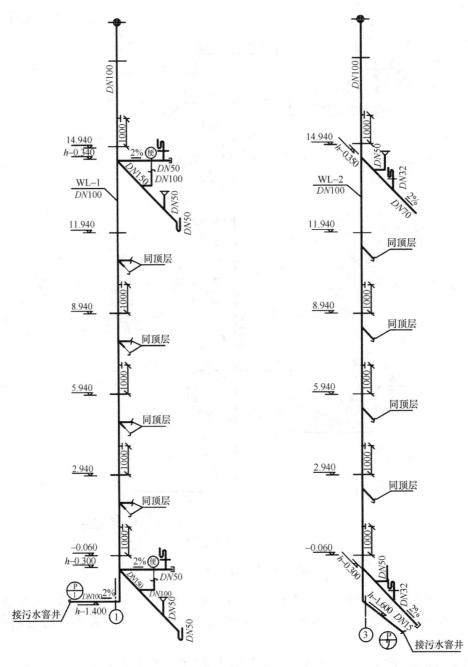

图 2-64 排水系统图 1∶100

思 考 题

2-1 排水方式有哪几种？分别有什么优缺点？

2-2 建筑排水系统有哪些部分组成？

2-3 排水通气管系统的作用是什么？

2-4 使用排水塑料管时，应注意哪些问题？

2-5　存水弯的作用是什么?

2-6　在何种情况下应设置清扫口?

2-7　通气帽的作用是?

2-8　什么是灌水试验?应如何检验?

2-9　什么是通球试验?

2-10　卫生器具的安装工艺流程是什么?

2-11　建筑给水排水施工图的内容主要是?

2-12　建筑给水系统的读图顺序是什么?

2-13　建筑排水系统的读图顺序是什么?

项目3 建筑供暖系统

任务1 供暖系统的认知

冬季气候寒冷，大气温度下降，尤其在我国北方大部分地区，有时甚至降到零下几十度。由于室内外温度相差较大，室内热量源源不断地通过墙壁、门窗等流向室外，而室外冷空气由门窗缝隙、门窗的开启等侵入室内，造成热量的损失，室内的温度降到人体适应的温度之下。因此，有必要在室内装设供暖设备，使其放出一定的热量来补偿房间损失的热量，从而使房间温度保持在人体感觉舒适的范围内，建筑供暖系统由此产生。

一、供暖系统的分类

根据供暖系统的不同特征，有以下两种分类方法：

1. 根据供暖的范围不同分

（1）集中式供暖系统：利用一个热源生产出热水或热蒸汽，通过管道输送到多个供暖房间，热水或热蒸汽通过散热设备将热量释放到房间内。或由一个大型热源产生蒸汽或热水，通过区域性的供热管网供给整个区域，保障区域内地生活和生产用热。

（2）分散式供暖系统：将热源和散热设备合并成一个整体，分散设置在各个房间里。如家用的电加热器、燃气加热器等。

本项目着重介绍集中式供暖系统，分散式供暖方式和单独的加热设备暂不考虑。

2. 根据热媒性质不同分

在供暖系统中，用来传递热量的介质称为热媒。供暖系统常用的热媒是水、水蒸气等。

（1）热水供暖系统：指以热水作为热能载体的供暖系统。按热媒温度的不同分为低温水（供水温度低于100℃）供暖系统和高温水（供水温度大于等于100℃）供暖系统。

（2）蒸汽供暖系统：指以蒸汽作为热能载体的供暖系统。按热媒压力的不同分为低压蒸汽供暖系统（供汽压力小于等于70kPa）和高压蒸汽供暖系统（供汽压力大于70kPa）。

热媒的选取应根据建筑物的用途、供热情况和当地气候特点等条件综合考虑，对民用建筑应采用热水为热媒。

二、供暖系统的组成

供暖系统通常由热源、输送管道、散热设备三个部分组成。

1. 热源：指热能的生产设备，如热水锅炉、蒸汽锅炉。

2. 输热管道：指热能的输送管道，包括室内外供暖管道。

3. 散热设备：指在室内散出热量的设备，最常见的是各种类型的散热器、辐射板、暖风机等。

热源使燃料燃烧产生热能，对热媒进行加热，经管道输送到散热设备，热媒在散热设备中放热，加热室内空气，放热后的回水再回到锅炉中重新加热，如此不断循环，供暖系统把热量输送到室内。

任务 2　热水供暖系统的认知

在热水供暖系统中，水在锅炉内加热，被加热的水沿着管道输送到散热器设备中，通过散热设备向房间内散热，水在散热的同时温度逐渐降低，降温后的水再经管道回到锅炉内重新被加热，加热后的热水又经管道送入散热器，如此循环反复，使热量源源不断地由锅炉输送到供暖房间，这就是热水采暖系统的工作过程。

一、热水供暖系统的分类

根据热水供暖系统的不同特征，有以下五种分类方法：

1. 按热水在供暖系统中流动的动力不同，分为自然循环热水采暖系统和机械循环热水采暖系统。

2. 按供、回水方式的不同，可分为单管系统和双管系统。

单管系统的散热器的供回水立管共用一根管，立管上的散热器串联起来构成一个循环回路；双管系统的散热器的供水管和回水管分别设置，每组散热器都单独组成一个循环回路。

3. 按管道敷设方式的不同，可分为垂直式系统和水平式系统。

4. 按热水温度的不同，可分为低温水供暖系统和高温水供暖系统。

在热水供暖系统中，低于或等于100℃的热水称为低温水，超过100℃的热水，称为高温水。民用建筑热水供暖系统大多采用低温水作为热媒，设计供、回水温度多采用95℃/75℃或85℃/60℃。高温水供暖系统一般在生产厂房中应用，设计供、回水温度大多采用（120～130）℃／（70～80）℃。

5. 按供回水干管布置位置的不同，可分为上供下回式、上供上回式、下供上回式、下供下回式、中供式。

热水供暖系统的分类方法很多，实际应用的热水供暖系统是以上各种形式的组合。本任务将按照循环方式的不同，分别介绍自然循环热水采暖系统和机械循环热水采暖系统。

二、自然循环热水供暖系统

自然循环热水采暖系统是靠水的密度变化来进行循环的。由于热水供回水温度不同，造成水的密度发生变化，从而引起压力差，即自然循环热水系统的驱动力。压力差的大小取决于供回水温度差和锅炉散热器间的高度差。如图 3-1 所示，用供水管和回水管把散热器和锅炉连接起来，系统最高处设膨胀水箱。系统工作前，先将整个系统充满水，当

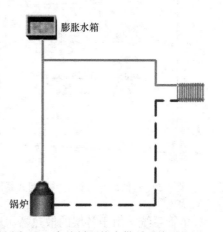

图 3-1　自然循环热水供暖系统原理图

水在锅炉内被加热后密度减小，而从散热器流回的水密度较大，由此形成的压力差使热水沿供水干管上升，流入散热器。在散热器内热水放出热量后温度降低，沿回水管流回锅炉。水就这样连续被加热、上升、散热降温、重新加热，不断进行循环流动。

自然循环热水供暖系统的作用压力为

$$p = (\rho_h - \rho_g)gh$$

式中　p——热水供暖系统的作用压力，Pa；

　　　ρ_h——回水密度，kg/m^3；

　　　ρ_g——供水密度，kg/m^3；

　　　h——散热器中心与锅炉中心的高差，m；

　　　g——重力加速度，m^2/s。

由计算式可以看出，自然循环热水供暖系统的作用压力和供水密度、回水密度、散热器中心与锅炉中心的高差有关。

自然循环热水供暖系统主要分双管和单管两种形式。

如图 3-2 所示为双管上供下回式系统，每组散热器都组成一个循环回路，每组散热器的供回水温度基本相同，各组散热器可自行调节热水流量，互相不受影响。

在双管系统中，各层散热器与锅炉间形成独立的循环，上层的散热器中心与锅炉中心的高度差较大，产生的循环压力也大，流经上层散热器的水量多；相反，下层的散热器中心与锅炉中心的高度差较小，产生的循环压力也小，流经下层散热器的水量少，这样就形成了上热下冷的"垂直失调"现象。楼层越多，这种失调现象越严重。

如图 3-3 所示为单管上供下回式系统，立管上的散热器串联起来共同构成一个循环回路，从上到下各楼层散热器的供水温度依次降低。图 3-3 中右侧的两组散热器的热水流量不能单独调节。而图 3-3 中左侧的四组散热器，在每个散热器的供水管、回水管之间增加了跨越管。热水一部分流入散热器，另一部分通过跨越管继续向下流动，故可单独调节流量。

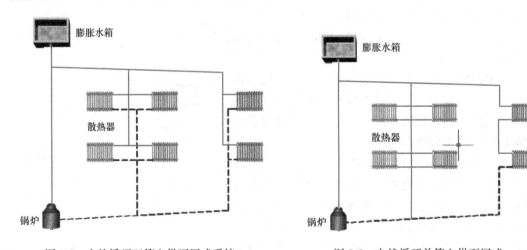

图 3-2　自然循环双管上供下回式系统　　　图 3-3　自然循环单管上供下回式

单管系统，由于各层的散热器串联在一个循环管路上，从上而下所产生的压力叠加在一起形成一个较大的压力，因此单管系统不存在垂直失调问题。自然循环热水供暖系统宜用单管系统。

在自然循环热水供暖系统中，热水受热后体积会膨胀，系统内部压力会升高，需在系统的最高点设置膨胀水箱，以容纳水受热后膨胀的体积，同时，可利用膨胀水箱排除系统中的空气。为了便于系统排气，自然循环热水供暖系统干管的坡度为 0.005，支管的坡度也不小于 0.01。

自然循环热水供暖系统装置简单，不消耗电能，运行时无噪声。但由于系统作用压力较小，管内流速偏小，管径偏大，作用半径（锅炉至最远立管的水平距离）不宜超过50m，通常只能在单幢建筑物内使用。

三、机械循环热水供暖系统

在机械循环热水供暖系统中，靠水泵的扬程产生循环动力推动热水循环流动。水在锅炉中被加热后，沿总立管，供水干管、供水立管进入散热器，放热后沿回水立管、回水干管由水泵送回锅炉。机械循环热水供暖系统由于设置水泵为系统提供循环动力，水泵的作用压力大，使机械循环系统的供暖范围可以很大，可以负担多幢建筑的供暖。当建筑物供暖半径大、需要较大的作用压力时，必须采用机械循环热水供暖系统。

机械循环供暖系统有以下几种方式：

1. 上供下回式热水供暖系统。如图 3-4 所示。与自然循环相比，它增加了循环水泵与排气装置。

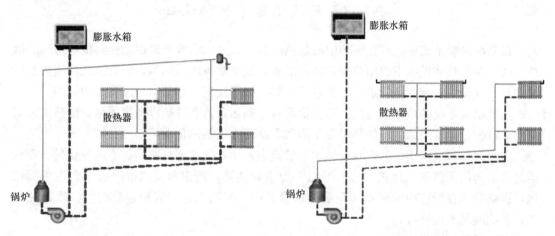

图 3-4　机械循环上供下回式系统　　　　图 3-5　机械循环下供下回式

2. 下供下回式系统热水供暖系统。如图 3-5 所示。该系统一般适用于顶层无法布置干管并且有地下室的建筑。当无地下室时，供、回水干管也可以敷设在底层地沟内。该系统可通过顶层散热器的冷风阀或专设的空气管排气。

3. 中供式热水供暖系统。如图 3-6 所示。水平供水干管敷设在建筑物中间某层的顶棚之下，适用于顶层供水干管无法敷设的建筑物或在原有建筑上加建楼层或"品"字形建筑。

4. 下供上回式热水供暖系统。如图 3-7 所示。水的流向与空气流向都是由下而上，可通过膨胀水箱排气，无需设置集气罐。该形式特别适用于高温热水供暖、对室温有调节要求的建筑。

机械循环热水供暖系统具有作用压力大，供暖范围大，水流速大，管径小、升温快等优点，广泛用于多幢建筑或区域供暖。但该系统的维修工作量大，运行费用相应增加。

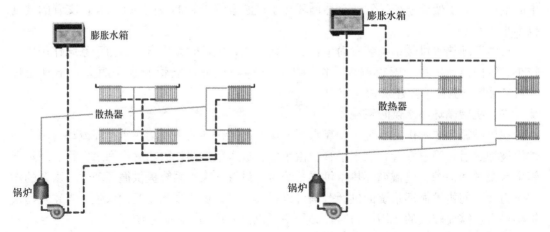

图 3-6　机械循环中供式系统　　　　　图 3-7　机械循环下供上回式系统

任务 3　蒸汽供暖系统的认知

在蒸汽采暖系统中，水在锅炉中被加热至蒸汽，蒸汽沿着管道被输送到供暖房间的散热器内，在散热器设备中放出热量后凝结成水。凝结水流出散热器，经管道流回锅炉重新被加热变成蒸汽，继续经管道送入散热器，如此循环反复，达到向房间供暖的目的。

蒸汽供暖系统的热媒是蒸汽。蒸汽供暖就是利用蒸汽在散热设备中凝结放出热量来实现的，每公斤蒸汽凝结放出的热量等于蒸汽凝结压力下的汽化潜热。

在蒸汽采暖系统中，蒸汽和凝结水在管道内流动，其状态参数是在不断变化的。蒸汽通过管壁向周围散热，过热蒸汽有可能变为饱和蒸汽，而饱和蒸汽散热沿途会生成凝结水，影响蒸汽在管道中的流动。在凝结水管道中，凝结水返回锅炉也易产生二次汽化现象，影响凝结水的回收。

一、低压蒸汽供暖系统

低压蒸汽供暖系统热媒的压力小于等于 70kPa，根据回水的动力不同，低压蒸汽供暖系统分为重力回水和机械回水两类。

1. 重力回水低压蒸汽供暖系统

如图 3-8 所示，用蒸汽管和回水管把散热器和锅炉连接起来，加热锅炉内的水，产生的蒸汽在自身压力作用下克服流动阻力，沿蒸汽管道输送到散热器内，并将积聚在蒸汽管道和散热器内的空气赶出，经连接在回水管末端的排气阀排出。而蒸汽在散热器内放出热量，在放热的同时蒸汽凝结成水，回水靠重力作用沿回水管路返回锅炉重新加热，不断进行循环流动。

通常凝结水只占据凝结水管的部分断面，另一部分被空气占据。由于凝结水干管一般处于锅炉（或凝结水箱）的水位线之上，因此通常称为干式凝结水管，而位于锅炉（或凝结水箱）的水位线之下的凝结水管称为湿式凝结水管。

图 3-8 中因凝结水管总立管顶部接空气管，在蒸汽压力的作用下，凝结水管立管中的水位将由 Ⅰ-Ⅰ 断面升高到 Ⅱ-Ⅱ 断面。为了保证干式回水，凝结水管必须敷设在 Ⅱ-Ⅱ 断

面以上，并考虑锅炉的压力波动，应使它高出Ⅱ-Ⅱ断面 200～250mm。这样才能保证散热器内部不致被凝结水淹没，进而保证系统的正常运行。

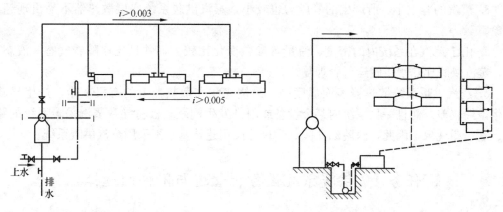

图 3-8　重力回水低压蒸汽供暖系统　　　　图 3-9　机械回水低压蒸汽供暖系统

2. 机械回水低压蒸汽供暖系统

当系统作用半径较长时，就应采用较大的动力才能将蒸汽输送到最远散热器。若仍用重力回水，凝结水管里的水面Ⅱ-Ⅱ的高度就可能达到甚至超过底层散热器的高度，底层散热器就会充满凝结水，蒸汽就无法进入，从而影响散热，此时必须改用机械回水式。图 3-9 是机械回水低压蒸汽供暖系统的示意图。水不直接返回锅炉，而首先进入凝水箱，然后再用回水泵将水送回锅炉重新加热。在机械回水系统中，锅炉可以不安装在底层散热器以下，而只需将凝水箱安装在低于底层散热器和凝结水管的位置即可。而系统中的空气，可通过凝水箱顶部的空气管排入大气。

为防止系统停止运转时，锅炉中的水被倒吸流入凝水箱，应在泵的出水口管道上安装止回阀。

二、高压蒸汽供暖系统

高压蒸汽供暖系统热媒的压力大于 70kPa。高压蒸汽由室外管网引入，在建筑物入口处设有分汽缸和减压装置。减压阀前的分汽缸是供生产用的，减压阀后的分汽缸是供采暖用的，通过分汽缸的作用，可以调节和分配各建筑物所需的蒸汽量。而减压阀可以降低蒸汽的压力，并能稳定阀后的压力以保证供暖的要求。

高压蒸汽供暖系统运行时，由于管道内的热媒温度较高，管道受热膨胀，因此在管道上应设伸缩器以吸收管道的热伸长。

三、蒸汽供暖系统的特点

同热水供暖系统相比，蒸汽供暖系统具有以下特点：

1. 同样质量流量的蒸汽比热水携带的热量高出许多，或者同等供热量，蒸汽供热所需的蒸汽流量比热水流量少很多。蒸汽供暖系统传热效率高，所需散热器面积小于热水供暖系统。蒸汽供暖系统能节省散热器，节省管材，节省工程的初投资。由于蒸汽供暖系统所需的蒸汽流量少，蒸汽供暖系统锅炉给水泵流量小，节省电能。

2. 蒸汽不会像热水供暖那样，在系统中产生很大的水静压力，因此对设备的承压要求不高。蒸汽热惰性小，蒸汽供暖系统供汽时升温快，停汽时冷却也快，适合于间歇运行的场合。但间歇运行时，管内蒸汽、空气交替出现，加剧了管道的腐蚀，因此蒸汽系统的使用寿命比热水系统要短。

3. 蒸汽的容重小，所产生的静压力也较小，蒸汽供暖系统底层散热器不易出现超压现象。

4. 由于蒸汽在系统内的密度、流量等参数变化比较大，并且还伴随着气态—液态变化，蒸汽供暖比热水供暖运行管理复杂。

5. 蒸汽供暖系统散热器表面温度高，易烧烤积在散热器上的有机灰尘，产生异味，卫生条件较差。而且一旦系统内某个设备或附件发生问题，极易导致蒸汽采暖系统的跑、冒、滴、漏现象，因此，医院幼儿园、学校等民用建筑基本不采用蒸汽供暖系统。

任务4　供暖系统设备、管道与附件的选择

一个完整的供暖系统，必须有热源（如锅炉）、散热设备、各种附属设备等通过管道连接起来。每个设备和每根管道都必须正常工作，才能保证整个系统的顺利运转。

锅炉是生产热水或热蒸汽的设备，根据能源利用的形式又分为燃煤锅炉、燃油锅炉、燃气锅炉、电热锅炉等，关于锅炉的内容见项目4。

散热设备把热水或蒸汽的热量传递给室内空气，补偿建筑物损失的热量，从使室内维持在设定的温度。常见的散热设备有散热器、辐射板、暖风机等。

为了配合供暖系统更好的运作，各种附属设备的作用也是不容忽视的，如膨胀水箱、排气装置、除污器、疏水器、伸缩器等。

作为各个设备的连接体，供暖系统管道的选材和安装也有一定的要求。

一、散热设备

散热设备是向供暖房间放出热量，以弥补房间的热量损失，从而保证室内维持设定的温度，达到供暖的目的。

散热设备的散热分为以下三个过程：散热设备内的热媒将热量以对流换热的方式传递给散热设备的内壁面；散热设备内壁面通过导热把热量传递到散热设备外壁面；散热设备外壁面通过对流换热把热量传递给室内空气，同时靠辐射把热量传递给人和室内物体。根据散热设备传热方式的不同，把散热设备分为散热器、辐射板、暖风机三种类型。

1. 散热器

散热器是将供暖系统的热水或蒸汽所携带的热量传递到散热器的外壁面，靠空气的自然对流，将热量进一步传递给室内空气的一种散热设备。由于散热器的应用范围广泛，已设计出多种类型的散热器。根据材质来分，常见的有铸铁散热器和钢制散热器，近年来还开发出铝制散热器、铜铝散热器、全铜散热器、不锈钢散热器等。根据外形特点，有翼型、柱型、串片式、板式、钢管等。散热器的选材和外形构造都是在增大散热器内热水/蒸汽与室内空气的换热效果的基础上，综合各种因素选定的。

（1）铸铁散热器

铸铁散热器长期以来被广泛应用，它具有结构简单、耐腐蚀、使用寿命长、造价较低、热稳定性好等优点，但相比于钢制散热器，铸铁散热器也有承压能力低、金属耗量大、安装和运输劳动强度大，外形不美观等缺点。

常见的铸铁散热器有以下几种：

1）翼型散热器

翼型散热器表面铸有翼片，通过翼片增加散热面积，增强换热效果。翼片分为长翼型和圆翼型两种，如图 3-10 所示。翼型散热器制造工艺简单，抗腐蚀性强，长翼型价格较低。但翼型散热器易积灰难清扫，外形不美观，一般用于工业厂房、蔬菜温室等建筑物。

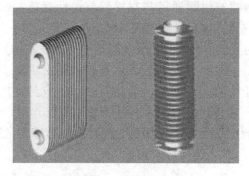 

图 3-10　翼型散热器　　　　　　　图 3-11　柱型散热器

2）柱型散热器

柱型散热器，如图 3-11 所示，是呈柱状的中空立柱散热器，其外表光滑，无肋片，立柱相互连通。每个立柱由各个单片组对而成，可以根据供热量的需求大小决定立柱的组数。柱型散热器还有传热系数高，不易积灰，易清扫等优点，广泛应用于住宅和公共建筑中。

（2）钢制散热器

常见的钢制散热器有以下几种：

1）钢串片散热器

如图 3-12 所示，钢串片散热器是在钢管上套上很多长方形的薄钢片组成，从而增加散热面积，这种做法类似于翼型散热器。钢串片散热器的散热效果好、重量轻、体积小、占地少、承压高、制造工艺简单，但使用时间较长后，串片与钢管连接松动，影响传热效果。钢串片式散热器适用于承受压力较高的高温水或蒸汽供暖系统以及高层建筑供暖系统。

2）板式散热器

如图 3-13 所示，板式散热器主要有面板、背板组合形成散热水道，面板、背板用冷轧钢板冲压成型，水流的过流断面呈圆弧或梯形，背板和面板经复合滚焊形成整体。板式散热器适用于热水采暖系统。

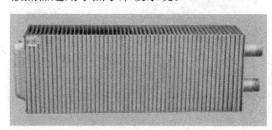 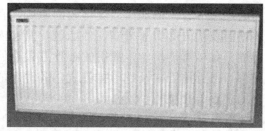

图 3-12　钢串片散热器　　　　　　图 3-13　板式散热器

3）钢管散热器

钢管散热器是由钢管焊接而成的，钢管可以是圆管或扁管，如图 3-14 所示。钢管散

热器占用空间小，重量轻，安装维护方便，承压性能好，可用于热水或蒸汽供暖系统。适用于宾馆、办公楼、学校、住宅等建筑。钢管易于清扫，也适用于粉尘较多的车间。

根据《民用建筑供暖通风与空气调节设计规范》GB 50736—2012 规定，散热器在室内一般为明装，但幼儿园、老年人和特殊功能要求的建筑的散热器必须暗装或加防护罩。为使室内空气温度分布均匀，散热器一般布置在外窗下，直接加热由窗缝渗入的冷空

图 3-14 钢管散热器

气，还可减轻外墙侧的冷辐射，散热器的布置应与室内设施相协调。为防止散热器冻裂，两道门之间不应设置散热器。由于热空气向上升，楼梯间的散热器应尽量分配在底层。当底层无法布置时，应按一定比例分配。管道有冻结危险的场所，应由单独的立、支管供暖。

2. 辐射板

辐射板主要以辐射形式散热，在一定的空间里达到足够的辐射强度来维持房间的供暖效果。辐射散热能提高人体表面的温度，使人体感到更舒适。根据板表面温度的不同，辐射板分为低温辐射（表面温度小于 80℃）、中温辐射（表面温度 80～200℃）、和高温辐射（表面温度大于 500℃）三种形式。一般常用的是低温辐射供暖，主要有低温热水地面辐射供暖系统和发热电缆辐射供暖系统等。

（1）低温热水地面辐射供暖系统

地面辐射供暖，俗称"地暖"。地面辐射供暖有以热水为热媒的低温热水地面辐射供暖和通过供电的发热元件（电缆）地面辐射供暖等方式。低温热水地面辐射供暖，是以温度不高于 60℃的热水为热媒，在加热管内循环流动，加热地板，通过地面以辐射和对流的传热方式向室内供热的供暖方式。

低温地面辐射供暖系统的辐射管均采用塑料管。目前常用的塑料管有交联聚乙烯管（PEX）、聚丁烯管（PB）、无规共聚聚丙烯管（PP-R）、嵌段共聚聚丙烯管（PP-B 或 PP-C）及耐高温聚乙烯管（PE-RT）等（图 3-15）。这几种管材均具有耐老化、耐腐蚀、不结垢、承压高、无污染、易弯曲、水力条件好等优点，其中交联聚乙烯管（PEX 管）具有良好的抗蠕变性，管材材质较软，容易弯曲，便于工人施工，同时交联管接头采用插入式铜接头连接，安装方便，耐压可靠，在国内外得到了广泛采用。辐射管采用不同布置方式时，导致的地面温度分布是不同的。布管时，应本着保证地面温度均匀的原则，宜将高温段优先布置于外窗、外墙侧，使室内温度分布尽可能均匀，常用的布管方式有回字形、平行排管式及蛇形排管式，最常用的是回字形布管方式。

低温热水地面辐射供暖系统包括锅炉、分水器、集水器、各类调节阀等设备。分水

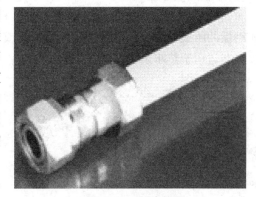

图 3-15　PEX 管

器是用来集中控制和分配每个环路地面辐射管水流的设备，集水器是将各环路地面辐射管的水流汇集在一起的设备。如图 3-16 所示，分、集水器的卡套式管接头上方均有电磁阀，可以调节各环路流量以及关断水流。分、集水器末端设有手动放气阀或自动排气阀用于排除系统中的空气。在分水器的供水管道上，顺水流方向应安装阀门、过滤器和热计量装置，在集水器之后的回水管道上应安装阀门。分、集水器及其附件通常放在分、集水器箱中，地面辐射管则从分、集水器箱的下部接出，弯曲后进入地面辐射。分、集水器可设置于厨房、盥洗间、走廊两头等既不占用使用面积，又便于操作的部

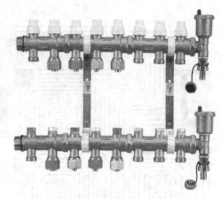

图 3-16　分水器和集水器

位，也可设置于内墙墙面内的槽中。分、集水器宜在开始铺设地面辐射管之前进行安装。水平安装时，将分水器安装在上，集水器安装在下，中心距宜为 200mm，集水器中心距地面不应小于 300mm。

　　地面辐射供暖施工应在建筑封顶后，室内装饰工作如吊顶、抹灰等完成后，与地面施工同时进行，入冬以前完成，不宜冬季施工。热水辐射管道的敷设有严格的工艺要求，其剖面见图 3-17。辐射管敷设时，先将保温板材铺设在基础层面上，要求地面平整，无任何凹凸不平及砂石碎块、钢筋头等。保温板可采用贴有锡箔的自熄型聚苯乙烯保温板，锡箔面朝上。保温层要用胶带贴牢接缝，然后由远到近逐环敷设辐射管，并用专用塑料卡钉固定。辐射管敷设好后，应做水压试验，试验压力为系统工作压力的 1.5 倍，且不应小于 0.6MPa。在试验压力下，稳压 1h，其压力降不大于 0.05MPa 为合格。

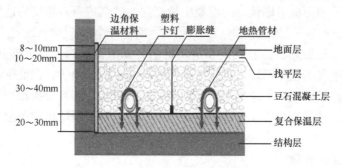

图 3-17　地暖管道的敷设示意图

　　塑料管隐蔽工程验收合格后，即可回填豆石混凝土，采用人工用振捣器，同时管道内应保持不低于 0.4MPa 的压力。回填混凝土时不允许踩压已铺好的环路，豆石混凝土的厚度为 40~60mm，最后在混凝土层上方按设计要求敷设地面材料。为防止地板在供暖后产生各方向上的膨胀，使地面出现隆起和龟裂，要将地面根据辐射管的敷设形成分成若干区块，并以伸缩缝（又称膨胀缝）隔开。管道穿越伸缩缝处要加塑料套管，混凝土填充层及地面层与墙、柱间也应设伸缩缝，伸缩缝中的填充材料应为高发泡聚乙烯泡沫塑料。

　　图 3-18 是某住户的低温热水地暖系统图。由图可见，热水锅炉放置在厨房，锅炉流

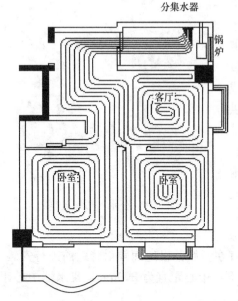

图 3-18　某住户的低温热水地暖系统图

出的热水先经分水器分为四路，其中一路流向了位于卫生间的散热器，还有三路分别流向了均匀铺设在两个卧室和一个客厅地下的辐射管。在各个区域散出热量后，散热器和辐射管的热水原路返回厨房，在集水器内四路回水汇集为一路，然后流回热水锅炉重新加热。

由于具有舒适、卫生、节能、不影响室内观感、占有室内面积与空间小等优点，近年来低温热水地面辐射供暖这种形式在住宅和公共建筑中使用越来越多。

（2）发热电缆辐射供暖系统

发热电缆辐射供暖系统是利用电能转换为热能且主要通过热辐射热传递向室内提供热量的一种供暖方式。发热电缆由内到外构造为发热体、绝缘层、接地导线、屏蔽层和护套（不宜小于 6mm）。发热电缆的型号和商标应有清晰标志，冷热接头位置应有明显标志。发热电缆必须有接地屏蔽层，其发热导体宜使用纯金属或金属合金材料。

发热电缆的冷热导线接头应安全可靠，并应满足至少 50 年的非连续正常使用寿命。发热电缆应经国家电线电缆质量监督检验部门检验合格。

发热电缆的安装方式有组合式（干式）和直埋式（湿式）两种。组合式是预先将发热电缆加工成不同尺寸的加热片或毯，在现场只需进行铺设与配线等组合。直埋式是将发热电缆埋置于墙面、地面或吊棚顶等的混凝土填充层、砂浆或石膏粉刷构造层内。

3. 暖风机

暖风机是由空气加热器、通风机和电动机组合而成的联合机组。暖风机加热室内空气，在室内形成空气的强制循环，可用于车间以补充室内的热量，保证供暖效果。

采用暖风机热风采暖时，应根据厂房内部的几何形状、工艺设备布置情况及气流作用范围等因素，设计暖风机台数及位置。热媒为蒸汽时，每台暖风机应单独设置阀门和疏水装置。

二、供暖系统的管道

1. 常用管材

（1）焊接钢管是供暖系统的常用管材，俗称黑铁管，经过镀锌处理的钢管称为镀锌钢管，俗称白铁管，这两种钢管常用于输送低压流体，因为焊接钢管是有缝管，适用于压力不超过 1MPa、流体温度不超过 130℃的供暖系统。钢管直径不大于 32mm 时用丝接方式连接，直径大于等于 40mm 时用焊接方式连接。

（2）无缝钢管具有耐高温、耐高压的性能，管壁越厚，承压能力越强，用于输送高温热水、高压蒸汽等流体，可用于需承受较高压力的室内供暖系统，焊接连接。

（3）非金属管材也有较多应用，常见的有铝塑复合管、交联聚乙烯管等。如在低温热水地面辐射供暖系统中就广泛采用了各种非金属管材。

2. 管道的布置与敷设

室内供暖管道布置应在保证使用效果的前提下，力求管路简单、节省管材、便于维护管理排气泄水、保证系统正常工作。室内供暖管道布置主要指用户引入口、供回水干管、立管、连接散热器的支管和系统阀门的布置。

（1）用户引入口

室内供暖系统与室外供热管网是通过用户引入口连接起来的，其主要作用是分配、转换和调节供热量。用户引入口的形式主要根据供热管网提供的热媒形式和用户的要求确定，一般由相应设备、阀门、监测计量仪表等组成。引入口一般每个用户只设一个，可设在建筑物底层的地下室、专用房间或地沟内。当管道穿越基础、墙或楼板时应按照规范预留孔洞。

（2）供回水干管的布置与敷设

出于合理分配热量、便于控制和运行调节以及维修的目的，供暖系统通常被划分成几个分支环路。环路划分应尽量使各环路阻力易于平衡，较小的供暖系统可不设分支环路。一般采用明装，这样有利于散热器的传热和管道的安装、检修。暗装时应确保施工质量，并具备必要的检修措施。

水平干管要有正确的坡度坡向，对于机械循环热水供暖系统管道的坡度一般为 0.003，不小于 0.002；自然循环热水供暖系统管道的坡度一般为 0.005～0.01；对于蒸汽供暖系统的汽水同向的蒸汽管道，坡度一般为 0.003，不小于 0.002；对于汽水逆向的蒸汽管道，坡度一般为 0.005。应在供暖管道的高点设放气、低点设泄水装置。干管变径不得使用补心变径，应按排气要求使用偏心变径，管道变径一般设在三通附近 200～300mm 处。

在上供下回式供暖系统中，供暖干管在建筑物顶层，可明装敷设在顶板下，也可暗装敷设在吊顶内。回水干管一般敷设在建筑物首层的地沟内或地下室内，回水干管有时也可明装敷设在首层房间的地面上。当明装敷设在房间地面上的回水干管或凝结水管道过门时，需设置过门地沟或门上绕行管道，便于排气和泄水。

室内地沟一般为半通行地沟，地沟净高度一般为 1.0～1.2m，净宽度不小于 0.6m。为检修方便，地沟应设有人孔，沟底保持 0.001～0.002 的坡度，并在最低点设集水井。

（3）立管的布置与敷设

立管可布置在房间外窗之间或墙身转角处，对于有两面外墙的房间，立管宜设置在温度最低的外墙转角处。楼梯间的立管尽量单独设置。立管应垂直地面安装，穿越楼板时应设套管加以保护，以保证管道自由伸缩且不损坏建筑结构，套管内应填充柔性材料。

暗装立管可敷设在墙体内预留的沟槽中，也可敷设在管道竖井内。管道竖井应每层用隔板隔断，以减少井中空气对流而形成无效的立管传热损失，每层还应设检修门以供维修。

（4）支管的布置与敷设

散热器支管的布置与散热器的位置、进水口和出水口的位置有关。支管与散热器的连接方式一般采用上进下出、同侧连接方式，这种连接方式具有传热系数大、管路最短、美观的优点。

散热器的供、回水支管应尽量同侧连接，水平的支管应具有一定的坡度，当支管长度小于或等于 500mm 时，坡度值为 5mm；当支管长度大于 500mm 时，坡度值为 10mm。

（5）阀门的设置

供暖管道设置阀门的目的是开启和关闭管道通路，以调节热媒流量。在供暖系统中，一般常用的阀门有闸阀、蝶阀、截止阀、温控阀、减压阀等。

热水供暖系统中需设置阀门的地点有：建筑物供暖系统的入口，应在总供、回水管上装设总阀门、平衡阀及泄水阀；室内各分支供、回水干管上装设分支阀门及泄水阀门；供、回水立管上装设立管阀门及泄水阀门；双管系统每组散热器供水支管上装设阀门，宜在双管系统使用温控阀；散热器上安装手动排气阀。

蒸汽供暖系统中需设置阀门的地点有：蒸汽供暖系统入口可利用减压阀进行减压；在蒸汽总管及凝结水总管上装设阀门；在各分支的蒸汽管道上装设阀门；在蒸汽立管及每组散热器的蒸汽支管上装设阀门；散热器上安装手动排气阀。

三、供暖系统的附件

1. 膨胀水箱

热水供暖系统中应设置膨胀水箱，膨胀水箱是热水供暖系统的重要附属设备之一。膨胀水箱的作用主要是容纳热水供暖系统中水受热而增加的体积，补充系统中因漏水等因素造成的水量的不足，通过开式膨胀水箱可以排除憋在系统中的空气。膨胀水箱和热水供暖系统管道相连接，无论循环水泵是否运行，连接点都处于不变的静水压力点下，该点为供暖系统的恒压点，该恒压点起定压作用，对系统的安全运行有很重要的作用。

图 3-19　膨胀水箱

膨胀水箱一般用钢板制成，有方形和圆形两种，方形使用较多，如图 3-19 所示。按是否与大气相连接可分为开式膨胀水箱和闭式膨胀水箱。开式膨胀水箱应设置在供暖系统的最高处，水箱底部距系统的最高点应不小于 600mm，若设在不采暖房间，膨胀水箱应做保温。

膨胀水箱上有膨胀管、循环管、信号管、排污管。膨胀水箱内设有水位自动控制装置，水箱上安装液位自动控制传感器。

水箱间的高度为 2.2～2.6m，应有良好的采光和通风。为了便于操作和维修管理，水箱之间及其与建筑结构之间应保持一定距离。水箱顶最小净空高度应不小于 0.6m。

2. 排气装置

在热水供暖系统中，空气会影响系统的正常运行。如果不能及时排除系统中的空气，则会形成空气塞，堵塞管道，破坏水循环，造成系统局部不热；如果空气聚集在散热器内，会减少散热器的有效散热面积；空气还会引起管道腐蚀，降低管道使用寿命。因此，在供暖系统中必须设置排气装置。自然循环热水供暖系统一般利用膨胀水箱排气，而机械循环热水供暖系统大多数采用专门的排气装置。常见的排气装置有集气罐、手动跑风门以及自动排气阀等。

（1）集气罐（图 3-20）

用直径 100～250mm 的钢管制成，有立式和卧式两种。集气罐的直径口应大于或等于干管直径的 1.5～2 倍，当水流经过集气罐时，流速降低，夹杂在水中的空气浮到罐顶，顶部连有放气管，放气管末端设阀门定期排除空气。机械循环热水供暖系统大多采用在环路供水干管末端的最高处设集气罐。

集气罐接出的排气管管径一般采用$DN15mm$，在排气管上应设阀门，阀门应设在便于操作的地方，排气管排气口可引向附近水池。集气罐的安装如图3-21所示。

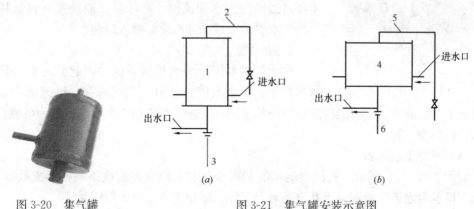

图3-20　集气罐　　　　　　　图3-21　集气罐安装示意图

(a) 立式集气罐；(b) 卧式集气罐

1—立式集气罐；2—放风管；3—丝堵或立管；4—卧式集气罐；

5—放风管；6—丝堵或立管

（2）手动跑风门

如图3-22所示，手动跑风门用于散热器或分、集水器排除空气。在热水供暖系统中，手动跑风门应设置在散热器顶部，在蒸汽供暖系统中，手动跑风门应设置在距散热器底1/3高度处。

（3）自动排气阀

在供暖系统中，为方便管理，大多采用自动排气阀（图3-23）取代集气罐。自动排气阀依靠阀体内的启闭机构自动排除空气。它具有安装方便、体积小巧、管理方便等优点，广泛用于热水供暖系统中。

图3-22　手动跑风门

图3-23　自动排气阀

自动排气阀的排气口一般宜接$DN15$的排气管，防止排气直接吹向平顶或侧墙，损坏建筑外装修，排气管上不应设阀门，排气管引向附近水池。为便于检修，应在连接管上设一闸阀，系统运行时该阀应开启，有条件时，可在自动排气阀前加设Y形过滤器。

3. 除污器

除污器（图3-24）用来截留和过滤系统中的杂质、污物并将其定期清除，从而确保

图 3-24 除污器

水质洁净、减少流动阻力和防止管路堵塞。除污器为圆筒形钢制筒体，分立式直通和卧式两种。其工作原理是：水由进水管进入除污器内，水流变缓，水中污物沉降到筒底，水经过滤网由出水管流出。除污器一般设置在供暖用户入口的供水管道上或循环水泵的吸入口前。

4. 疏水器

疏水器主要用于蒸汽供暖系统中，起到分离蒸汽和凝水的作用。疏水器能自动阻止蒸汽逸漏，迅速地排出散热器及管道中的凝水，同时能排除系统内积留的空气。疏水器按工作原理可分为机械型、热力型、恒温型三种。

（1）机械型疏水器

如图 3-25（a）所示，机械型疏水器利用蒸汽和凝结水的密度不同，形成凝水液位，通过不同的凝水液位控制排水孔自动启闭工作，适用于高压蒸汽供暖系统。

（2）热力型疏水器

如图 3-25（b）所示，热力型疏水器是利用蒸汽和凝结水流动特性的不同来工作的。适用于高压蒸汽供暖系统。

（3）恒温型疏水器

如图 3-25（c）所示，恒温型疏水器是利用蒸汽和凝结水的温度不同引起恒温元件膨胀或变形来工作的疏水器。适用于低压蒸汽供暖系统。

(a)　　　　　　　　　　　(b)　　　　　　　　　　(c)

图 3-25　疏水器

（a）机械型疏水器；（b）热力型疏水器；（c）恒温型疏水器

5. 伸缩器

当供暖系统中管道温度升高时，管道会发生热膨胀而伸长，管道本身会产生热应力作用，同时会对两端的固定支架施以很大的推力，因此需要根据热伸长量的大小来选择伸缩器来进行补偿。

伸缩器又称补偿器，在室内供暖系统中，应尽量利用管道本身的拐弯补偿管道的热伸长，常见的有 L 形弯管和 Z 形弯管，这些都称为管道的自然补偿器。在系统管道伸长量较大时，应采用专用伸缩器来吸收管道的热伸长量。专用伸缩器有方形伸缩器、套管伸缩器、波纹管伸缩器等。

（1）方形伸缩器（图 3-26）

方形伸缩器通常用管道加工成"Ω"形，加工简单，造价低廉，补偿量可通过不同的长短边长度设计来满足要求。但由于其尺寸较大，在一些建筑物中使用受到了空间的限制，因此它适合于小直径管道。

（2）套管伸缩器（图3-27）

套管伸缩器最大特点是补偿量大、推力较小、造价较低，缺点是密封较为困难，容易发生漏水现象，因此需经常维修、更换填料。

（3）波纹管伸缩器（图3-28）

波纹管伸缩器通常采用高性能不锈钢板制造成波纹状，其优点是安装方便、补偿量和管径可根据需要选择、占用空间小、使用可靠，缺点是存在较大的轴向推力，造价较高。

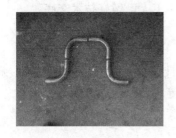  

图 3-26 方形伸缩器   图 3-27 套筒伸缩器   图 3-28 波纹管伸缩器

6. 温控与热计量装置

（1）散热器温控阀（图3-29）

散热器温控阀是安装在散热器上的自动控制阀门，通过探测房间温度来调节阀门开度，从而改变供暖热水流量来调节、控制室内温度。散热器温控阀应安装在每组散热器的进水管上或分户供暖系统的总入口进水管上，明装散热器温控阀不应安装在狭小和封闭空间，其阀头应水平安装，且不应被散热器、窗帘或其他障碍物遮挡。暗装散热器温控阀应采用外置式温度传感器，并应安装在空气流通且能正确反映房间温度的位置上。

（2）热量计（图3-30）

热量计是进行热量测量与计算，并作为结算热量消耗依据的计量仪器，又称为能量表、热表。目前使用较多的热量计是根据管路中的供、回水温度及热水流量，确定仪表的采样时间，进而得出管道供给建筑物的能量。

图 3-29 散热器温控阀   图 3-30 热量计

热量计由一个热水流量计、一对温度传感器和一个积算仪组成。热水流量计用来测量流经散热设备的热水流量；温度传感器测量供水温度和回水温度，进而确定供回水温差；

积算仪可以通过与其相连的流量计和温度传感器提供的流量、温度数据，计算得出用户获得的能量。

任务5 散热器的安装

根据《建筑给水排水及采暖工程施工质量验收规范》GB 50242—2017编制本散热器安装实训任务。

一、散热器的安装准备

1. 技术准备

图纸会审已完成，并有记录。施工技术人员给操作工人已做好技术交底。

2. 材料准备

（1）散热器检查

铸铁散热器的型号、规格、使用压力必须符合设计要求，并有出厂合格证。无砂眼，对口面平整，没有偏口、裂缝和上下口中心距不一样等现象。

钢制散热器造型美观、丝扣端正、松紧适宜，油漆完好，整组散片不翘棱。

钢串片的翼片未松动、卷曲、碰损等。

（2）组对散热器的零件检查

对丝、堵头、补心、弯头、长丝、游任、螺栓螺母应符合质量要求，无偏扣、方扣、乱丝、断扣等现象，丝扣端正、松紧适宜，石棉橡胶垫以1mm为宜，并符合使用压力要求。

（3）其他零配件检查

拉杆、垫片、螺栓螺母、钢管、手动跑风、麻丝、防锈漆的选用应符合质量和规范要求。

3. 工具准备

机具：台钻、手电钻、试压泵、砂轮锯、套丝机。

工具：铸铁散热器组对架子、对丝钥匙、管钳、钢丝刷、锯条、手锤、各种活扳子、套丝扳、煨弯器。

二、散热器的安装步骤

1. 散热器组对

按设计散热器片数由两人一组，先将第一片平放在工作台上，且正扣朝上，将两个对丝的正扣分别拧入散热器片上下接口内1~2扣，将抹好铅油的垫片套在对丝中央，然后将另一片的反扣分别对准上、下对丝的反扣，插入钥匙，开始用手扭动钥匙进行组对，转动钥匙时，正扣和反扣会同时向对丝中间拧入，直至将对丝上紧。照以上方法逐片组对至所需的片数为止。

散热器组对应平直紧固，组对好散热器后，集中放到平稳地方，准备单组试压。

2. 散热器单组试压

将组对好的散热器安装上临时堵头、补芯和手动放气阀，连接上试压泵。打开进水阀门，往散热器内充水，同时打开放气阀，排净空气，待水满后关闭放气阀，然后加压，如设计无要求时试验压力为工作压力的1.5倍，但不小于0.6MPa，达到压力值时，关闭进水阀门，持续5min，观察所有接口是否渗漏。

有渗漏的散热器，应立即用笔标出位置，确定渗漏原因。裂痕、砂眼的，应拆掉残片，重新组对；组对不严的，用长杆钥匙从散热器外部比试量到漏水接口的长度，在钥匙杆上做标记，将钥匙从散热器对丝孔中伸入至标记处，按丝扣旋紧的方向拧动钥匙使接口继续上紧，重新组对和修整后的散热器，必须重新试压，直至合格。

3. 散热器托钩托架放线

将试压完好的散热器运到房间所需部位，定出安装中心线。标定托钩位置后，用冲击钻或錾子打洞。打好后清除洞内的砖渣，用水湿润洞壁后，先用 150 号细石混凝土填塞满孔洞，再将托钩尾端垂直墙面插入洞内捣实、抹平，待混凝土强度达到有效强度的 70%以后，才可挂装散热器。若在钢筋混凝土墙上安装，应预先在墙上预埋铁件，安装散热器前将托钩焊在预埋件上。若在轻质隔墙上安装，应先在下面预制完混凝土块，砌砖时和轻质墙体一起砌筑到所挂散热器的部位，也可用穿通螺栓加垫圈固定在墙上。

4. 散热器的就位安装

（1）带足散热器安装：将散热器的补芯加石棉垫拧紧，正扣一侧朝着立管方向，将拉杆里边螺母上至距离符合要求的位置，套上两块垫片，固定在里面柱子上，带上外螺母，把散热器固定到位，再把固定卡的垫片横过来放平正，用自制管扳子拧紧螺母到一定程度，将散热器找直、找正、垫牢后上紧螺母。

（2）挂墙散热器安装：将挂装散热器轻轻抬起放在托钩上立直，将固定卡摆正拧紧。

（3）钢制式散热器安装：轻轻抬起挂在成品固定支架上，带上垫圈和螺母，紧到一定程度后找平找正，再拧紧到位。

散热器安装稳固后，用可拆卸件与管线上下连接。若有阀门，应装在立管与可拆件之间。支管安装时，一定要注意把钢管调整合适再进行碰头，以免弄歪支立管，不应使接头配件处受力而损坏。

5. 手动跑风安装

先将带眼的堵头安装到回水方一侧的散热器上部，加上抹好铅油的石棉橡胶垫，用管钳上紧，在手动跑风丝扣上抹铅油，缠少许麻丝，拧在堵头上，用扳子上到松紧适度，放风孔向外倾斜 45°。

6. 防腐

用刮刀、锉刀将散热器及挂托架表面的氧化皮、铸砂除掉，再用钢丝刷将散热器及支托架表面的浮锈除去，然后用砂纸磨光，最后用棉丝将其擦净。

散热器试压完毕挂装前必须先刷一道防锈漆，待整体系统试压完毕且交工前再刷两道面漆。

三、散热器安装的水压试验

散热器组对后，以及整组出厂的散热器在安装之前应作水压试验，试验压力如设计无要求时应为工作压力的 1.5 倍，但不小于 0.6MPa。试验时间为 2~3min，压力不降且不渗不漏。

四、散热器安装的注意事项

1. 散热器组对、试压时要立向抬运，码放整齐，在土地上操作放置时下面要垫木板，以免歪倒或触地生锈，未刷油前应防雨防锈。

2. 散热器向楼内搬运时，应注意不要将木门口、墙角地面磕碰坏，保护好柱型足片的腿子，避免碰断。

3. 散热器等设备支架、托架应在土建抹灰或装饰前进行安装。剔散热器托钩墙洞时，应注意不要将外墙砖顶出墙外，在轻质墙上栽托钩及固定卡时应用电钻打洞，防止将板墙剔裂。

4. 成组型散热器在运输和焊接过程中防止将叶片碰倒，安装后不得随意蹬踩。

5. 安装中断时，要注意临时封闭各管口及设备孔口。

6. 散热器等设备及其支架，严禁踩蹬及作脚手架支撑。

7. 散热器等设备组对好后运到现场，应整齐安全堆放，防止倾倒伤人。

8. 散热器在楼层上安装，要预先考虑好搬运、吊装就位的方法，必须保证安全可靠。

任务6 建筑供暖系统施工图的识读

一、供暖系统施工图的组成

供暖施工图由图纸目录、设计说明、平面图、系统图、详图和设备材料表组成。

1. 设计说明

设计说明是以文字的方式来说明图纸中无法用图或符号表达的内容。它包括了设计依据、采暖设计概况、使用材料及设备说明、施工注意事项、水压试验要求等内容。

（1）供暖设计概况

建筑物的建筑面积、热负荷；热源的供热方式及热媒参数；供暖系统的形式以及入口要求的作用压差。

（2）使用材料及设备说明

采用管材及连接要求，管道的防腐、保温要求及做法，散热器型号及安装要求；热水供暖系统的膨胀水箱及排气设备的说明。蒸汽供暖系统需对疏水器加以说明。

2. 平面图

平面图主要表示管路及设备的平面位置以及与建筑物之间的位置关系。它把供暖系统的干管、立管、支管和散热器以及其他附属设备等在水平方向的连接和布置都表达出来。供暖平面图中，管道用粗线（粗实线、粗虚线）表示，其余均用细线表示。

3. 系统图

系统图也称轴测图，X 轴表示左右方向，Y 轴表示前后方向，Z 轴表示高度方向。X 轴与 Y 轴的夹角一般为 45°，管线的长度应与平面图一致。系统图能比较直观地表示出供暖系统中管道、附件及散热器的空间位置及空间走向。

系统轴测图中对应地标注出立管编号、散热器型号、管道的直径、标高和坡度。绘出阀门、固定支架、疏水器等位置、规格。还应标出楼层标高以及挂装散热器的底标高。

4. 详图

当设备的构造或管道的连接情况在平面图和系统图上表达不清楚，也无法用文字说明时，将这些部位放大比例，画出详图。详图包括管道节点详图和标准通用图。

5. 设备材料表

统计供暖系统中的主要设备和材料的使用情况，制成表格，以便施工备料。设备材料表包括编号、设备名称、规格、单位、数量、备注等。

二、建筑供暖系统施工图的识读一般规定

1. 比例

总平面图、平面图的比例与工程设计的主导专业一致，其余可按表 3-1 选用。

供暖系统施工图比例			表 3-1
图名	常用比例	可用比例	
剖面图	1：50、1：100、1：150、1：200	1：300	
局部放大图、管沟断面图	1：20、1：50、1：100	1：30、1：40、1：50、1：200	
索引图、详图	1：1、1：2、1：5、1：10、1：20	1：3、1：4、1：15	

2. 标高

热水、蒸汽管道所注标高未说明时，表示管中心标高。如需要标注管外底或顶标高时，应在数字前加"底"或"顶"字样。

3. 系统编号

室内供暖系统以系统入口数量编号，当系统入口数量有两个或两个以上时，应进行编号。编号由系统代号和顺序号组成。系统代号有大写拉丁字母表示，室内供暖系统用"N"表示，顺序号由阿拉伯数字表示。系统编号宜标注在系统总管处。

竖向布置的垂直管道系统应标注立管号，在不引起误解时，可只标注序号，但应与建筑轴线编号有明显区别。

4. 建筑供暖系统施工图的图例（表 3-2）

供暖系统施工图常用图例　　　　　　　　　　表 3-2

序号	名称	图例	序号	名称	图例
1	供水（汽）管	———	6	自动排气阀	
2	回（凝结）水管	- - - -	7	截止阀	
3	散热器（平面图）	▭	8	支架	×
4	散热器（立面图）		9	集气罐	
5	管道泵		10	除污器（过滤器）	

三、建筑供暖系统施工图识读方法

1. 首先看图纸目录，了解这套图纸的组成、张数、然后再看具体图纸。

2. 读设计说明，对工程有一个整体的初步了解，弄清设计对施工提出的具体要求与做法。

3. 平面图和系统图对照看，先看各层平面图，再看系统图，既要看清供暖系统的全貌和各部位的关系，也要搞清楚供暖系统各部分在建筑物中所处的位置。

4. 识读顺序从供暖用户出口处开始，供水总管、总立管、水平干管、立管、支管、散热器到回水支管、立管、干管、总回水管，再到用户入口，顺着管道流体流向把平面图和系统图对照看，弄清每条管道的方向、标高、管径、坡度、变径、分流点、合流点；散热器的位置、型号、规格、组数、片数；阀门的位置、类型、规格、数量；集气罐、伸缩器、固定支架的位置、数量等。

四、建筑供暖系统施工图的识读举例

以某三层办公楼的热水供暖系统为例，图 3-31 为该建筑二层供暖平面图，图 3-32 为供暖系统图。

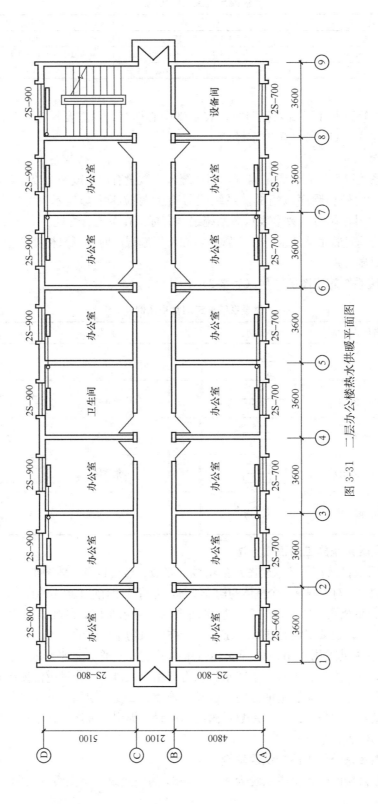

图 3-31 二层办公楼热水供暖平面图

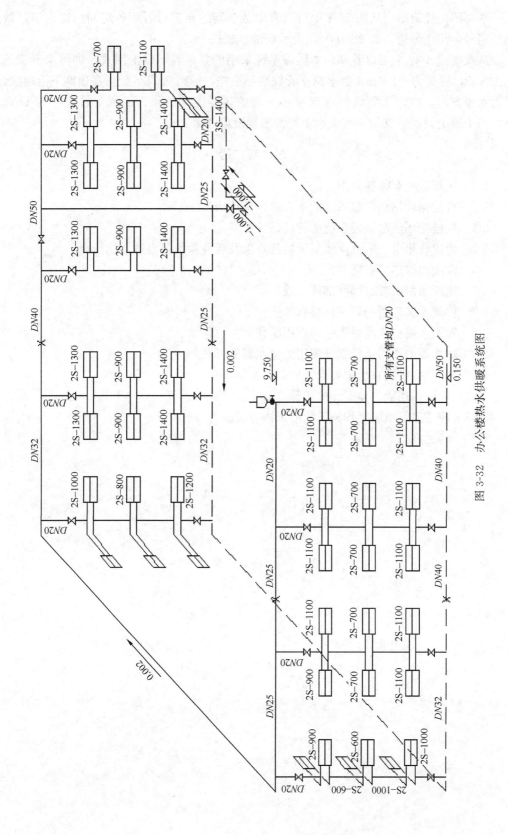

图 3-32　办公楼热水供暖系统图

平面图比较简单，从图 3-31 中可以看出散热器的布置位置为各房间的窗台下，散热器的型号标注在旁边，如 2S-1000，表示双排竖放长 1m。

从系统图 3-32 上可以看到，本供暖系统采用的是单管下供上回式，供回水干管管径为 DN50，标高为 -1.4m。供水总立管登高至三楼，标高 9.75m 处，在顶棚下沿墙敷设，沿着水流方向，供水干管管径逐渐减小，与散热器连接的供、回水支管统一为 DN20。供、回干管上设固定支架，在供水干管的末端设集气罐。

思 考 题

3-1　供暖系统有哪些分类方法？

3-2　自然循环热水供暖系统的工作原理是什么？

3-3　机械循环热水供暖系统的特点是什么？

3-4　请比较热水、蒸汽供暖系统的特点以及两种系统各自适用的场合。

3-5　常用的散热器有哪些？

3-6　地面辐射供暖有哪些部件组成？

3-7　供暖系统常用的管道材料有哪些？

3-8　膨胀水箱在供暖系统中的作用是什么？

3-9　疏水器的作用是什么？常用的疏水器有哪些？

3-10　为什么供暖系统中要设置伸缩器？

3-11　简要描述散热器安装的步骤。

3-12　简述建筑供暖工程施工图的识读方法。

项目4 建筑通风与空调系统

任务1 通风与空调系统的认知

通风是把室内被污染的空气直接或经过处理后排到室外，把室外新鲜空气补充进来，从而达到更换室内的空气，改善房间的空气条件的目的。空调即空气调节，指的是对建筑物内的空气温度、湿度、洁净度、风速进行控制和调节，以达到规定的要求。

在许多工业生产过程中会散发出大量的热、湿、工业粉尘和有害气体，如不采取防护措施，势必恶化车间的空气环境，危害工人的健康，损害设备和建筑结构，影响生产的正常进行。通风的任务就是对有害物采取有效的防护措施，消除以上的危害和影响。

空调除了用于满足人体舒适需求外，还需要为生产或科学实验过程服务。如精密机械加工业与精密仪器制造业要求空气温度的变化范围不超过±0.1～0.5℃，相对湿度变化范围不超过±5%；在电子工业中，不仅要保证一定的温湿度，还要保证空气的洁净度。

因此，无论是工业建筑中为了保证工人的身体健康，提高产品质量，还是在民用建筑中为了满足各种人的舒适需求，都要求维持一定的空气环境。通风与空调就是创造这种空气环境的一种手段。

一、通风系统

建筑通风包括从室内排除污浊空气（简称"排风"）和向室内补充新鲜空气（简称"送风"），为实现排风或送风所采用的设备、装置的总体称为通风系统。通风按照通风系统工作动力的不同可分为自然通风和机械通风两种方式。

1. 自然通风是利用室外风力造成的风压、以及由室内外温差和高度差产生的热压使空气流动的通风方式。自然通风是在日常生活中最常见的通风方法，如办公室或住所通过开启门窗进行通风换气，厂房的自然通风车间利用热压设置高窗或天窗来达到换气的目的。自然通风又可分为以下三种：

（1）有组织的自然通风：空气通过门窗进出房间，改变窗口开启面积的大小可调节风量。我国南方炎热地区的高温车间利用穿堂风为主进行通风降温，同时利用风压和热压以及无风时只利用热压进行全面换气，这种方式不消耗电能，而且可以获得巨大的换气量，应用非常广泛。

（2）管道式自然通风：依靠热压通过管道输送空气的另一种有组织的自然通风方式。集中供暖地区的民用和公共建筑常用这种方式作为寒冷季节自然排风措施或热风供暖系统。但由于热压值一般较小，自然排风系统的作用范围一般不超过8m，用于热风供暖时一般不超过20～50m。

（3）渗透通风：在风压、热压以及人为形成的室内正压或负压的作用下，室内外空气通过围护结构的缝隙进入或流出房间的过程。渗透通风只能作为一种辅助性的通风措施，因为这种方式既不能调节换气量，又不能有计划地组织室内气流的方向，只能作为一种辅助性的通风措施。

自然通风的突出优点是不需要动力设备，使用管理也较简单，比较经济方便。缺点是作用压力较小，对进风和排风都不能进行任何处理。由于风压和热压受自然条件约束，换气量难以有效控制，通风效果不够稳定。

2. 机械通风靠风机高速运转产生的风压迫使室内空气流动，以达到通风的目的。当采用自然通风不能达到满意效果时，需要采用机械强制通风，如某些粉尘、有害气体浓度较高的车间厂房。机械通风系统按作用范围的大小，可分为局部通风和全面通风。

（1）局部通风

为使局部的工作区域不受有害物污染，将新鲜的空气送到局部区域，或将局部区域的污染空气排出室外，这种通风方式称为局部通风。局部通风系统又分局部排风和局部送风两类。局部排风的作用是将有害物在产生的地点就地排除，以防止其扩散；局部送风的作用是将新鲜空气或经过处理的空气送到车间的局部地区，以改善该局部区域的空气环境。如图 4-1 所示的局部送风系统，新鲜空气经过人体和呼吸区，改善了工人的工作环境。

（2）全面通风

全面通风就是对整个房间进行通风换气。不断用新鲜空气稀释室内有害物的浓度，使室内空气有害物浓度达到卫生标准，同时把受污染的空气直接或经过处理后排出。如图 4-2 所示的全面通风系统，利用风机把室外新鲜空气经过滤和加热后，经风管和送风口直接送到指定地点，对整个房间进行换气，室内污浊空气由轴流风机排至室外。

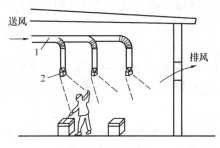

图 4-1　局部通风
1—风管；2—送风口

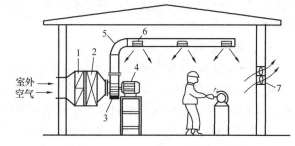

图 4-2　全面通风示意图
1—空气过滤器；2—空气加热器；3—风机；
4—电动机；5—风管；6—送风口；7—轴流风机

机械通风能够合理组织室内气流的方向，便于调节通风量和稳定通风效果。但系统运行时要消耗电能，风机和风道等设备要占用一定的建筑面积和空间，因此初投资和运行费用较大，安装和管理较为复杂。

二、空调系统

空调系统是以空气调节为目的，对空气进行处理、输送、分配，所有设备、管道及附件、仪器仪表的集成。空调系统的任务是对空气进行过滤、加热/冷却、加湿/干燥等处理，然后将经过处理的空气输送到各空调房间，使房间空气温度、湿度、气流速度和洁净度控制在设定的范围内。

空调系统有很多类型，可按下列方法进行分类：

1. 按空调设备的设置情况分类

（1）集中式空调系统：空调系统的空气处理设备、风机、水泵等集中设置在专用机房内，空气经集中处理后，由风管分送到各空调房间或区域。

（2）半集中式空调系统：除了设有集中处理新风的空调设备外，在各个空调房间或区域还分散设有以处理室内循环空气为主的空调设备。最为典型的就是风机盘管加新风系统。

如图4-3所示的风机盘管加新风系统，风机盘管和新风机组都连接了供回水管道。经冷源降温的冷冻水通过管网分别进入风机盘管和新风机组，风机盘管循环室内空气，给室内空气降温或升温，负担了室内大部分空调负荷。新风机组处理来自室外的新鲜空气，经过过滤、降温或升温等一系列处理后，将处理过的新风通过专门的新风管道输送到各空调房间，补充房间对新鲜空气的需求。由图还可以看到，新风管道和风机盘管的结合也有多种形式，可以把新风管道和风机盘管分开布置，也可以把新风管道接入风机盘管的送风管道，新风和送风混合后一起送出。

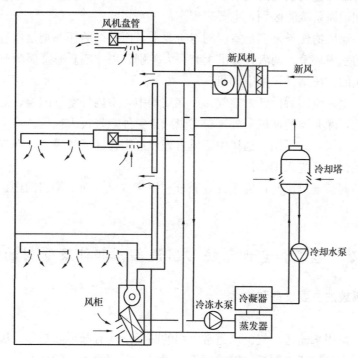

图4-3　风机盘管加新风空调系统

（3）分散式空调系统：又称局部机组系统，冷热源和散热设备合并成一体，分散放置在各个房间里，各个空调房间或区域的空气处理均由设在各个房间内的自带制冷机或热泵装置的空调设备直接承担，如房间空调器或单元式空调机。

2. 以负担室内热湿负荷所用的介质分类：

（1）全空气系统：完全由处理过的空气作为负担空调负荷的介质的系统，通过风管将冷空气送到室内。这种系统在输送冷空气的同时可输送一部分室外新鲜空气，保证良好的室内空气品质，目前在体育馆、影剧院、商业建筑等大空间建筑中应用广泛。

由于空气的比热容较小，需用较多空气才能达到消除室内余热余湿的目的，因此该系统要求风道断面较大，会占据较多的建筑空间。

（2）全水系统：完全由处理过的水作为负担空调负荷的介质的系统，通过水管将制冷机生产的冷冻水输送到室内，并通过风机盘管等末端设备对室内空气进行降温等处理。全水系统没有引入室外新鲜空气，在实际工程中很少单独使用，一般需要配合通风系统一同设置。

（3）空气-水系统：由处理过的空气负担部分空调负荷，而由水负担部分负荷的系统，类似于上面两个系统的组合。典型的空气—水系统是风机盘管加新风系统，既不需要全空气系统的大空间，又弥补了全水系统缺少新鲜空气的缺点，所以这种系统比较适用于大多数建筑，在实际工程中也应用最多，如酒店客房、办公建筑、住宅等。

（4）制冷剂系统：由制冷剂直接作为负担空调负荷的介质的系统，通过管道将制冷剂输送到房间，通过蒸发器等直接对室内空气进行降温等处理。如分散安装的局部空调器内部带有制冷机，制冷机通过直接蒸发器与房间空气进行热湿交换，达到冷却除湿的目的。

三、通风系统与空调系统的区别

空调系统和通风系统的区别，主要表现在：

从定义看，通风的任务是满足室内的卫生要求，而空调的任务则是通过人工的手段创造一个所要求的室内环境，两者在标准上有很大差别。以住宅夏季降温为例，通风的方法是电扇，而空调的方法则是采用空调机。

在通风中，室外空气看做新鲜空气，而在空调中，室内外空气的温、湿度及洁净度都差别很大。因此，除必要的新风量外，应尽量减少室外空气进入室内。

房间的气流组织形式不同。通风中送风首先经过工作区或呼吸区，而空调中送风应和室内空气充分混合后才进入工作区。

设计思路不同。通风房间讲究敞开，充分利用穿堂风，而空调房间则讲究密闭，以减少能源的损耗。

任务2　通风和空调系统常用设备、部件及管材的选择

一、通风系统的主要设备和构件

1. 风道

风道的作用是用来输送空气。风道常采用的断面形式有圆形和矩形。风道常用的材料有砖、钢筋混凝土、矿渣水泥板、镀锌钢板、塑料、玻璃钢等（图4-4）。

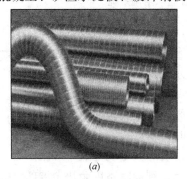
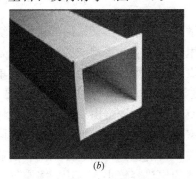

(*a*)　　　　　　　　　(*b*)

图4-4　通风风道

(*a*) 圆形通风风道；(*b*) 矩形通风风道

一般的通风系统多用镀锌钢板，输送腐蚀性气体的系统用涂刷防腐漆的钢板或硬聚氯乙烯塑料板，需要与建筑结构配合的场合也多用以砖和混凝土等材料制作的风道。

在居住和公共建筑中，垂直的砖风道最好砌筑在墙内，但为避免结露和影响自然通风的作用压力，一般不允许设在外墙中，而应设在间壁墙里。如果墙壁较薄，可在墙外设置贴附风道，当贴附风道沿外墙设置时，须在风道壁与墙壁之间留40mm宽的空气保温层。

工业通风系统在地面以上的风道通常采用明装，风道用支架支承沿墙壁及柱子敷设，或用吊架吊在楼板或桁架的下面，在不影响生产过程和不与各种工艺设备相冲突的前提下，布置时应力求缩短风道的长度。对于大型风道还应尽量避免影响采光。

敷设在地下的风道，应避免与工艺设备及建筑物基础相冲突，也应与其他各种地下管道和电缆的敷设相配合，并需设置必要的检查口。

还可以把风道和建筑结构相结合，如锯齿形屋顶结构的纺织厂，可方便地将风道与屋顶结构合为一体，既不影响工艺和采光，又整齐美观。

2. 风机

风机是在输送气体的过程中为空气流动提供机械动力的设备。风机的种类很多，按照使用用途，分为一般通风用风机、屋顶风机、消防排烟风机、防爆风机等。按照分级使用压力，分为低压、中压和高压三种。按照空气在风机中的流动方向，分为离心式、轴流式和斜流式三种。在通风和空气调节工程中，常用的风机有离心式和轴流式两种。

（1）离心风机（图4-5）

离心风机主要借助叶轮旋转时产生的离心力使气体流动。离心风机常安装在通风室地面上，也可以安装在屋面上，但一般下面都有减振基座和减振器组成的减振体系。减振体系安放在土建做好的凸台上，不需特殊固定。如果放在屋面上，要注意做好凸台与屋面接缝处的防雨水措施。离心风机可提供较大的风压，适用于小流量、高压力的场所，常用于屋顶风机。

（2）轴流风机（图4-6）

轴流风机是借助叶轮的推力作用促使气流流动的。轴流风机大多安装在风管中间、墙洞内或单独支架上。轴流风机适用于大流量、低压力的场合，目前广泛应用于化工、冶金、纺织、石油、厂房、仓库、办公室和住宅的通风换气。

图4-5　离心风机　　　　　　　图4-6　轴流风机

3. 室内送、排风口

室内送、排风口是分别将一定量的空气按一定速度送到室内，或由室内把空气吸入排风管的构件。送、排风口一般应满足以下要求：风口风量能调节；阻力小，风口尽可能小。送风口有多种形式，可以在风管上直接开设孔口送风，可以安装百叶式送风口，或者安装空气分布器。排风口一般做成百叶式。

二、空调系统的分散式空调设备

自带制冷装置（热泵）的空调设备属于分散式空调设备，它能单独承担创造和保持满足一定要求室内空气环境的任务。这类空调设备又称为局部空调机组或直接蒸发式空调机组。它主要由制冷机或热泵、风机、空气净化装置组成，是一个集冷热源、空气处理和输送装置于一体的空调设备。这类空调设备自带制冷装置或热泵而不依赖外部冷热源，安装简便，适用范围广，因此在规模较小的建筑、单独的房间得到了广泛应用。下面介绍使用比较广泛的单元式空调机和房间空调器。

1. 单元式空调机

单元式空调机是一种向封闭空间、房间或区域直接提供被处理过的空气的中型空调设备。根据国家标准《单元式空气调节机》GB/T 7758—2010 的规定，单元式空调机按功能分为单冷型、热泵型和恒温恒湿型；按冷凝器的冷却方式分为水冷式和风冷式；按加热方式分为电加热式和热泵制热式；按结构形式分为整体式和分体式；按送风形式分为接风管型和直吹型；按安装方式还可分为落地式和吊顶式等。

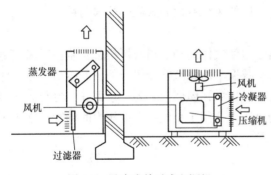

图 4-7　风冷式单元式空调机

如图 4-7 所示的风冷式单元式空调机，冷凝器组装在室外机内，在室外风机的作用下，室外空气吹过冷凝器，用来冷却冷凝器。蒸发器位于室内，在室内风机的作用下，室内空气吹过蒸发器，被制冷剂吸收热量，室内空气被降温。该设备按功能分为单冷型，按冷凝器的冷却方式分是风冷式，按结构形式分是分体式，按送风形式分是直吹型，按安装方式分是落地式。

单元式空调机组由于自带制冷装置或热泵，集冷热源与空气处理装置于一体，可供选用的容量范围大，结构形式和安装方式多样，占地面积小，安装简便，使用灵活，操作简便，且易于独立计算使用费用，因此得到了广泛应用。在商业、餐饮、娱乐、健身、公众服务、证券交易等公共场所，以及无条件设置集中冷热源机房或需要部分房间的空调能随意开停、调节又不影响其他房间正常使用的场合采用较多。面积小的房间一般装一台，面积较大的房间一般分散布置多台。

2. 房间空调器

房间空调器是一种向密闭空间、房间或区域直接提供经过处理的小型空调设备。它主要由制冷或热泵系统、空气循环系统和净化装置组成。有被组装在一个箱壳里的整体形式（如窗式空调器），也有分室内机组和室外机组的分体式形式（如壁挂式空调机室内外机、立柜式空调机室内外机）。房间空调器由于容量小，不能外接风管，经过处理的空气直接吹入空调房间，这是与单元式空调机最主要的区别。

窗式空调器是可以装在窗上或窗台下预留孔洞内的一种小型空调机组。根据组成结构的不同，窗式空调器有降温、供暖和恒温等多种功能。

分体式空调机组由室内室外两部分机组组成。空调制冷系统的压缩机、冷凝器、节流阀构成室外机，安装在室外，空调制冷系统的蒸发器放在室内机，安装在空调房间内，两个机组之间用制冷剂管道连接。

分体式空调器在使用方面比整体式空调器显示出更强的优越性，国家标准《多联式空调（热泵）机组》GB/T 18837—2015规定，如把室内、外机的对应数扩大到多拖多，室内机形式增加了风管式等，这些规定都是在分体式空调器的基础上扩展得来的。

三、集中空调的冷热源设备

集中空调的冷热源设备主要是为空调系统提供冷冻水或冷空气，或者在冬季提供热水或热空气。常见的有以下设备：

1. 冷水机组

冷水机组是生产空调用冷冻水的制冷机组。由于中央空调系统常用的载冷剂是水，因此冷水机组是中央空调系统采用最多的冷源设备。根据制冷机的工作原理不同可分为蒸气压缩式冷水机组和吸收式冷水机组。

（1）蒸气压缩式冷水机组

蒸气压缩式冷水机组主要由蒸发器、压缩机、冷凝器、节流阀四大部件组成。制冷机原理如图4-8所示，蒸气压缩式制冷是利用液态制冷剂气化过程需要吸收气化潜热这一物理过程来获取所需低温的。研究发现，液体在低压条件下容易吸热气化，而气体在高压条件下容易放热液化，因此设置了蒸发器、压缩机、冷凝器、节流阀四大部件，使制冷剂不断在四大部件中循环流动，完成吸热放热的循环，流程如下：低压液态制冷剂在蒸发器内吸收周围空气或水的热量而气化，从而

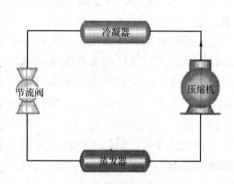

图4-8　制冷机原理

降低空气温度或水的温度。为了使气化了的制冷剂重新液化，从而恢复制冷能力，又使制冷剂依次流过了压缩机、冷凝器、节流阀三个部件。先在压缩机内提高气态制冷剂的压力，为下一步在冷凝器中的放热液化创造高压条件，接着高压气态制冷剂流过冷凝器，在冷凝器内把热量释放给室外空气或水，从而液化，变成液态的制冷剂。再经过节流阀节流降压，这样重新变为低压液态制冷剂，继续流入蒸发器重复前面的制冷过程。蒸气压缩式就是这样把热量从蒸发器带到冷凝器，再通过冷凝器转移到室外。如果冷凝器的热量由室外空气带走，则称为风冷式机组，而冷凝器用水冷却则称为水冷式机组。而与蒸发器内制冷剂进行换热的介质，如果是水，即生产出的是冷冻水，称为冷水机组。如果空气流过蒸发器，则产出冷风，称为空调机组或冷风机组。

根据压缩机的工作原理又分为离心式、螺杆式、活塞式等。离心式压缩机是利用叶轮旋转产生的离心力来对气态制冷剂进行压缩的。由于离心式压缩机转速高、排气量大，使得该冷水机组单机容量大、单位制冷量能耗低、运行平稳、容量调节方便，可实现多级压缩。

螺杆式压缩机通过两根螺旋形转子转动时，阳转子的凸齿与阴转子的凹槽之间相互啮合，使工作容积减小来对制冷剂蒸气进行压缩。螺杆式冷水机组主要优点是结构简单、体

积小、质量轻、可对制冷量进行无级调节、在低负荷时能效比较高。但单台压缩机的制冷量较小，可采用多台压缩机组合使用。

活塞式压缩机对气态制冷剂的压缩是由曲柄连杆带动的活塞在气缸内作往复运动完成的。活塞式压缩机具有价格低廉、制造简单、运行可靠等优点。

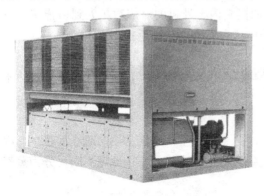

图 4-9　风冷式活塞冷水机组

如图 4-9 是风冷式活塞冷水机组。由该图片可看到，机器上部有 8 个风扇，将引导室外空气流过冷凝器，给冷凝器散热，故称之为风冷式。该机组采用的是活塞式压缩机组，从蒸发器那端流出的是中央空调系统所需要的低温冷水。

（2）吸收式冷水机组

吸收式冷水机组的制冷原理不同于蒸气压缩式冷水机组，除了要使用热能，只使用很少量的电外，主要是没有压缩机，起相关作用的是由发生器、节流阀、吸收器、溶液泵组成的吸收剂循环系统，可把该系统看成由热能驱动的压缩机。以溴化锂吸收式冷水机组为例，采用溴化锂溶液作为吸收剂，水为制冷剂，制取低温冷水。溴化锂循环系统的作用是在吸收器内吸收气态制冷剂（即"水"），然后在热能的作用下，在发生器内将水再释放出来。一吸一放之间，气态冷剂水压力提高，达到了给制冷剂加压的目的，也就是完成了制冷循环中压缩机的功能。

吸收式冷水机组的主要优点是耗电非常少，一般为蒸气压缩式冷水机组的 3%～4%，制冷剂是水而不是氟利昂，有利于大气臭氧层的保护，除泵外无其他运转部件，运行平稳，振动和噪声小。缺点是与蒸气压缩式冷水机组相比机组体积较高大，要求机房层高较高；冷却水量较大，冷却水系统设备费和运行费较高；溴化锂溶液有腐蚀性，对机组密封性要求高。

2. 供热锅炉

锅炉是利用燃料燃烧释放的热能或其他热能，将水加热到一定温度或使其产生蒸汽的热源设备。锅炉主要由"锅"和"炉"组成。"锅"是锅炉中盛水或蒸汽的地方，作用是吸收"炉"放出的热量，使水升温（热水锅炉）或转变为一定压力的蒸汽（蒸汽锅炉）。"炉"是锅炉中燃料燃烧的地方，作用是提供燃料燃烧的条件，使燃烧产生的热量供"锅"吸收。供热锅炉按向空调系统提供的热媒不同，分为热水锅炉与蒸汽锅炉两大类。

热水锅炉是最常见的空调热源设备，为了实现集中空调冬季供暖的功能，热水锅炉生产出热水，通过水管输送到空调末端设备，如风机盘管，达到使室内空气升温的目的。此时的空调系统类似于集中供暖系统。对于冬季需要同时供应蒸汽和热水的建筑，如酒店、宾馆，也有采用蒸汽锅炉的，因为蒸汽锅炉既可以直接向厨房和洗衣房提供蒸汽，又可以通过换热器用蒸汽来加热水，分别满足生活热水和空调用热水的需要，还可以在冬季为空调加湿提供蒸汽。

（1）燃煤锅炉

煤资源丰富，价格低廉，因此燃煤锅炉使用较多。但燃煤锅炉占地面积较大，排烟对环境污染严重，运行管理不方便，工人劳动强度较大，自动化程度较低，因此，在一些大城市，燃煤锅炉使用受到限制，取而代之的是燃油锅炉或燃气锅炉。

（2）燃油和燃气锅炉

与燃煤锅炉相比，燃油和燃气锅炉尺寸小，占地面积少，燃料运输和储存容易，燃烧热效率高，自动化程度高，对大气环境的污染小，因此我国供热锅炉正逐渐采用燃油和燃气锅炉代替燃煤锅炉。

燃油锅炉一般采用轻柴油为燃料。燃气锅炉的燃料有天然气、人工煤气和液化石油气，燃气锅炉的燃烧排放物对空气环境的影响比燃油锅炉要小一些。

（3）电锅炉

电锅炉是直接采用高品位的电能来加热水的设备。它尺寸小，占地面积少，自动化程度高，对大气环境无污染。但电锅炉运行费用高，在供电紧张时对电网造成负担，因此不提倡将电锅炉用作空调主要热源。

3. 热泵冷热水机组

有制冷制热双重功能的制冷设备又称热泵。它通过四通换向阀改变制冷剂的循环方向，从而实现制冷制热的功能切换。热泵的使用可以不必冬季单独设置热水锅炉，简化了机房设备。

按热泵与外界热交换的介质分，热泵冷热水机组分为空气源热泵冷热水机组和地源热泵冷热水机组两大类。

（1）空气源热泵冷热水机组

空气源热泵冷热水机组又称为风冷热泵冷热水机组，它主要是与室外空气进行热交换，在夏季能提供最低 7℃的冷水，在冬季能提供最高 50℃的热水。

空气源热泵冷热水机组的优点是安装方便，可以不用机房直接安放在室外（如屋面、阳台上），运行管理和维护保养简单，冬夏两用，其制冷量与制热量的比例特别适合作为夏热冬冷地区以及办公楼、银行、证券营业部等以日间使用为主的建筑空调的冷热源设备。缺点是耗电量较大，价格较高，冬季运行时要经常除霜，机组性能随室外气候变化明显，机组多数安装在屋面，运行噪声对周边环境造成影响。

（2）地源热泵系统

地源热泵系统是以岩土体、地下水、地表水为热源或热汇，以水或添加防冻液的水溶液为传热介质，借助地热能交换系统，采用水/水热泵机组进行供热或供冷的空调冷热源系统。地源热泵系统既可作为冷源在夏季向中央空调系统提供处理空气所需冷水，又可作为热源在冬季向中央空调系统提供处理空气所需的热水。

1）土壤源地源热泵系统

土壤源地源热泵系统是由传热介质通过竖直或水平土壤换热器与岩土体进行热交换的地源热泵系统。地表以下 20m～100m 的岩土体温度比较稳定，热容量大，蓄热性能好，是很好的热源和热汇。

2）地下水地源热泵系统

地下水地源热泵系统将地下水从地下抽出后直接提供给热泵进行热交换。为不浪费宝贵的地下水资源，通常需将与热泵进行热交换后的地下水回灌到地下继续储存，冬夏轮换使用。与室外空气相比，地下水的温度较稳定，冬季温度较高，夏季温度较低，而且水的比热容比空气大，传热性能好，因此地下水地源热泵系统效率高，适合地下水资源丰富，水温水质合适，并且当地资源管理部门允许开采地下水的场合。

3）地表水地源热泵系统

地表水地源热泵系统既可以直接利用地表水与热泵进行热交换，也可由传热介质通过换热盘管与地表水进行热交换。地表水水源包括江河水、湖泊水、水库水、海水等。在我国中部、南部地区，如建筑物附近有可利用的海、湖、江、河、水库，在考证水源的可靠性并采取适当水处理措施的前提下，地表水是较好的热泵冷热源。

四、集中空调的热湿处理设备

1. 风机盘管

风机盘管（图4-10）是全水空调系统或空气-水空调系统的末端设备，主要由风机、换热盘管和机壳组成。风机盘管借助风机不断地循环室内空气，使之通过盘管而被冷却或加热，以保持房间要求的温度和一定的相对湿度。盘管使用的冷水或热水由集中冷源和热源供应。

图4-10　风机盘管

风机盘管机组按结构形式可分为立式、卧式、卡式和壁挂式；按安装形式可分为暗装和明装。

工程中采用最多的是卧式暗装风机盘管。卧式暗装风机盘管安装在吊顶内，不占用房间有效面积，可以根据需要灵活布置，但维护保养和检修较困难，当机组风管接管不合理时，会产生风量不足，冷、热量下降等问题。

卧式明装风机盘管有后回风和下回风两种形式，外观简洁，一般安装于吊顶下方。立式明装风机盘管表面经过处理，安装方便，可直接拆下面板进行维护保养和检修，但需占用地面面积，通常设置在外窗台下。

2. 诱导器

诱导器是全空气空调系统或空气-水空调系统的末端设备，诱导器（图4-11）由外壳、热交换器（盘管）、喷嘴、静压箱和一次风连接管等组成。如图4-12所示，经过集中处理的一次风在被诱导器喷嘴高速喷出的同时，在诱导器内部形成负压，吸入室内空气与一次风混合，一起送入室内。诱导器空调机组噪声较大，一般用于地下车库或大空间场所的通风与空调系统。

3. 空调机组

空调机组可直接生产冷风，又分为组合式空调机组和新风机组两类。前者生产的冷风是室外空气和室内回风的混合体，后者生产的冷风则是全部来自室外的新鲜空气。如图4-13所示，左边为组合式空调机组，右边是新风机组。

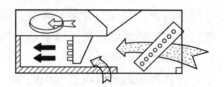

图 4-11　空气诱导器外观图　　　　　图 4-12　空气诱导器工作原理图

图 4-13　空调机组

新风机组是提供经过处理的新鲜空气的一种空气调节设备，一般由风机、表冷器、过滤器、进风口、出风口等部件组成。主要处理的是室外新鲜空气，一般不承担空调区域的热湿负荷，按照安装形式分为吊顶式新风机组、立式新风机组。

4. 空气加湿设备

加湿设备是用来增加空气中水蒸气含量和提高空气相对湿度的装置。对空气的加湿既可以在空调设备或送风管道内对送入空调房间的空气集中实施，也可以在空调房间内直接实施。按与空气接触的是水还是水蒸气分为水加湿设备和蒸汽加湿设备。

（1）水加湿设备

水加湿设备是用液态水来与空气进行热湿交换的，将水变成无数微小水滴并散发到被处理的空气中。水加湿设备有两种类型：依靠水滴的汽化来给空气加湿，这种方式叫强制雾化式加湿，主要有压缩空气喷雾器、电动喷雾机、喷雾轴流风机、高压水喷雾加湿气和超声波加湿器等。利用空气与含（沾）水的填料直接接触，使水在空气中自然蒸发而实现对空气的加湿，这种方式叫自然蒸发式加湿。

（2）蒸汽加湿设备

蒸汽加湿设备是将水蒸气直接加入空气中的加湿设备，根据水蒸气是由其他蒸汽源提供的还是加湿装置产生的，又可分为蒸汽供给式和蒸汽发生式两种类型。

5. 空气除湿设备

某些生产工艺过程、仪器设备使用过程或产品储存要求空气含湿量很低，为此要对空气进行除湿处理。除了风机盘管等表面式换热器冷却空气除湿外，还有冷冻除湿、吸湿剂除湿。

（1）冷冻除湿机

冷冻除湿机利用蒸发器将空气温度降低到露点温度以下，使空气中的水蒸气冷凝析出，实现对空气的除湿。需除湿的空气先经过制冷装置的蒸发器，被降温到露点温度以下，冷凝水析出，空气的含湿量降低，经过冷却干燥后的空气离开蒸发器后马上进入冷凝器，在这里被加热温度升高，以干热空气的状态流出，达到了除湿的目的。

（2）固体吸湿剂除湿

利用固体吸湿剂来吸收空气中的水蒸气来达到除湿的目的。固体吸湿剂有两种类型，一种是具有吸附性能的多孔材料，如硅胶、铝胶等，吸湿后材料的固体形态并不改变；另一种是具有吸收能力的固体材料，如氯化钙等，这种材料在吸湿后由固态逐渐变为液体，最后失去吸收能力。

五、集中空调的其他设备

1. 冷却塔

水冷式制冷机组需要使用冷却塔来提供可以循环使用的冷却水。冷却塔通过强制空气与水的热、质交换，将高温冷却水的热量散入大气，以降低冷却水的温度，冷却塔外形如图 4-14 所示。根据国家标准《采暖通风与空气调节设计规范》GB 50019—2015 规定，冷却塔设置位置应通风良好，远离高温或有害气体，并应避免降水对周围环境的影响。当冷却塔设置在多层或高层建筑的屋顶时，冷却塔集水箱不宜设置在底层。

2. 水泵

不管是空气系统还是水系统，流体的流动需要动力，而水泵、风机就是提供动力的设备。风机在通风设备里已有介绍，不再重复。空调系统的水泵按照使用位置来分主要有冷却水泵和冷冻水泵。按工作原理和结构特点来分，水泵有离心泵、活塞泵、螺杆泵等，空调系统采用离心泵居多，一般有卧式或立式两种形式，如图 4-15 所示。

图 4-14　冷却塔　　　　　　　　　图 4-15　卧式水泵和立式水泵

离心泵主要是依靠离心力作用来输送液体的，故称其为离心泵。离心泵在运转之前必须先在泵内灌满液体，并将叶轮全部浸没。当泵运转时，原动机带动叶轮高速旋转，叶轮中的叶片带动液体一起旋转，因而产生离心力，在此离心力作用下，叶轮中的液体沿叶片流道被甩向叶轮外缘，经蜗壳送入排出管，液体从叶轮获得能量，使压力能和速度能均增加，并依靠此能量将液体输送到工作地点。而叶轮中间吸入口处却形成了低压，在吸液罐和叶轮中心处的液体之间就产生了压差，吸液罐中的液体在这个压差作用下不断地经吸入管路及泵的吸入室进入叶轮中。这样，在叶轮旋转过程中，一面不断吸入液体，一面又不断给吸入液体一定的能量，将液体排出并输送到工作地点。

离心泵具有转速高、占地面积小、运转稳定、设备费用低廉、调节流量方便、操作简便、运转噪声低等优点。离心泵的缺点是无自吸作用，在启动之前一定要在吸入管及叶轮中充满液体。

3. 送风口和回风口

空调风口包括送风口和回风口。空调房间通过送风口把经过空调设备处理的空气送至室内，吸收空调负荷后经过回风口返回到空调设备再处理。对于空调房间的使用者来说，通常空调风口是整个空调系统唯一可见的装置，因此空调系统所选用的空调风口不但应满足功能需求，而且应满足外观与室内装饰相协调的美观需求。

送风口又称为空气分布器，通常设置在顶棚或侧墙等目力所及的显著位置，而且外观还应达到与室内装饰的艺术配合要求，因此送风口的形式很多。根据国家建筑工业行业标准《通风空调风口》JG/T 14—2010 规定，风口按形式分类有百叶风口、散流器、喷口、条缝风口、旋流风口、孔板风口、网板风口、格栅风口和专用风口（如座椅风口、灯具风口、地板风口等）。

（1）百叶风口（图 4-16）

空调工程中使用最多的是百叶风口，其外形主要为方形和矩形。送风百叶风口通常活动可调，既能调节送风方向，又能调节送风量大小。百叶风口既可安装于空调房间墙壁或暴露风管侧面作为侧送风口使用，也可安装在空调房间的顶棚（吊顶）或暴露风管的底部作为下送风口使用。

图 4-16　百叶风口

（2）散流器

散流器（图 4-17）是一种装在空调房间的顶棚或暴露风管的底部作为下送风口使用的风口。造型美观，易与房间装饰要求配合，是使用最广泛的送风口之一。散流器按外形分为圆形、方形和矩形。

圆形散流器有多层同心的平行导向叶片，该叶片一般为流线型，叶片下部有一个小翻边。方形和矩形散流器的叶片是平板型，且有一定倾斜角度，一般作为下送风口使用，也可作为回风口使用。方形和矩形散流器的叶片组与外框通常采用分离式结构，这样既有利

方型散流器

圆形散流器

图 4-17　方形散流器和圆形散流器

于安装，又有利于需要时方便卸下叶片组、调整风口阀门开度或清洁管道。

（3）喷口

喷口（图4-18）是喷射式送风口的简称，用于远距离送风，主要有圆形和球形两种。圆形喷口有较小的收缩角度，无叶片遮挡，送风噪声低。球形喷口的球形壳体上带有圆形可调送风量的短喷嘴，转动风口的球形壳体，可使喷嘴位置在一定范围内上下左右变动，方便改变气流送出方向，改变喷嘴处的阀片位置还可调节送风量的大小。

（4）条缝风口

条缝风口（图4-19）的基本特征是风口平面的长宽比值很大，出风口形成条缝状，送风气流为扁平射流。按风口的条缝数分单条缝、双条缝和多条缝等形式。单条缝风口一般是单独地水平或垂直安装作为侧送风口使用，多条缝既可用作送风口，也可用作回风口，特别适于作连续长条形布置的送、回风口。由于这种风口既能安装于吊顶内，又能安装在侧墙上，能较好地与室内装饰协调，因此也得到较多使用。

图4-18　喷口　　　　　　　　　　　　　　图4-19　条缝风口

（5）旋流风口

旋流风口（图4-20）依靠起旋器或旋流叶片等部件使轴向气流起旋形成旋转射流。由于旋转射流的中心处于负压状态，因此能诱导周围大量空气与之混合，然后送至工作区。

旋流风口有下送式和上送式两种。下送式旋流风口主要用于高大空调房间（如体育馆、展览馆等）的下送风，单个送风量大，与散流器相比，可减少30%～50%的送风口数量。上送式旋流风口又称为地面旋流风口，是一种地板送风口，由出风格栅、集尘箱和旋流叶片组成。来自地板下面静压箱或送风风管的空调送风经旋流叶片切向进入集尘箱，形成旋流气流后由出风格栅送出，诱导卷吸室内

图4-20　旋流风口

下部空调并迅速与之混合。使送风速度衰减。这种送风口的送风气流与室内空气混合好，速度衰减快，格栅和集尘箱可随时取出清扫，特别适用于室内下部空调负荷大的场合（如大型计算机房），及只需要控制室内下部空气环境的高大房间（如展览馆）。

（6）孔板风口

孔板风口（图4-21）是一块开有大量小孔的平板，孔径一般为6～8mm，材料为镀锌钢板、硬质塑料板、铝板、铝合金板或不锈钢板，通常与空调房间的顶棚合为一体，既是

送风口，又是顶棚。经过处理的空气由风管送入楼板与开孔顶棚之间的空间，在静压的作用下通过大面积分布的小孔进入室内。孔板风口送风均匀，噪声小，能形成比较均匀的速度场和温度场，区域温差小（可达±0.1℃），因此在恒温室、洁净室、实验环境等应用较多，在某些层高较低或净空较小的公共建筑中也有应用。

（7）风亭

风亭又称送风塔、送风柱、风柱、空调树等，高数米，上部为送风口。送风口可以是直筒圆口，通过倒锥形的顶向周围送风，也可以在风亭四面侧装百叶风口、喷口等。在展览馆、航站楼等高大建筑中，为保证下部人员活动区域的空调效果，常在大面积场地中间设置风亭（图4-22）。

图4-21 孔板风口

（8）专用风口

图4-22 某机场空调风亭

专用风口通常只能与某些物件配套使用而成为独特的风口。如与座椅相结合的送风口一般设在座椅下面，由地下送风管提供的空气从喷口喷出，诱导室内空气充分混合，使送风温度接近于室温，使人不会有吹冷热风的感觉。座椅送风口多用于影剧院、音乐厅、会堂的座椅，能直接、就近地对人送风，因此有较好的节能效果。如灯具送风口是将条缝送风口与照明器具组合在一起的一种送风口。

回风口与送风口相互配合，构成空调房间的气流组织，使房间内的气流状态满足要求。回风口的安装位置一般比较隐蔽，对回风功能要求很低，外观对室内环境美观影响不大，故回风口形式较少，构造简单，常见的有百叶式回风口、活动算板式回风口和蘑菇形回风口等。

（9）百叶式回风口

百叶式回风口叶片一般固定为某一角度，既可在空调房间的侧墙或风管的侧面垂直安装，也可在空调房间的顶棚或风管的底面水平安装。

（10）活动算板式回风口

活动算板式回风口由两层算板叠合而成，两块算板开有相同的长条形孔洞，移动调节螺栓可使内层算板左右移动，改变开口面积，从而调节回风量。

（11）蘑菇形回风口

蘑菇形回风口是一种安装在地面上的回风口，主要用于影剧院，通常设置在座椅下，直接插入地面的预留洞与地下回风管相接。蘑菇形的外罩起防止杂物直接进入回风口的作用，可通过调节支撑螺杆改变回风口的空气吸入面积，达到调节回风量的效果。

4. 空调风管道

空调风管道的种类很多，按风管道的制作材料分，主要有金属风管、非金属风管和复合材料风管。金属风管、非金属风管在通风设备中已有介绍，不再重复。

在我国，以镀锌钢板为基材的风管＋绝热层＋防潮层＋保护层和风管＋绝热层＋保护层的空调风管结构是常见的两种传统结构形式。而采用不燃材料面层复合绝热材料板，运用特定技术工艺制成的新型风管称为复合材料风管，简称复合风管。根据建筑行业标准《非金属及复合风管》JGT 258—2009规定，按制作材料分，空调工程常用的复合风管有玻纤复合风管、聚氨酯复合风管和酚醛复合风管。

（1）玻纤复合风管

玻纤复合风管又称为玻璃纤维复合风管、复合玻璃棉风管，其制作材料为三层玻璃纤维布和玻璃棉组合而成的复合玻纤板。复合玻纤板的外层为玻璃纤维布复合铝箔层或双层复合玻璃纤维布层，中间层为一定厚度的超细或离心玻璃棉板层，内层为用特种胶喷涂处理的玻璃纤维布层，各层以专用的防火、防水、抗老化、粘结性能优良的粘合剂加压粘合起来。根据工程设计要求，可将玻纤板切割、粘接、加固制成玻纤风管和各种类型的异形管件。管段间可采用阴、阳榫插接、T形框架插接、法兰连接等方式。

（2）聚氨酯复合风管

聚氨酯复合风管为聚氨酯泡沫塑料与铝箔或金属薄板的复合夹心板材。复合夹心板材为成形板材，由硬质发泡阻燃聚氨酯泡沫塑料与两面覆盖的铝箔或金属薄板组成，也是三层复合层。这种管材也可切割、粘接、加固制成风管和各种类型的局部管件，专门配件可以很方便地将管段和管件按常规法兰连接方法进行连接，也可以方便地进行各种风口与管道的连接。

（3）酚醛复合风管

酚醛复合风管是以酚醛发泡树脂、固化剂、发泡剂及无机物经化学反应形成酚醛泡沫芯材，再与铝箔或金属薄板复合的夹心板材。这类复合风管的外表面材料除了采用铝箔外，还可以采用镀锌钢板、压花铝箔、彩色钢板、不锈钢板和布基铝箔，风管的内表面材料可采用铝箔或彩色钢板。

5. 消声器

空调工程使用的消声器种类很多，结构形式各异，消除噪声的频率范围也不一样，根据工作原理及构造不同，可分为阻性消声器、抗性消声器、共振式消声器和复合式消声器四大类。

（1）阻性消声器

阻性消声器又称为吸收式消声器，主要利用吸声材料的吸声作用，使沿风管道传播的噪声被吸收而衰减。把吸声材料敷设在管道内壁，或按移动方式排列在管道或壳体内，就构成了阻性消声器。它对中、高频噪声消声效果显著，对低频噪声消声效果较差。常用的吸声材料有超细玻璃棉、卡普隆纤维、岩棉毡和维尼龙废丝等（图4-23）。

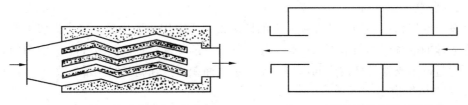

图4-23　某阻性消声器内部结构　　　　图4-24　某抗性消声器内部结构

（2）抗性消声器

抗性消声器是利用气流通道节目的突变（扩大或缩小），使沿通道传播的某些特定频段的声波扎起突变处向声源反射回去或产生声干涉而不再向前传播，从而起到消声作用的消声器。它对中、低频噪声有较好的消声效果，而且结构简单，由于其不使用吸声材料，因此不受高温、高湿和腐蚀性气体的影响。但这种消声器消声频程较窄，气流阻力大且占用空间多，一般只宜在小尺寸的风管道中使用（图4-24）。

（3）共振式消声器

共振式消声器由一段开有一定数量小孔的管道和管外密闭空腔（共振腔）组成，每个共振式消声器都有一个由孔颈直径、孔颈厚、空腔深所决定的固有频率。当外界噪声的频率与共振吸声结构的固有频率相同时，会引起小孔孔颈处空气柱像活塞似的往复运动，同时使共振腔内的空气发生振动，使得空气柱与孔颈壁剧烈摩擦，从而消耗声能，起到消声作用。共振式消声器气流阻力小，但因有共振腔，使其结构偏大。它具有较强的频率选择性，消声效果显著的频率范围很窄，一般用以消除低频噪声（图4-25）。

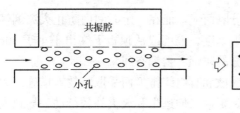

图 4-25　某共振式消声器内部结构

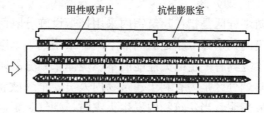

图 4-26　某复合式消声器内部结构

（4）复合式消声器

为了在较宽的频程范围内获得良好的消声效果，可把阻性消声器对中高频噪声消除效果显著的特点，与抗性消声器对低频噪声消除显著的特点，以及共振式消声器有效消声频率范围较窄的特点进行组合，设计成集两、三种消声器之长的复合式消声器。如阻抗复合式消声器，一般由吸声材料制成的阻性吸声片和若干个抗性膨胀室组成，阻抗复合式吸声器在低频噪声的消声效果有很大提高，如1.2m长的阻抗复合式消声器对低频声的消声量可达10～20dB（图4-26）。

任务3　建筑防火排烟系统的认知

当建筑物发生火灾时，特别是设有空调风管系统的公共建筑，很容易造成人员伤亡。据统计，建筑火灾中，大多数死伤原因是烟气窒息或中毒。空调风管道系统在设计时如果不充分考虑防火排烟问题，采取积极的防火排烟措施，就会留下安全隐患，使风管道可能成为火灾及烟气蔓延的通道。因此，在高层建筑中，一旦发生火灾，防火排烟设计将为人员争取逃生时间，消防灭火工作也得以顺利进行。国家标准《建筑设计防火规范》GB 50016—2014规定空调风管道系统应采取防火措施。

一、防火分区和防烟分区

建筑设计时进行防火、防烟分区是为了防止火灾和烟气的扩散，控制火灾和烟气的蔓延。

1. 防火分区

防火分区是指采用防火墙、具有一定耐火极限的楼板及其他防火分隔设施分隔而成，能在一定时间内防止火灾向同一建筑的其余部分蔓延的局部空间。划分防火分区的目的在于有效控制和防止火灾沿垂直方向或水平方向向同一建筑物的其他空间蔓延，减少火灾损失，同时能够为人员安全疏散、灭火扑救提供有利条件。防火分区是控制耐火建筑火灾的基本空间单元。

防火分区按照限制火势向本防火分区以外扩大蔓延的方向可分为两类：一类为竖向防火分区，用耐火性能较好的楼板及窗间墙（含窗下墙），在建筑物的垂直方向对每个楼层进行的防火分隔。竖向防火分区用以防止多层或高层建筑物楼层与楼层之间竖向发生火灾蔓延；另一类为水平防火分区，用防火墙或防火门、防火卷帘等防火分隔设施将各楼层在水平方向分隔出的防火区域。水平防火分区用以防止火灾在水平方向扩大蔓延。

2. 防烟分区

防烟分区是指在建筑室内采用挡烟设施分隔而成，能在一定时间内防止火灾烟气向同一建筑的其余部分蔓延的局部空间。采用挡烟垂壁、隔墙或从顶板下突出不小于 50cm 的结构梁等具有一定耐火性能的不燃烧体来划分的防烟、蓄烟空间。

防烟分区是为有利于建筑物内人员安全疏散和有组织排烟而采取的技术措施。大量火灾事故表明，当建筑物内发生火灾时，烟气是阻碍人们逃生和灭火扑救行动、导致人员死亡的主要原因之一。因此，将高温烟气有效地控制在设定区域，并通过排烟设施迅速排至室外，才能够有效地减少人员伤亡和财产损失，才能够防止火灾的蔓延发展。

二、建筑的自然排烟

自然排烟利用高温烟气产生的热压和浮力以及室外风压造成的抽力，通过建筑物的对外开口（如门、窗、阳台等），或排烟雾竖井，将烟气排至室外。

自然排烟一般利用建筑物的阳台、凹廊或在外墙上设置外窗或排烟窗进行排烟。如图4-27、图 4-28 所示。

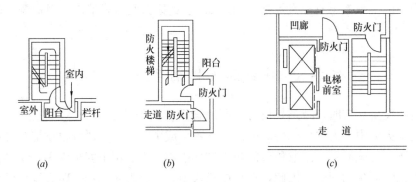

图 4-27　利用室外阳台或凹廊排烟

自然排烟的优点是不需要额外动力、投资少，维护管理简单。自然排烟的缺点是极易受室外风向、风力的影响，排烟效果不稳定。

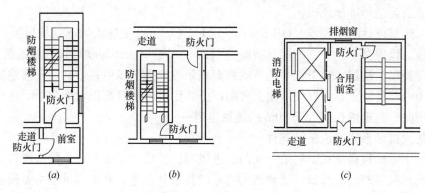

图 4-28　利用直接向外开启的窗

三、建筑的机械防烟排烟

1. 建筑的机械加压送风防烟

设置机械加压送风防烟系统的目的是为了在建筑物发生火灾时，提供不受烟气干扰的疏散路线和避难场所。因此，加压部位必须使关闭的门对着火楼层保持一定的压力差，同时应保证在打开加压部位的门时，在门洞断面处有足够大的气流速度，能有效阻止烟气的入侵，保证人员疏散与避难。

根据《建筑设计防火规范》GB 50016—2014 规定，建筑的下列场所或部位应设置防烟设施：防烟楼梯间及其前室；消防电梯间前室或合用前室；避难走道的前室、避难层（间）。

2. 建筑的机械排烟

机械排烟是使用排烟风机进行强制排烟的方式。机械排烟可分为局部排烟和集中排烟两种方式。局部排烟是在每个房间内设置排烟风机进行排烟，适用于不能设置竖风道的空间或旧建筑。集中排烟是将建筑物分为若干个防烟分区，每个分区内设置排烟风机，通过排烟风道排出各分区内的烟气。机械排烟具有性能稳定，受风压、热压的影响小等优点。其缺点是设备要耐高温，需要有备用电源，管理和维修复杂。

如图 4-29 所示，建筑物被划分为四个防烟分区，在每个防烟分区设置几个排烟口，

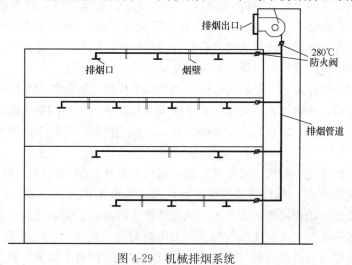

图 4-29　机械排烟系统

通过排烟风道连接到排烟风机。

根据《建筑设计防火规范》GB 50016—2014 规定，民用建筑的下列场所或部位应设置排烟设施：设置在一、二、三层且房间建筑面积大于 100m² 的歌舞娱乐放映游艺场所，设置在四层及以上楼层、地下或半地下的歌舞娱乐放映游艺场所；中庭；公共建筑内建筑面积大于 100m² 且经常有人停留的地上房间；公共建筑内建筑面积大于 300m² 且可燃物较多的地上房间；建筑内长度大于 20m 的疏散走道。

四、防火排烟系统的设备及部件

防火排烟系统包括风机、管道、阀门、进风口、排烟口、送风口、排烟风口、隔烟装置以及联动风机、阀门、风口、活动挡烟垂壁的控制装置等，其中风机是主要设备，其余为附属设备或附件。

1. 防、排烟风机

在防火排烟工程中，风机是有组织地送入空气或有组织地排出烟气的输送设备。排烟风机可采用普通钢制离心通风机，也可采用消防排烟专用轴流风机等，为不燃材料制作。风机的性能、作用原理、选用要求见前。

防烟、排烟风机分为送风机和排烟风机。排烟风机由于要承担火灾时排出高温烟气的工作，应能保证在介质温度不高于 85℃ 的条件下，风机应至少使用 10 年，应在温度 280℃ 时能连续工作不小于 30min。在排烟风机入口总管应设置当烟气温度超过 280℃ 时能自行关闭的排烟防火阀，该阀应与排烟风机联锁，当该阀关闭时，排烟风机应能停止运转。

2. 管道

防排烟系统的管道本身必须防火，不允许采用耐温性能差的材料制作，排烟管道不宜穿越防火墙和非燃烧体的楼板等防火隔断物。防排烟管道如必须穿越，应采取防火措施，例如：设置防火阀，穿越段两侧 2m 内采用不燃材料隔热，竖向管道独立设置，在穿越隔墙、楼板及防火分区处的缝隙应采用防火封堵材料封堵。设在吊顶内的排烟管道应采用不燃材料隔热。

3. 防火、防烟调节阀

根据《建筑设计防火规范》GB 50016—2014 规定，通风、空气调节系统的风管在下列部位应设置动作温度为 70℃ 的防火阀：穿越防火分区处；穿越通风、空气调节机房的房间隔墙和楼板处；穿越重要或火灾危险性大的场所的房间隔墙和楼板处；穿越防火分隔处的变形缝两侧；竖向风管与每层水平风管交接处的水平管段上。

阀门主要起两种作用，一是启闭作用，二是调节作用。在防排烟系统中，主要由带有防火功能的防火阀、排烟阀根据防排烟系统的需求打开火灾区域的防排烟系统通路，关闭火灾区域的空调、通风系统空气流动通路。起调节作用的阀门适用于送风或排烟需要平衡风量的情况。

防火阀主要由外壳、阀板（或叶片）联动机构以及执行结构组成，平时常开，当风管内气流温度达到 70℃ 时，执行结构的关键部件温度熔断器的易熔金属片熔断，阀板或叶片在重力或弹簧拉力的作用下自动关闭，从而防止火势沿风管道蔓延。

防火阀有多种类型，按关闭阀门的作用力不同有重力式和拉（扭）簧式；按外形不同有矩形、圆形和扁圆形；按阀板（或叶片）复位的方式不同有手动复位和自动复位。

当防火阀与风量调节阀结合使用时，可兼起风量调节作用，称为防火调节阀。防火调节阀可在0°～90°范围内手动改变阀门叶片的开启角度。

防烟阀通常与烟感器联动，平时常开，一般通过能够探知火灾发生初期所产生烟气的烟感器发出的动作信号，由电动机或电磁机构驱动阀门自动关闭，防止烟气沿风管扩散。如果在防烟阀上加装温度熔断器等装置，则可使其兼有防火的功能，这种阀门又称为防烟防火阀。

把防火、防烟和风量调节三种功能合为一体的阀门称为防火防烟调节阀（图4-30），它既受温度熔断器的控制，又与烟感器通过电信号联动，还可以手动使阀门瞬时关闭。温度熔断器更换后可手动复位。

图4-30　圆形、方形防火防烟调节阀

防火、防烟调节阀安装在通风空调系统管道穿越防火分区处，平时开启，一旦发生火灾立即关闭，防止烟、火通过通风空调管道蔓延到其他防火分区。

《建筑设计防火规范》GB 50016—2014列出了各种防火阀、排烟防火阀的性能及用途，见表4-1。

防火阀、排烟防火阀的基本分类　　　　　　　　　　　　　　　表4-1

类别	名称	性能及用途
防火类	防火阀	采用70℃温度熔断器自动关闭（防火），可输出联动讯号。用于通风空调系统风管内，防止火势沿风管蔓延
	防烟防火阀	靠感烟火灾探测器控制动作，用电讯号通过电磁阀关闭（防烟），还可采用70℃温度熔断器自动关闭（防火）。用于通风空调系统风管内，防止烟火蔓延
	防火调节阀	70℃时自动关闭，手动复位，0°～90°无级调节，可以输出关闭电讯号
防烟类	加压送风口	靠感烟火灾探测器控制，电讯号开启，也可手动（或远距离缆绳）开启，可设70℃温度熔断器重新关闭装置，输出电讯号联动送风机开启。用于加压送风系统的风口，防止外部烟气进入
排烟类	排烟阀	电讯号开启或手动开启，输出开启电讯号联动排烟机开启，用于排烟系统风管上
	排烟防火阀	电讯号开启，手动开启，输出动作电讯号，用于排烟风机吸入口管道或排烟支管上。采用280℃温度熔断器重新关闭
	排烟口	电讯号开启，手动（或远距离缆绳）开启，输出电讯号联动排烟机，用于排烟房间的顶棚或墙壁上，采用280℃重新关闭装置
	排烟窗	靠感烟火灾探测器控制动作，电讯号开启，还可缆绳手动开启，用于自然排烟处的外墙上

4. 挡烟垂壁（图 4-31、图 4-32）

图 4-31　固定挡烟垂壁　　　　　　　图 4-32　活动式挡烟垂壁

挡烟垂壁是指用不燃烧材料制成，从顶棚下垂不小于 50cm 的固定或活动的挡烟设施。挡烟垂壁起阻挡烟气的作用，同时可以增强防烟分区排烟口的吸烟效果。挡烟垂壁应采用非燃烧材料制作，如钢板、夹胶玻璃、钢化玻璃等。挡烟垂壁可采用固定或活动式的，活动挡烟垂壁是指火灾时因感温、感烟或其他控制设备的作用，自动下垂的挡烟垂壁，当建筑物净空较低时，宜采用活动式的挡烟垂壁。当建筑净空较高时，可采用固定式的，将挡烟垂壁长期固定在顶棚上。

活动式挡烟垂壁应由感烟探测器控制，或与排烟口联动，或受消防控制中心控制，但同时应能就地手动控制。活动挡烟垂壁落下时，其下端距地面的高度应大于 1.8m。

从挡烟效果来看，挡烟隔墙比挡烟垂壁的效果要好些。因此，在成为安全区域的场所，宜采用挡烟隔墙。有条件的建筑物，可利用钢筋混凝土梁或钢梁作挡烟垂壁进行挡烟。当顶棚为非燃材料或难燃材料时，挡烟垂壁或挡烟隔墙紧贴顶棚平面即可，不必完全隔断。当顶棚为可燃材料时，则挡烟垂壁或挡烟隔墙要穿过顶棚平面，并紧贴非燃烧体楼板或顶板。

任务 4　建筑通风与空调施工图的识读

一、通风与空调施工图的组成

通风与空调施工图一般由设计说明、平面图、系统图、工艺流程图、剖面图、详图和设备材料表组成。

1. 设计说明

通风与空调工程的设计说明主要内容有：设计依据、工程概况、管道的敷设方式、防腐、保温、空调系统设备安装要求、水压试验要求等内容。

2. 平面图

通风与空调系统平面图包括建筑物各层通风与空调平面图、空调机房平面图送排风平面图等。

送、排风平面图示意了空调中的送、排风，消防正压送风、防火排烟的风口、风道尺寸、风机等设备的型号、尺寸、安装位置等。

空调平面布置图给出了风管、冷冻水管、冷却水管的管径、走向以及空调设备的型号、平面位置等。

3. 系统图

系统图与平面图相配合，以说明通风与空调系统的全貌，表示出风管或水管的上下层关系，风管或水管中干管、支管、进出口及阀门的位置关系。管道的管径、标高也能得到全面的反映。

水系统图，包括空调冷冻水和冷却水系统图，可以使施工人员对整个空调水系统有全面的了解。风系统图示意了从空气处理设备到空调末端设备的气流分配情况。

4. 工艺流程图

工艺流程图主要包括系统的原理和流程，主要反映该系统的作用原理、管路流程及设备之间的相互关系，应绘出设备、阀门、控制仪表、配件、标注介质流向、管径及设备编号。工艺流程图一般用于体现复杂的设备与管道连接，如制冷机房工艺流程图、锅炉房流程图等。工艺流程图可不按比例绘制，但管路分支应与平面图相符。

5. 剖面图

在通风、空调平面图上不可能表示建筑物内的风管、附件或附属设备的立面位置和立面尺寸，只有剖面图才能表示出它们的立面位置以及安装的标高尺寸。剖面图应与平面图相互对照进行识读。

6. 详图

局部放大的施工图，用于表示其他图纸上表示不清的信息。

7. 设备材料表

统计通风空调系统中的设备和材料的使用情况，将各系统选用的设备和材料列出规格、型号、数量等。

二、通风与空调系统施工图的识读一般规定

1. 比例

通风与空调施工图的比例参见表 4-2 所列比例。

通风与空调系统施工图常用图例 表 4-2

序号	名称	图例	序号	名称	图例
1	供水管	——	6	截止阀	▷◁
2	回水管	-----	7	风管	=
3	冷凝水管	— · —	8	条形风口	▤
4	风机盘管	□	9	空调机组	▭
5	水泵或风机	◁	10	方形散流器	⬧

2. 规格标注

风管规格对圆形风管用外径"Φ"表示，如 Φ100，一般不标注壁厚，壁厚在图纸或材料表中说明；对矩形风管用断面尺寸"宽×高"表示，如 200×160，单位均为"mm"，不标注壁厚。

3. 标高标注

矩形风管标注管底标高，圆形风管标注管中心标高，空调水管标注管中心线标高。

4. 通风与空调系统施工图常用图例

三、通风与空调施工图的识读方法

一套通风与空调系统施工图包括的内容较多，一般应按以下顺序依次阅读，有时还需进行相互对照阅读。

1. 先阅读图纸目录及标题栏，了解工程项目名称、项目内容、图纸编号、工程全部图纸数量等。

2. 查看总设计说明，了解工程总概况及设计依据，了解图纸中未能表达清楚的各有关事项，如系统形式、管材附件使用要求、管路敷设方式和施工要求、图纸符号、施工注意事项等。

3. 识读平面布置图，了解各层平面图上风管走向和规格、风口位置和尺寸、设备和附件的位置等。

4. 识读系统图，和平面布置图对照识读，弄清管道的水平和纵向的走向，管道的尺寸、标高、设备和附件的连接情况。连接风管道在土建工程中的空间位置、建筑装饰所需的空间。

5. 风系统和水系统具有相对独立性，因此看图时应将风系统和水系统分开阅读，再综合阅读。

6. 通过详图连接设备用房平面布置、定位尺寸、基础要求、管道平面位置，管道设备的连接要求，仪表附件的设置要求等。

7. 通过设备材料表了解主要设备、材料的规格、数量的统计信息。

四、通风与空调施工图的识读举例

以办公楼的空调系统为例。图 4-33 为某楼层的空调系统平面布置图，图 4-34 为该楼层的水系统图。

从平面图上可以看到，该空调系统采用的是风机盘管加新风的形式，风机盘管承担室内的大部分热负荷，而室外的新鲜空气由单独的新风机组通过风管送入空调房间。每个风机盘管均有三根接管，分别是供水管、回水管和凝水管，支管管径均为 $DN20$。供、回水干管的管径为 $DN50$，冷凝水干管管径为 $DN32$，冷凝水通过管道收集后排入卫生间的水池。设备间有新风机组，通过开在外墙的新风口引入室外空气，经过处理后通过风管引到风机盘管旁边，与风机盘管一起向室内送风，回风则由风机盘管后面的条形回风口进入。采用矩形风管，尺寸标在图中，如 500×200，表示风管截面宽 500mm，高 200mm。随着新风沿途送入各房间，送风干管的尺寸逐渐减小。

从水系统图上可以更清楚直观地看到水管的接管、走向、管径等情况。

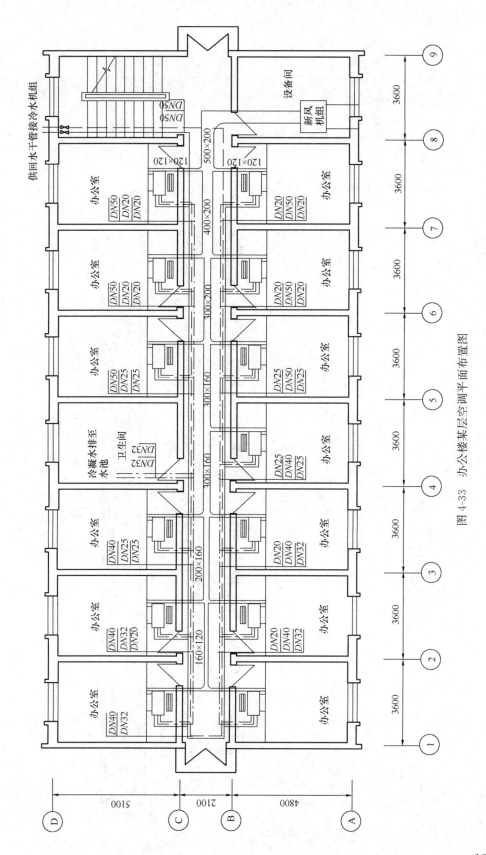

图 4-33 办公楼某层空调平面布置图

131

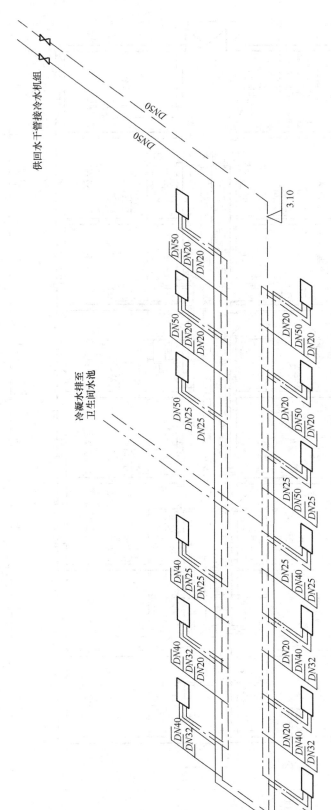

图 4-34 办公楼某层空调水系统图

思 考 题

4-1 什么是建筑通风?

4-2 自然通风的原理是什么?

4-3 机械通风的优缺点各有哪些?

4-4 什么是空调?空调系统根据负担室内热湿负荷所用的介质不同可分为哪四类?

4-5 简述空气源热泵冷水机组的特点。

4-6 风机盘管的工作原理是什么?

4-7 请列举至少三种常见的空调送风口并指出各自对应的特点。

4-8 简述阻性消声器的消声原理。

4-9 什么是防火分区?什么是防烟分区?

4-10 防火阀的工作原理是什么?

4-11 建筑防排烟系统有哪些设备及部件?

4-12 简述建筑通风与空调施工图的识读方法。

项目 5　建筑燃气供应系统

任务 1　燃气种类及供应方式的认知

一、燃气的种类

城镇民用和工业用燃气是由几种气体组成的混合气体，其中含有可燃气体和不可燃气体。可燃气体有碳氢化合物、氢和一氧化碳，不可燃气体有二氧化碳、氮等。

城镇燃气一般包括人工煤气、天然气、液化石油气、液化石油气混空气、二甲醚气、沼气。我国国家标准《城镇燃气分类和基本特性》GB/T 13611—2018 按燃气类别及其燃烧特性指标华白数 W 分类，并应控制华白数 W 和热值 H 的波动范围，具体分类见表5-1。

城镇燃气的类别及特性指标（15℃，101.3kPa，干）　　　　　表 5-1

类别		高华白数 W_s（MJ/m³）		高热值 H_s（MJ/m³）	
		标准	范围	标准	范围
人工煤气	3R	13.92	12.65～14.81	11.10	9.99～12.21
	4R	17.53	16.23～19.03	12.69	11.42～13.96
	5R	21.57	19.81～23.17	15.31	13.78～16.85
	6R	25.70	23.85～27.95	17.06	15.36～18.77
	7R	31.00	28.57～33.12	18.38	16.54～20.21
天然气	3T	13.30	12.42～14.41	12.91	11.62～14.20
	4T	17.16	15.77～18.56	16.41	14.77～18.05
	10T	41.52	39.06～44.84	32.24	31.97～35.46
	12T	50.72	45.66～54.77	37.78	31.97～43.57
液化石油气	19Y	76.84	72.86～76.84	95.65	88.52～126.21
	20Y	79.59	72.86～87.33	103.19	88.52～126.21
	22Y	87.33	72.86～87.33	125.81	88.52～126.21
液化石油气混空气	12YK	50.70	45.71～57.29	59.85	53.87～65.84
二甲醚	12E	47.45	46.98～47.45	59.87	59.27～59.87
沼气	6Z	23.14	21.66～25.17	22.22	20.00～24.44

1. 天然气

天然气蕴藏在地下多孔隙岩层中，是一种多组分的混合气体，主要成分是烷烃，其中甲烷占绝大多数，另有少量的乙烷、丙烷和丁烷，此外一般还含有硫化氢、二氧化碳、氮和水气，以及微量的惰性气体，如氦和氩等。无硫化氢时为无色无臭易燃易爆气体，密度多在 0.6～0.8kg/m³，比空气轻。通常将含甲烷高于 90% 的称为干气，含甲烷低于 90% 的称为湿气。

（1）天然气的特点

天然气是易燃易爆的气体，爆炸极限为 5%～15%，作为一种无色、无味、比空气轻、不溶于水的气体，其主要成分是甲烷，本身无毒，但如果含较多硫化氢，则对人有毒害作用。如果燃烧不完全，也会产生一氧化碳等有毒气体，燃烧热值较高，$1m^3$ 天然气燃烧后发出的热量是同体积的人工煤气（如焦炉煤气）的两倍多，即 $35.6～41.9MJ/m^3$（约合 $8500～10000kcal/m^3$）可液化，液化后其体积将缩小为气态的 1/600。燃烧时仅排放少量的二氧化碳和极微量的一氧化碳、碳氢化合物，是一种清洁能源。

天然气的质量指标，包括天然气发热量、总硫和硫化氢含量、水露点指标应符合现行国家标准《天然气》GB 17820—2012 中的规定，见表 5-2。

天然气技术指标 表 5-2

项目	一类	二类	三类
高位发热量（MJ/m^3）$\geqslant$	36.0	31.4	31.4
总硫（以硫计）（mg/m^3）$\leqslant$	60	200	350
硫化氢（mg/m^3）$\leqslant$	6	20	350
二氧化碳（%）$\leqslant$	2.0	3.0	—
水露点（℃）	在交接点压力下，水露点应比输送条件下最低环境温度低 5℃		

（2）天然气的种类

1）常规天然气

常规天然气是指天然蕴藏在地壳内的与碳氢化合物等共生的可燃性气体，主要存在于油田气、气田气、煤层气、泥火山气和生物生成气中。

按矿藏情况不同，常规天然气一般可分为四种：①从气井开采出的气田气称纯天然气；②伴随石油一起开采出来的石油气称石油伴生气；③含石油轻质馏分的凝析气田气；④从煤矿矿井下煤层抽出的叫矿井气。

2）压缩天然气

压缩天然气（Compressed Natural Gas，简称 CNG）是天然气加压并以气态储存在容器中。它与管道天然气的组分相同。

3）液化天然气

液化天然气（Liquefied Natural Gas，简称 LNG）是天然气在经净化及超低温状态下（－162℃、一个大气压）冷却液化的产物。液化后的天然气其体积大大减少，约为 0℃、1 个大气压时天然气体积的 1/600，也就是说 $1m^3$ LNG 气化后可得 $600m^3$ 天然气，天然气液化后可以大大节约储运空间和成本。

2. 人工煤气

人工煤气是将固体燃料煤经人为加工而获取的可燃气体。主要成分为可燃气体，如氢、一氧化碳、碳氢化合物等，并含有氮、二氧化碳等不可燃气体。

（1）人工煤气的特点

人工煤气，为无色的有特殊臭味的易燃易爆、剧毒气体，其主要成分有：烷烃、烯烃、芳烃、氢、一氧化碳等。具有热值低、价格低、有毒的特点。

（2）人工煤气的种类

1）干馏煤气

利用焦炉、连续式直立炭化炉和立箱炉，对煤进行干馏所获得的燃气称为干馏煤气（焦炉煤气，典型 7R 燃气）。用干馏煤方法每吨煤可产 300～400m³ 的焦炉煤气。这类燃气组分中的甲烷和氢含量较高，低热值一般在 16.75MJ/m³ 左右。

2）气化煤气

压力气化煤气、发生炉煤气、水煤气等均属此类。压力气化煤气的低热值一般在 15.07MJ/m³ 左右，有些地区直接作为城市燃气使用。

发生炉煤气和水煤气的主要组分为一氧化碳和氢。发生炉煤气的低热值为 5.44MJ/m³ 左右，水煤气的低热值为 10.47MJ/m³ 左右。由于这两种煤气的热值低，一氧化碳含量高，不宜单独作为城市煤气的气源。有些地区利用化肥厂多余的水煤气甲烷化后提高热值、降低一氧化碳供城镇使用。在城市燃气的气源中，发生炉煤气多用来加热焦炉和连续式直立炉，以替代出热值较高的干馏煤气，增加供应城市的煤气量；亦有与水煤气、干馏煤气、重油蓄热裂解煤气掺混（成为 5R、6R 掺混气），作为城市煤气的调度气源。

3）高炉煤气

高炉煤气是冶金工业在冶炼生铁过程中的副产气，其主要组分是一氧化碳和氮气，低热值约为 3.77～4.19MJ/m³。因此，高炉煤气可用于炼焦炉的加热，以替代出焦炉煤气。高炉煤气也常用作锅炉的燃料或与焦炉煤气掺混用于冶金工业加热工艺的燃料，一般不会单独作为民用燃气供应。

3. 液化石油气

液化石油气（英文名称 Liquefied Petroleum Gas，简称 LPG）是石油产品之一。是由炼厂气或天然气（包括油田伴生气）提炼过程中出现的一种石油化学工业的副产品，常压、常温呈气态，加压、降温、可液化得到的一种无色、挥发性可燃气体。

（1）液化石油气的特点

液化石油气俗称液化气，主要成分为丙烷、丙烯、丁烷、丁烯等，为无色气体或黄棕色油状液体。液化石油气的热值高，毒性较低。成品添加了臭味剂。高浓度的液化石油气对人体有害。

LPG 液态时膨胀性较强，体积膨胀系数大于汽油、煤油和水，约为水的 16 倍，所以国家规定 LPG 储罐、火车槽车、汽车槽车、气瓶的充装量必须小于 85%，严禁超装。

（2）液化石油气的种类

液化石油气的来源主要有两种：一是在油田或气田开采过程中获得的，称为天然石油气；另一种来源于炼油厂，是在石油炼制加工过程中获得的副产品，称为炼厂石油气。

1）天然石油气

天然石油气可以从石油伴生气和凝析气田气中提取。石油伴生气是与石油共生的、伴随石油一起开采出来的油田气。一般在油田设置油气分离器，将石油伴生气与原油分离，然后采用不同方法将气体中的各种碳氢化合物分开，并从中提取液化石油气。

2）炼厂石油气

炼厂石油气是在石油炼制及加工过程中得到的副产品。由于原油炼制加工有不同的工艺，因此会得到不同种类的炼厂石油气。炼厂石油气的产率一般为原油的 4%～5%。原油的一次加工是常减压蒸馏，蒸馏只是物理过程，而没有化学反应，得到的蒸馏气以烷烃为主。将一次蒸馏得到的重质油品进一步作二次加工，即进行裂化、焦化等处理。按照二次加工的不同工艺相应得到热裂化气、催化裂化气、催化重整气及焦化气等。从原油一次加工得到的蒸馏气与二次加工得到热裂化气、催化裂化气、催化重整气及焦化气中均可分离、提取出液化石油气，这种液化石油气称为炼厂石油气。

二、城镇燃气的供应方式

城镇燃气的供应方式分为管道输送和瓶装。

天然气或人工燃气经过净化后，燃气管道输配系统通过输配管网将门站（接收站）或气源厂的燃气输送至各储气站、调压站、燃气用户，并保证沿途输气安全可靠。燃气管网可按输气压力、敷设方式、用途、压力级制等加以分类。

1. 按输气压力分类

燃气管道中的压力越高，管道接头脱开、管道本身出现裂缝的可能性越大。管道漏气可能导致火灾、爆炸、中毒等事故，因此管道内燃气压力不同时，对管材、安装质量、检验标准及运行管理等要求亦不相同。我国城镇燃气管道按燃气设计压力分为七级（表 5-3）。

<table>
<tr><td colspan="2" style="text-align:center">燃气压力级制</td><td style="text-align:right">表 5-3</td></tr>
<tr><td style="text-align:center">名称</td><td></td><td style="text-align:center">压力（MPa）</td></tr>
<tr><td rowspan="2">高压燃气管道</td><td>A</td><td>$2.5 < p \leqslant 4.0$</td></tr>
<tr><td>B</td><td>$1.6 < p \leqslant 2.5$</td></tr>
<tr><td rowspan="2">次高压燃气管道</td><td>A</td><td>$0.8 < p \leqslant 1.6$</td></tr>
<tr><td>B</td><td>$0.4 < p \leqslant 0.8$</td></tr>
<tr><td rowspan="2">中压燃气管道</td><td>A</td><td>$0.2 < p \leqslant 0.4$</td></tr>
<tr><td>B</td><td>$0.01 < p \leqslant 0.2$</td></tr>
<tr><td>低压燃气管道</td><td></td><td>$p \leqslant 0.01$</td></tr>
</table>

2. 按敷设方式分类

（1）埋地管道

输气管道一般埋设于土壤中，当管段需要穿越铁路、公路时，有时需加设套管或管沟，因此有直接埋设及间接埋设两种。

（2）架空管道

工厂厂区内、管道跨越障碍物以及建筑物内的燃气管道，常采用架空敷设方式。

3. 按用途分类

（1）长距离输气管线

其干管及支管的末端连接城镇或大型工业企业，作为该供气区的气源点。

（2）城镇燃气管道

1）输气管道　城镇燃气门站至城市配气管道之间的管道。

2）分配管道　在供气地区将燃气分配给工业企业用户、商业用户和居民用户。分配管道包括街区和庭院的分配管道。

3）用户引入管　将燃气从分配管道引到用户室内管道引入口处的总阀门。

4）室内燃气管道　通过用户引入管总阀门将燃气引向室内，并分配到每个燃气用具。

（3）工业企业燃气管道

1）工厂引入管和厂区燃气管道 将燃气从城镇燃气管道引入工厂，分送到各用气车间。

2）车间燃气管道 从车间的管道引入口将燃气送到车间内各个用气设备（如窑炉）。

3）炉前燃气管道 从支管将燃气分送给炉上各个燃烧设备。

4. 按管网压力级制分类

城镇输配系统的主要部分是燃气管网，根据所采用的管网压力级制不同可分为：

（1）单级系统

仅有低压或中压一种压力级别的管网输配系统。

（2）二级管网系统

具有两种压力等级组成的管网系统。

（3）三级管网系统

由低压、中压和次高压三种压力级别组成的管网系统。

（4）多级管网系统

由低压、中压、次高压和高压多种压力级别组成的管网系统。

任务2 建筑燃气供应系统的认知

建筑燃气供应系统主要是供应居民用户和商业用户。商业用户主要分两类：第一类用户是指餐饮燃气用户，如宾馆、饭店。饮食店、招待所、机关、学校、幼儿园以及工矿企业职工食堂等；第二类用户是指使用燃气锅炉和燃气直燃型吸收式冷（温）水机组的用户。第一类商业用户燃气供应系统可参照建筑燃气供应系统设计；第二类商业用户可按工业用户对待。

建筑燃气供应系统管道最高压力限制：商业用户不应大于 0.4MPa；居民用户中压进户不应大于 0.2MPa，低压进户小于 0.01MPa。液化石油气管道的最高压力不应大于 0.14MPa。管道井内的燃气管道的最高压力不应大于 0.2MPa。

一、建筑燃气供应系统的构成

建筑燃气供应系统随城镇燃气系统供气方式不同而有所变化，一般由用户引入管、水平干管、立管、用户支管、燃气计量表、用具连接管及燃气用具所组成。

1. 引入管

用户引入管是指从室外配气支管（庭院管）引向用户室内燃气总阀门（当无总阀门时指室内地面1m高处）之间的管道。

2. 燃气立管

（1）室内燃气立管

室内燃气立管宜设在厨房、开水间、走廊、对外敞开或通风良好的楼梯间（高层建筑除外）、阳台（寒冷地区输送湿燃气时阳台应封闭）等处。立管不得敷设在卧室、浴室或卫生间中；不得穿过易燃、易爆品仓库、配电间、电缆沟、烟道、进风道及电梯井等。

一般室内燃气立管应布置在用气房间靠近实体墙的角落里。

燃气立管应明设，当敷设在管道竖井内时，燃气管道应便于安装和检修。

立管的下端应装堵丝，其直径一般不小于 $DN25$。

燃气立管端点的位移较大时，应采取补偿措施；高层建筑的燃气立管应有承受其自重和热伸缩推力的固定支架和活动支架。

（2）室外燃气立管

一般居民住宅燃气立管宜走户内。当需要走户外时，尽可能远离卧室等非用气房间的门、窗洞口布置。室外燃气立管应靠近平台、雨棚、楼梯间洞口等便于检修的地方。

3. 水平干管

引入管上既可连一根燃气立管，也可连若干根立管，后者则应设置水平干管。

4. 用户支管

由立管引出的用户支管一般在厨房内，其高度不低于 2.2m。敷设坡度不小于 0.003，并由燃气计量表分别坡向立管和燃具。

5. 室内燃气管道布置的其他要求

（1）室内明设燃气管道与墙面净距，当管径小于 $DN25$ 时，不宜小于 30mm；管径为 $DN25\sim DN40$ 时，不宜小于 50mm；管径等于 $DN50$ 时，不宜小于 60mm；管径大于 $DN50$ 时，不宜小于 90mm。

（2）沿墙、柱、楼板和加热设备构件上明设的燃气管道应采用管支架、管卡或吊卡固定。管支架、管卡、吊卡及固定件的安装不应妨碍管道的自由膨胀和收缩。

（3）输送湿燃气的管道敷设在气温低于 0℃ 的房间或输送气体液化石油气管道外的环境温度低于其露点温度时，均应采取保温措施。

（4）室内燃气管道不应敷设在潮湿或有腐蚀性介质的房间内。当确需敷设时，需采取防腐蚀措施。

（5）居民住宅燃气管道应在燃气引入管、调压器前和计量表前、燃气用具前、测压计前、放散管起点处设置阀门。当软管与管道、软管与燃具连接时，在软管的上游与硬管的连接处应设阀门。室内燃气管道阀门宜采用球阀。

二、燃气用气场所

1. 居民住宅用气场所的一般规定

（1）居民生活用气设备严禁设置在卧室内。

（2）使用燃气的房间或部位宜靠外墙设置。

（3）住宅厨房内宜设置排气装置和燃气浓度检测报警器。

2. 居民用户液化石油气气瓶的使用场所

（1）气瓶不得设置在地下室、半地下室或通风不良的场所。

（2）单户居民用户使用的气瓶设置在室外时，宜设置在贴邻建筑物外墙的专用室内。

（3）高层居民住宅采用瓶装液化石油气作燃料时，应设集中瓶装液化石油气间。

（4）室温不应高于 45℃。

（5）气瓶与燃具的净距不得小于 0.5m。

（6）气瓶与散热器的净距不应小于 1.0m，当散热器设置搁板时，可减少到 0.5m。

3. 商业用气场所的一般规定

（1）燃气供应方式应根据用户所需燃气的种类、燃气用量和燃气用具的额定供气压力，结合市政管网供气条件，经技术经济比较后确定。

（2）一般商业用户的用气设备采用城镇低压燃气管网供气。当供气压力不能满足用气设备需要时，可采用专业调压装置供气。当用户只需中压燃气，且用气设备自带调压装置时，可采用城镇中压管网直接供气。

（3）高层建筑应采用管道供气。使用燃气的房间或部位宜靠外墙设置。

（4）高层建筑采用液化石油气做燃料时，应设瓶装液化石油气间。液化石油气总储量不超过 1m³ 的瓶装液化石油气间，可与裙房贴邻建造。液化石油气总储量超过 1m³，而不超过 3m³ 的瓶装液化石油气间，应独立建造，与高层建筑和裙房的防火间距不应小于 10m。在总进气管道、总出气管道上应设有紧急事故自动切断阀，并应设有可燃气体浓度报警装置。建筑设计和火灾危险环境的防爆设计应符合现行的国家相关标准的规定。

任务 3　燃气供应设备的认知

燃气供应常见设备主要指民用设备包括居民用设备和商业用设备。

一、燃气灶具

燃气灶具是指含有燃气燃烧器的烹调器具的总称。居民用燃气灶具包括燃气灶、燃气烤箱、燃气烘烤器、燃气烤箱灶、燃气烘烤灶、燃气饭锅、气电两用灶具等。现行国家标准《家用燃气灶具》GB 16410—2007 中规定，使用城市燃气的家用燃气灶具包括单个燃烧器额定热负荷≤5.23kW 的燃气灶；额定热负荷≤5.82kW 的燃气烤箱和燃气烘烤器等。

商业用燃气灶具系指在宾馆、食堂、餐馆等厨房中广泛使用的炊事用具，产品设计多根据用户使用要求决定，品种繁多。按其使用功能分类，有燃气中（西）餐炒菜灶、大锅灶、蒸饭灶、矮仔炉、煲仔炉、煎饼灶、火锅灶、食堂烤炉、糕点烤炉等。按其灶体所使用的材质及结构特点，可分为不锈钢灶具和砖砌灶具。与同样功能的家用燃气具相比，商业燃气具的热负荷要大得多。随着城市燃气事业的发展，这类燃具的用气量逐步增高。

1. 灶具的类型

（1）按燃气类别分类

按使用燃气的种类，燃气灶具分为人工煤气灶具、天然气灶具、液化石油气灶具。燃气灶必须与燃气匹配，燃气灶用字母注明了所适用的燃气种类：天然气（T）、人工燃气（R）、液化石油气（Y）。

（2）按灶眼数分类

灶眼数量分类包括单眼灶、双眼灶和多眼灶。单眼灶适合小户型厨房用或搭配电磁灶使用；双眼灶使用最为普遍，也有两个灶眼设计为不同热负荷方便适用不同的烹饪需要；三眼灶是在双眼燃气灶中间加一小灶眼，一般供小奶锅用；四眼灶多为西式灶，不适于中式烹调。

（3）按功能分类

可分为炒菜灶、烤箱灶、烘烤灶、烤箱、烘烤器、饭锅、气电两用灶具。

（4）按结构形式分类

如图 5-1 可分为台式、嵌入式、落地式等形式。

（5）按加热方式分类

可分为直接式、半直接式和间接式。

2. 燃气灶具的结构

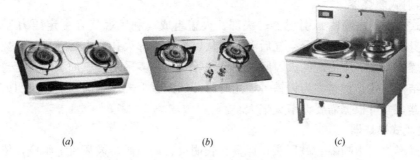

图 5-1　不同结构形式的燃气灶具

(a) 台式燃气灶；(b) 嵌入式燃气灶；(c) 落地式燃气灶

整个灶具主要由灶具主体、供气系统、燃烧系统和辅助部件四部分组成。

(1) 灶具主体由灶面、灶框等组成。

(2) 供气系统由供气管路（含燃气主管及支管）、旋钮开关（也叫旋塞阀）等组成的供气系统。这部分的作用是根据燃烧器的设计流量，供应足够的燃气量；阀门是控制燃气灶的开关，要求阀门开关灵活，管路及阀门应保证严密不漏气。

(3) 燃烧系统由进风口（也叫进气口）、燃气管喷嘴、调风板（也叫挡风板、风门）、内环及外环混合气管道及燃烧器头部组成的燃烧系统（也叫燃烧器）。这一部分是灶具的关键部件。它的主要作用是吸入空气并使空气和天然气均匀混合，继而在燃烧器头部稳定燃烧。

(4) 辅助部件包括灶腿、锅支架、盛液盘（也叫承液盘）等。

3. 炒菜灶的组成

炒菜灶的燃烧器燃烧方式一般采用引射式或鼓风式燃烧。中餐炒菜时一般用引射式燃烧器，如需加热迅速、火力集中，则多用鼓风式燃烧器，有时两者也混用。

图 5-2 是一种典型的中餐炒菜灶（强制鼓风式中餐灶），由角钢骨架、空气管道与燃气管道系统、燃烧器、烟道、余热水罐、上下水管路、面板等组成。在风机出口的空气管道中设置蝶阀，联动齿条 2 将燃气阀门与空气碟阀连接，使得在一定的功范围内空气与燃气的供应保持近乎不变的比例。燃气与空气在燃烧器 3 喷出后混合、燃烧，烟气自烟道 8 排出的过程中加热煮汤灶（汤锅），之后经后部的烟道排出。灶台后侧设有放水管，灶面以较小坡度向前侧倾斜，清洗灶面后的污水经多孔的水槽盖板 7 收集后，流入排污管道 6。

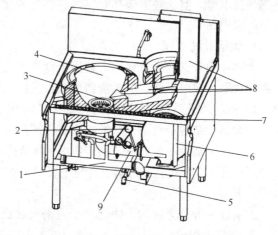

图 5-2　强制鼓风式中餐灶

1—燃气进气管；2—燃气—空气联动阀；3—燃烧器；
4—耐火炉墙；5—进水管；6—排污管；7—水槽盖板；
8—烟道；9—空气管道

(1) 燃烧器

不锈钢中餐燃气炒菜灶的燃烧器多采用引射式和鼓风式燃烧两种。

1）引射式燃烧器

引射式燃烧器由喷嘴、引射器、头部、火盖组成。利用燃气在一定压力下从喷嘴流出，靠自身的能量引入一部分空气后混合，从燃烧器头部火孔流出后燃烧。燃烧器的特点是能稳定燃烧，且不应出现回火、脱火、黄焰等现象。多采用易于加工的火盖与燃烧器头部分开的结构型式，材料多为铸铁。使用时打开灶面板上燃气阀门，通过长明火或点火棒引燃燃烧器，并可根据需要调节火焰大小。

2）鼓风式燃烧器

鼓风式燃烧器由喷嘴、鼓风头、风盒、长明火、调风阀、鼓风机等组成，依靠鼓风机供给空气，燃烧前燃气与空气未完成预混。特点是燃烧器结构较紧凑，当燃气与空气混合得较好时，燃烧效率高、火焰稳定性好、火焰较短且热强度较高。但这种燃烧器需配有鼓风机、电源，且噪音比较大。使用时，首先点燃长明火、打开鼓风机，开启灶面板上燃气阀门，然后调节调风阀开度，使火焰达到正常燃烧状态。

（2）锅支架

锅支架（俗称炮台）外型采用圆桶型或圆台型，用铸铁制成。两侧各有一矩型孔起到排出烟气、通风的目的。锅支架有内外两层，内层用耐火水泥围成，起到保温、隔热、耐烧（保护外层）的作用；外层铸铁圈，壁厚约 10mm，起到支承锅、桶及耐磨的作用，最外面一层可电镀达到美观的效果。

（3）燃气阀门

燃气阀门应采用铜制或不锈钢制成的燃气专用不泄漏阀门，其材料和性能应符合标准（《建筑用手动燃气阀门》CJ/T 180—2014 家用手动燃气阀门）的规定。公称口径一般为 $DN20$ 或 $DN15$。多个阀门的开、关方向布置应在灶具面板上一致，并有明显的标志。

在厨房中炒菜灶常成组配置，为节省空间若干台炒菜灶并列布置，燃气管、进水管连接在一起。

中餐炒菜灶的节能方法很多，如采用旋流预混措施加强空气与燃气的混合，采用全预混燃烧技术等。但这些措施都对空气和燃气的比例调节提出了较高要求，制造成本提高，目前的应用尚不广泛。

4. 大锅灶的组成

大锅灶用来烹饪大量食物，常用于食堂等的厨房。按照灶眼数量，大锅灶一般可分为单眼和双眼；按照所使用的燃烧器形式，大锅灶可分为扩散式、大气式、强制鼓风式；按照排烟方式，大锅灶可分为间接排烟大锅灶和烟道式大锅灶。图 5-3 为一个采用大气式燃烧器的大锅灶结构示意图。灶的中央有一圈耐火材料砌筑的半锥型炉墙，烹饪用的大锅置于炉墙上。下部为一个大气式燃烧器 2（热负荷 25～80kW）。炉墙下部燃烧器上方，设置一个观火孔 6；后侧上方为烟道。与中餐炒菜灶一样，大锅灶大多采用角钢骨架、不锈钢外壳。

大锅灶一般分为砖砌大锅灶和不锈钢大锅灶。

5. 蒸箱的组成

蒸箱按照用途与加热要求分为蒸饭箱和三门蒸柜，蒸饭箱又分为单门蒸饭箱（也称 3.5 蒸饭箱，一次蒸米 35kg/h）和双门蒸饭箱（也称 6.4 蒸饭箱，一次蒸米 64kg/h）。蒸饭箱是用于宾馆、饭店以及企事业单位、学校、公共食堂厨房蒸制食品的主要设备，可用

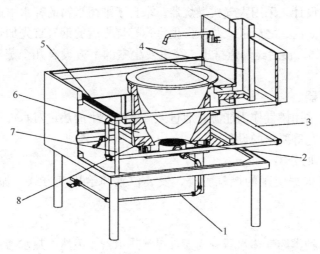

图 5-3　大锅灶

1—燃气进气管；2—燃烧器，3—进水管；4—烟道；5—水槽盖板；

6—观火孔；7—排污管；8—耐火炉墙

于蒸饭、面制品、菜肴以及餐具消毒。三门蒸柜主要用于广帮菜肴中鱼、点心等的蒸制，结构紧凑，加热迅速，蒸汽发生量大。

蒸箱实际上是一个密闭的蒸汽发生器，工作原理类似于笼屉。图 5-4 是一个蒸箱的结构示意图。

蒸汽发生室位于蒸箱的下部，上部为多格抽屉式的蒸格，为减少散热损失，蒸格外侧为保温材料、外覆不锈钢薄板。蒸格门用耐温胶条材料密封，减少蒸汽逸漏。

蒸汽发生室的结构（图 5-5）类似于火管结合水管的小型锅炉，整个燃烧室 7 采用外

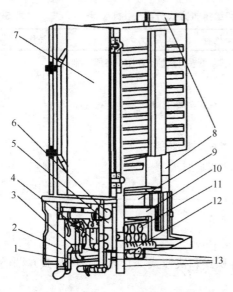

图 5-4　单门蒸箱

1—进水管；2—进气管，3—除垢器；4—蒸汽发生室进气管；

5—平衡水箱；6—浮球；7—上箱体；8—烟道；9—蒸汽发生室；

10—火管；11—被加热水管；12—排管式燃烧器；13—排水管

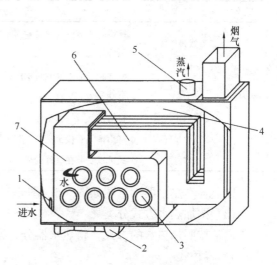

图 5-5　蒸汽发生室的结构

1—进水口；2—燃烧器；3—水管；

4—蒸汽发生室；5—蒸汽出口；

6—烟管；7—燃烧室

侧全部被水包围的设计。采用大气式燃烧器。来自于平衡水箱的补水由进水口 1 供入，补充到被加热的水管 3 内，之后进入蒸汽发生室；燃烧之后的烟气首先加热水管，再进入到浸没在水中的烟管 6，最后经烟道排出。蒸汽发生室的上方设有几个蒸汽出口 5，供入蒸格空间。

二、燃气热水器

燃气热水器是采用燃气作为能源，通过燃气燃烧产生的热量对水加热，使水温达到生活、采暖、生产工艺等要求的设备。

1. 燃气热水器的分类

燃气热水器可根据使用的燃气种类、安装位置和给排气方式、加热水方式及功能分类。

（1）按气源分类

按使用燃气的种类燃气热水器分为人工煤气热水器、天然气热水器、液化石油气热水器，各种燃气的分类代号和额定供气压力见表 5-4。

热水器使用的燃气代号及额定供气压力　　　　　　　　　　表 5-4

类别	代号	额定燃气压力（Pa）
人工燃气	5R、6R、7R	1000
天然气	4T、6T	1000
	10T、12T、13T	2000
液化石油气	19Y、20Y、22Y	2800

（2）按安装位置和给排气方式分类

按照安装位置和给排气方式，热水器可分为室内安装热水器和室外安装热水器，见表 5-5。

热水器按安装位置和给排气方式分类　　　　　　　　　　表 5-5

类型	名称	分类内容	简称	代号
室内型	自然排气式	燃烧时所需空气取自室内，用排气管在自然抽力作用下将烟气排至室外	烟道式	D
	强制排气式	燃烧时所需空气取自室内，用排气管在风机作用下强制将烟气排至室外	强制式	Q
	自然给排气式	将给排气管接至室外，利用自然抽力进行给排气	平衡式	P
	强制给排气式	将给排气管接至室外，利用风机强制进行给排气	强制平衡式	G
室外型	只可以安装在室外的热水器		室外型	W

以上各类热水器示意图如图 5-6～图 5-10 所示。

（3）按加热水方式分类

通常按照加热水的方式，将热水器分为容积式和快速式（直流式、即热式）两类。

1）容积式

容积式燃气热水器如图 5-11 所示，主要包括燃烧器和一个储存热水的热绝缘储水箱。常采用立式结构，高径比（高度与直径之比）较大，燃烧器在中央最底部，采用双层炉胆，内胆烟管内设有多组齿形热气流阻隔板，烟气出口处设气流阻隔罩，降低烟气流速，保证燃烧产生的热量最大程度地传导到水中。排烟方式多样。有些类型可安装在室外，不占据室内空间，且安装简单。

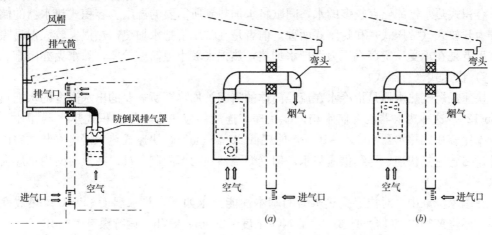

图 5-6　室内型自然排气式

图 5-7　室内型强制排气式
（a）鼓风式；（b）引风式

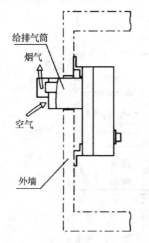

图 5-8　室内型自然给排气式

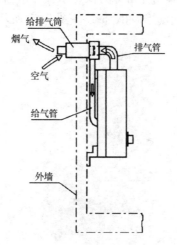

图 5-9　室内型强制给排气式

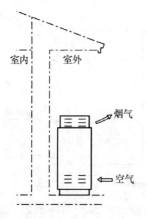

图 5-10　室外型

图 5-11　容积式燃气热水器

在国家标准中，对容积式热水器的性能要求：热水温度≤95℃；热效率≥75%；燃烧产物中CO含量≤0.04%，运行噪声≤65dB。

容积式热水器能储存较多的水，间歇将水加热到所需的温度。容积式热水器的储水筒分为开放式（常压式）和封闭式两种。前者是在常压下把水加热，热损失较大但易除水垢；后者是在承受一定蒸汽压力下把水加热，热损失较小但筒壁较厚，除水垢亦困难。

2）快速式（直流式）

快速式燃气热水器是指冷水在流经筒体的瞬间被加热至所需的出水温度的水加热器（图5-12）。这种热水器没有储水箱，能快速、连续供应热水，与容积式热水器相比，其热效率比容积式热水器高5%～10%，能耗低20%～30%，快速式热水器可安装在室内或室外。尽管它能快速、连续供应热水，但受燃烧器热功率限制，难以在短时间内供应大量热水。

在国家标准中，对快速式热水器的基本性能要求如下：热水温度≤95℃；热效率≥84%；燃烧产物中CO含量≤0.1%，NO_x浓度≤260mg/kWh，运行噪声≤65dB。

（4）按功能分类

热水器按其功能可分为供热水型热水器、供暖型热水器和热水供暖两用型热水器。以上各类热水器示意图如图5-13～图5-15所示。

图5-12　快速式燃气热水器

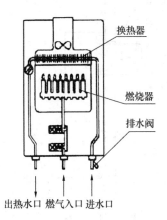

图5-13　室内型供热水型

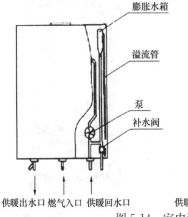

图5-14　室内型供暖型

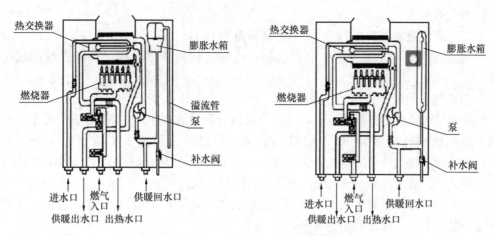

图 5-15 室内型供热水、供暖两用型

两用型热水器又称家用壁挂炉或联合式热水器，可以用单一设备同时供暖和供应热水。燃烧器加热的热水被循环泵抽入盘管，风机把空气引入盘管周围进行换热，产生的热空气再通过导管分配到房间；盘管内的热水则通过独立的管道送到厨房、浴室。联合式热水器实现了热水器的多功能化，并且结构紧凑。

2016 年 6 月开始执行的《家用燃气快速热水器和燃气采暖炉能效限定值及能效等级》GB 20665—2015 中，将热水器能效等级分为三级，其中 1 级能效最高。各等级的热效率要求见表 5-6。

热水器能效等级　　　　　表 5-6

类　型		最低热效率值 $\eta/\%$		
		能效等级		
		1 级	2 级	3 级
热水器	η_1	98	89	86
	η_2	94	85	82
采暖炉	热水 η_1	96	89	86
	热水 η_2	92	85	82
	采暖 η_1	99	89	86
	采暖 η_2	95	85	82

注：能效等级判定举例：

例 1：某热水器产品实测 η_1＝98％，η_2＝94％，η_1 和 η_2 同时满足 1 级要求，判为 1 级产品；

例 2：某热水器产品实测 η_1＝88％，η_2＝81％，虽然 η_1 满足 3 级要求，但 η_2 不满足 3 级要求，故判为不合格产品；

例 3：某采暖炉产品热水状态实测 η_1＝98％，η_2＝94％，热水状态满足 1 级要求；采暖状态实测 η_1＝100％，η_2＝82％，采暖状态为 3 级产品；故判为 3 级产品

三、燃气表

燃气表俗称煤气表，是用以累计流过管道内燃气体积总量的流量测量仪表。燃气表常用于：人工煤气、天然气、液化石油气、沼气等燃气流量的计量。

1. 燃气表分类

燃气计量仪表有 G1.6、G2.5、G4 家用系列和 G6、G10、G16、G25、G40、G65、G100 工业表系列，以及智能 IC 卡燃气表、代码式预付费燃气表、直读式智能远传表系列。

2. 膜式燃气表的结构与工作原理

膜式燃气表按所装计数器分类，可分为机械计数器式和 IC 卡式燃气表。近来又出现了同事加装机械计数器和 IC 卡的双功能表。一般常用膜式表有流量为 1.6m^3/h 和 2.5m^3/h 两种。我们使用的燃气表额定流量为 1.6m^3/h，最大流量为 2.5m^3/h，最小流量为 0.016m^3/h，最大压力为 30kPa，公称回转体积一般为 0.9～1.2dm^3。压力损失：机械表不大于 200Pa，IC 卡表不大于 250Pa。使用天然气时寿命一般为 10 年，使用人工煤气时寿命一般为 6 年。检定周期为 3 年。

膜式燃气表是容积式流量仪表，靠燃气自身的压力带动气囊室的橡胶膜前后移动，依次带动滑块机构关闭和开启相应的进、出气口，使进来的燃气通过气囊室由出气口排出，由传动机构再带动蜗轮蜗杆计数装置，实现计量。

（1）膜式燃气表的结构

膜式燃气表主要由计量系统、气路及气路分配系统、运动传送系统、计数系统及附加装置五大部分组成。

计量系统是两个基本相同的计量容器。主要由计量室（机芯体）、膜片、膜（夹）板.侧翼等零件构成。计量系统的作用是保证膜片往复摆动一周，有一个恒定容积的气体输出。

气路及气路分配系统主要有接头、外壳、表内出气管。分配阀栅（座）、滑（转）阀等零件。气路及气路分配系统的作用是使计量气体按一定顺序的通道流动。滑（转）阀在分配阀栅（座）上滑动（旋转），周期地改变气流途径，使气体循环交替地充满或排出左右四个气室，以达到对气体体积的计量。

运动传送系统主要由立轴。牵动臂、拉杆、中轴支架组件、阀盖开口（前进角）调整机构等零部件构成。

计数系统主要由传动齿轮、调速齿轮、及计数器等零部件组成。计数系统的作用是记录和显示气体流过燃气表的体积量，该系统中配有不同齿数的联接轮和交换轮（调速轮）。选配不同齿数的交换轮（调速轮），可以改变燃气表示值误差曲线的相对位置，以实现燃气表精确度的调整，但理论上不能调整曲线的形状，也就是说不能影响表的线性。

附加装置主要由流量机电转换装置、控制模块、控制阀、读写装置、电子显示装置及电源等零部件组成。附加装置的作用是通过机电转换装置读取基表的数据进行流量信号装换，再通过读写装置、控制模块、控制阀等来实现预付费、远程控制等功能。

（2）膜式燃气表的工作原理

膜式燃气表属于容积式计量仪表，采用柔性膜片计量室方式来测量气体的体积流量。燃气表的工作原理（图 5-16）是被计量的燃气在压力差的作用下经分配阀交替进入燃气表容积恒定的柔性膜片计量室，即高于常压的被测气体进入膜片一侧的腔内，所产生的压强推动膜片向另一侧移动，当膜片移到另一侧的极限位置时，分配阀与带动膜片的摇臂连杆等转换机构导通了第二个膜片的一侧。带动第一个膜片返回移动；第二个膜片移动到极限位置时，转换机构又改变第一个膜片的出气口为进气口，同样靠第一个膜片产生的力相继带动返回，这个膜片的另一侧又有了气体的推动力而继续做往返运动，并能改变第二个膜片的移动方向。膜片的这种往复移动依次形成了充气、排气，同时膜片所牵动的立轴做往复的摆动运动，通过其各自的摆杆、连杆等转换机构同时带动一个指示装置，将这一充气、排气的循环过程转换成相应的气体体积流量，再通过传动机构传递到计数器，从而实现连续自动体积流量计量功能。

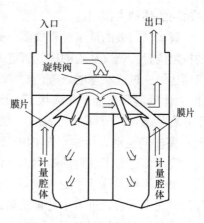

图 5-16　旋转阀式燃气表工作原理示意图

　　欲详细了解燃气表机芯的工作原理，就需要知道燃气表在工作过程中各零件的关联运动。计量室内燃气的进入和排出，是经过膜片的往复运动带动联动机构、改变滑阀（或称阀盖、滑阀）与分配阀口相对的位置来控制的。图 5-17 是膜式燃气表的计量过程及构造示意图，由前往后分别相应称之为 A、B、C、D 室，每个室有分别与分配室上所对应的气门口 A、B、C、D 进出口的通道相通，进出口的关闭与接通是通

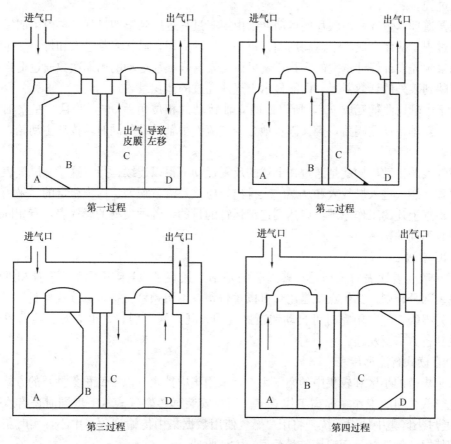

图 5-17　膜式燃气表的计量过程示意图

过滑阀的移动来控制的。

膜式燃气表的计量过程如图 5-17 所示，它们分别表示燃气表运行时四个具有代表性的极限位置。燃气从表的进气管进入表内，最后通过出气管排出时，表内机构开始运行，当到达第一过程状态时，气门口 A 和 B 关闭（即计量室 A 和 B 都不与表的出口通道相通），计量室 B 正处于充满状态，计量室 A 相应地处于完全压缩状态。但此时气门口 D 处于开启状态，气门口 C 与表出口通道沟通，燃气进入 D 室并在压差的作用下。推动膜片向 C 室方向运动，压缩 C 室内的气体从气门口 C 通向出口。由于联动机构的作用。后者过室膜片传递经牵动臂的牵动力，促使前计量部分的连杆越过 '"死位"，A 室 B 室的气门口由关闭状态逐渐移变成接通状态。当后计量室膜片向左运动到极限位置时，A 室的气门口完全开启，进入了计量的第二过程。

第二过程，气门口 C、D 关闭，计量室 D 处于充满状态，计量室 C 相应地处于完全压缩状态。后室处于"死位"状态，但此时前气门口 A 处于开启状态，气门口 B 与表的出口通道沟通，燃气进入 A 室并在压差的作用下推动膜片向 B 室方向运动。压缩 B 室内的气体从气门口 B 通向出口，由于联动机构的作用，前计量室膜片传递给牵动臂的牵动力，促使后计量部分的连杆越过"死位"，C 室、D 室的气门口由关闭状态逐渐移动变成接通状态，当前计量室膜片向右运动到极限位置时，C 室的气门口完全开启，进入了计量的第三过程。

同样道理，燃气表内膜片的运动继续由第三过程进入到第四过程，再由第四过程返回到第一过程，从而完成一个运动周期，每一个运动周期，燃气表都进人和排出一定量的气体，如果预先设计好计量室的容积，就可以将燃气表膜片运动的周期次数通过适当的传动机构反映到表外的计数器上，即能显示出气体通过的体积量。

由于中轴两曲柄互成 90°，所以使两立轴转动的相位角差 90°，并且，左立轴带动右阀盖，右立轴带动左阀盖，交叉同步地分配气流。中轴转动的同时，拨动主动轮，使计数器工作。

燃气表的传动机构就是通过在上述的反复运动下得以连续运行。这就是燃气表的基本工作原理。燃气进入燃气表和从燃气表排出，应该是流量均匀、压力稳定的。采用适当的机构并根据上述的工作原理，以达到连续运行的目的。各种类型的燃气表，有相同的工作原理但有不同的构造。

3. IC 卡表

IC 卡表与普通表的区别是在普通表的基础上加装了 IC 卡电子计数装置和进气切断阀，基表部分相同。其优点就是用户可以预付费，不用频繁交费，且读数直观。气费不足时可预先报警，气费用完时可自动切断进气阀。既方便了用户，也方便了经营单位的管理，收到各方广泛欢迎。

4. 直读式智能远传表

对于规范的小区和较集中的燃气用户，采用集中抄表（以下简称集抄）的方式可以大大简化燃气公司的工作，提高工作效率。用户安装远传燃气表（一般同时还有水表、电表），通过小区集中抄表系统，将用户燃气使用数据集中传输到数据中心，实时获取用户的使用情况，智能抄录用户用气量数据，方便收费。

直读式远传燃气表在原机械燃气表基础上加装了带有射频无线模块的主控线路板部

分、光电直读传感器取样部分、内置电机阀门控制部分。

直读式远传燃气表通过带有射频无线模块的主控线路板与手持抄表器及采集器进行双向通信。当手持抄表器及采集器发出业务指令时，直读式远传燃气表接收信号后，采集光电直读传感器数据、读取相关信息或发出内置电机阀门的相关动作指令，然后将表的状况信息传递回手持抄表器及采集器。直读式远传燃气表带有射频无线模块的主控线路板以极低的功耗和高速率通信，而且在用户平时用气过程时处于休眠状态，只在通信状态时被唤醒，通信完毕立即休眠，因此可以在最大程度上降低能耗，维持工作仅需用 4 节碱性干电池供电。由于数据采用无线传输方式，安装时不需布线，与原机械表安装方式完全相同，安装方便，运行可靠性高，日常维护量小。

直读式远传燃气表内部加装了内置电机阀门控制部分后，燃气公司工作人员可以通过手持抄表器或后台计算机管理系统对欠费用户发出远程开关阀指令，直读式远传燃气表通过带有无线模块的主控线路板接收指令并驱动内置电机阀门开启或关闭，有效地解决了燃气公司收费困难、欠费纠纷等问题。

四、燃气泄漏报警器

1. 燃气泄漏报警器的功能

燃气泄漏报警器是非常重要的燃气安全设备。燃气泄漏报警器通过气体传感器探测周围环境中的低浓度可燃气体，通过采样电路，将探测信号用模拟量或数字量传递给控制器或控制电路，当可燃气体浓度超过控制器或控制电路中设定的值时，控制器通过执行器或执行电路发出报警信号或执行关闭燃气阀门等动作。

燃气泄漏报警器由探测器与报警控制主机构成，广泛应用于石油、燃气、化工、油库等存在有毒气体的石油化工行业，用以检测室内外危险场所的泄漏情况，是保证生产和人身安全的重要仪器。当被测场所存在有毒气体时，探测器将气信号转换成电压信号或电流信号传送到报警仪表，仪器显示出可燃气体爆炸下限的百分比浓度值。当可燃气体浓度超过报警设定值时发生声光报警信号提示，值班人员及时采取安全措施，避免燃爆事故发生。

2. 燃气泄漏报警器的安装位置

根据使用环境及要检测气种的种类来决定探测器的安装位置。

（1）家用独立型液化石油气报警器（注：液化石油气比空气重）

报警器应与燃气灶安装在同一室内且应安装在下方距地面 30cm 以内，距炉灶 4m 以内。如图 5-18 所示。

（2）家用独立型天然气、人工煤制气报警器（注：天然气、煤制气比空气轻）

报警器应与燃气灶安装在同一室内且应安装在上方距顶棚 30cm 以内，距炉灶 8m 以内，如图 5-19 所示。

五、其他大型燃气器具

1. 燃气冷藏用具类

主要有燃气冰箱和燃气冷柜两种。它们通常均采用吸收式冷冻的原理。吸收式冷冻使用了两种互有亲和力的物质，如氨和水，或水和溴化锂等。

2. 燃气采暖、供冷用具类

主要有燃气采暖器及燃气空调机等。其采暖方式大致可分为两类，一类为集中供暖，

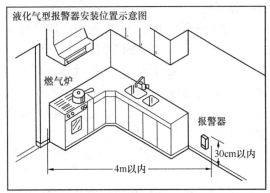

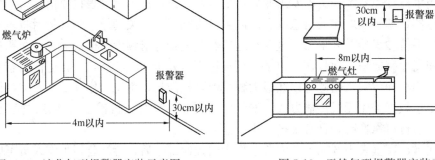

图 5-18　液化气型报警器安装示意图　　　　图 5-19　天然气型报警器安装示意图

它由一个热源产生所需的热量，用水或空气作热媒，向多处供暖；另一类是分散供暖，它根据各自需要，单独设置小型装置局部供热。前者用于大规模供暖，例如依靠锅炉的蒸气或热水供暖，有的利用热风炉以热风的形式供暖；后者用于普通家庭或小型商店，如辐射式、对流式采暖装置等。

辐射式采暖器通常有红外线采暖器、煤气火盆和陶瓷板红外线采暖器三种；对流式采暖器则有自然循环式和强制循环式采暖器两种。

3. 楼宇冷热电联产（BCHP）

楼宇冷热电联产分布式能源（Building Cooling Heating and Power，简称 BCHP），主要应用于楼宇、区域建筑（制药厂、医院、学校等）、有可燃废气或工业余热的建筑物等。它将建筑物原来的制冷、供电、采暖等系统优化整合为一个新的能源综合利用系统。

由于各种形式的能源有多种设备可使用，不同设备的组合又形成了不同的系统。因此在实际使用中，应根据建筑物的情况选择最合适的系统。下面介绍几种 BCHP 系统，以便了解能源在 BCHP 中的使用情况。

（1）蒸汽轮机＋溴冷机系统

如图 5-20 所示，在蒸汽锅炉内燃烧天然气，产生的高温高压水蒸气进入蒸汽轮机推动涡轮旋转，带动发电机发电。发电后的从蒸汽轮机流出的乏汽或从蒸汽轮机中的抽汽进入溴化锂制冷机进行制冷，同时一部分进入热交换器采暖或提供卫生热水。如果需要，还可以留出一部分蒸汽满足建筑物使用热蒸汽的需求。

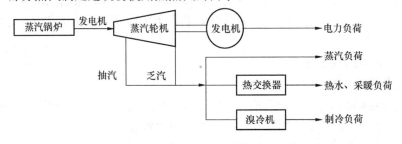

图 5-20　典型 BCHP 系统原理图

根据实际蒸汽品质，溴化锂制冷机可以选择双效（制冷＋供热）或单效（单冷机）蒸汽机。

（2）气轮机＋排气回收型冷温水机

燃气燃烧后产生高温高压烟体，进入燃气轮机，带动发电机发电。从燃气轮机中排出的烟气还保持着相当的温度（一般在400℃以上），并具有较高的含氧量。溴化锂制冷机可以直接回收排气余热进行制冷，也可以将排气作为助燃空气，补充燃气进行第二次燃烧，二次燃烧回收热效率更高，达95％以上。

（3）一体化BCHP系统

采用微型涡轮发电机＋余热利用型冷温水机，共有3种型式：

1）微型涡轮发电机＋排气直热单效冷温水机

燃气涡轮发电机的排气送入单效冷温水机，余热用于制冷或采暖。

2）微型涡轮发电机＋排气再燃型冷温水机

燃气涡轮发电机高温富氧排气（温度250℃，含氧量18％）进入冷温水机直接进行燃烧利用，提供制冷、采暖和卫生热水。

3）微型涡轮发电机＋排气再燃/热交换并联型冷温水机

燃气涡轮发电机排气余热一部分被溴冷机的稀溶液回收，另一部分参与二次燃烧，对外提供制冷、采暖和卫生热水。

任务4 建筑燃气管道施工图的识读

一、建筑燃气管道施工图的组成

1. 建筑燃气管道施工图组成

建筑燃气管道施工图包括设计总说明、庭院燃气管道平面布置图、室内燃气管道平面布置图、室内燃气管道系统图和详图、设备及主要材料表等部分。

（1）设计总说明

设计总说明是用文字对施工图上无法表示出来而又非要施工人员知道不可的内容予以说明，如工程规模、燃气种类、燃气用具情况、管道压力、管道材料、管道气密性检验方法、管道防腐方式和敷设方式、管道之间安全净距等，以及设计上对施工的特殊要求等。

（2）平面图

燃气平面图分为室内燃气管道平面图和庭院燃气管道平面布置图。庭院燃气管道平面图主要表示室外燃气管道的平面分布、管道的走向。室内燃气管道平面布置图主要包括：

1）单元燃气管道引入管的位置、引入方法。

2）室内立管、下垂管的管径、位置和坡向等。

3）燃气表的安装位置及方式。

4）室内燃气具的安装位置。

（3）系统图

燃气系统图表示燃气管道的立体走向，所用比例通常为1∶100或1∶50，也可以不按比例绘制。系统图应标注立管管径、支管的管径、水平管道坡度、管道标高墨及，活接位置、套管位置等。

2. 室内燃气管道施工图的组成

（1）室内燃气管道施工图包括平面图和系统图。根据引入管的引入位置的不同，施工图应分层表示。当管道、设备布置较为复杂，系统图不能表示清楚时，宜辅以剖面图。

（2）室内燃气管道平面图应在建筑物的平面施工图、竣工图或实际测绘平面固的基础上绘制。平面图应按直接正投影法绘制。明敷的燃气管道应采用粗实线绘制；墙内暗埋或埋地的燃气管道应采用粗虚线绘制；图中的建筑物应采用细线绘制。平面图中应绘出燃气管道、燃气表、调压器、阀门、燃具等。平面图中燃气管道的相对位置和管径应标注清楚。

（3）室内燃气管道系统图应按45°正面斜轴测法绘制。系统图的布图方向应与平面图一致，并应按比例绘制；当局部管道按比例不能表示清楚时，可不按比例。系统图中应绘出燃气管道、燃气表、调压器、阀门、管件等，并应注明规格。系统图中应标出室内燃气管道的标高、坡度等。

（4）室内燃气设备、入户管道等处的连接做法，宜绘制大样图。

二、建筑燃气管道施工图识读方法

室内燃气管道施工图的识读

（1）识读方法

识读顺序为：先识读室内燃气管道平面图，再对照室内燃气管道平面图识读室内燃气管道系统图，然后识读详图。

1）室内燃气管道平面图的识读方法

先底层平面图，然后各层平面图。识读底层平面图时，先识读燃气器具，再识读燃气管道系统的引入管、立、干、支管。

2）室内燃气管道系统图的识读方法

识读室内燃气管道系统图的方法为对照法：将室内燃气管道系统图与室内燃气管道平面图对照识读，先找出室内燃气管道系统图中与室内燃气管道平面图中相同编号的引入管和立管，然后依次识读引入管、立、干、支管。

（2）识读步骤

1）先看平面图，如图5-21是某居民楼一-五层室内燃气管道平面图。由一层燃气管道平面图5-21（a）可知，居民楼地下有一条引入管连接居民楼外墙的立管止，通过立管接入每户居民家中，底层厨房内有1个燃气表，后接两路管道。二-五层平面布置如图5-21（b）所示。

2）对照平面图，阅读燃气系统图。

对照平面图与系统图，在图5-22中找到燃气引入管，标高为－0.8m，连接立管进入每户居民，二层高于地（楼）面2.2处，由南向北设有一DN15水平支管，其上装有一个DN15的燃气表，分两路一路连接燃气灶台，另一路高出每层地（楼）面1.2处，由南向北又引出一条水平支管，直接连接至热水器。

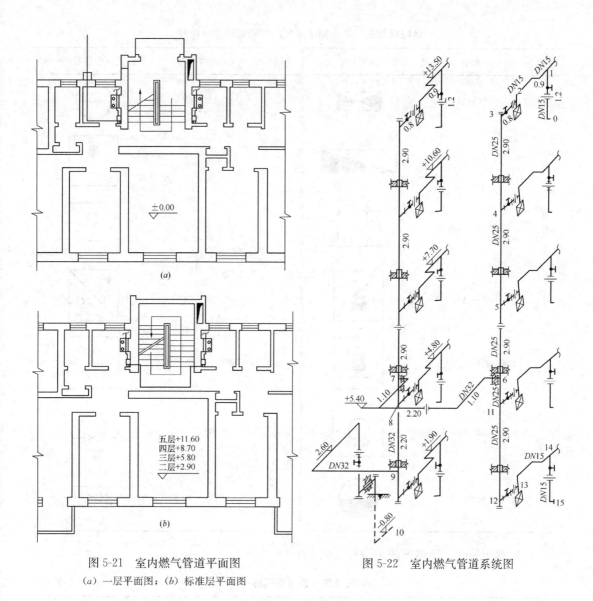

图 5-21　室内燃气管道平面图
(a) 一层平面图；(b) 标准层平面图

图 5-22　室内燃气管道系统图

三、建筑燃气管道施工图常用代号和图形符号

1. 管道符号（表 5-7）

管道名称及代号

表 5-7

序　号	管道名称	管道代号	序　号	管道名称	管道代号
1	燃气管道	G	4	人工煤气管道	M
2	高压燃气管道	HG	5	蒸汽管道	S
3	中压燃气管道	MG	6	低压燃气管道	LG

2. 图形符号

（1）区域规划图、布置图中燃气厂站的常用图形符号（表 5-8）

区域规划图、布置图中燃气厂站的常用图形符号　　　　表 5-8

序号	名称	图形符号	序号	名称	图形符号
1	气源厂	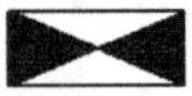	8	专用调压站	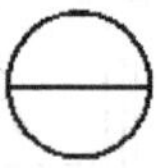
2	门站	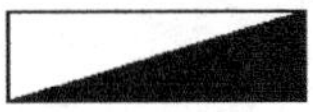	9	汽车加油站	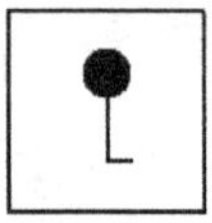
3	储配站、储存站	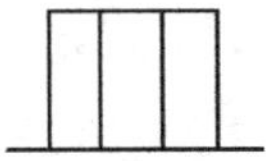	10	汽车加气站	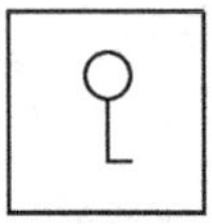
4	液化石油气储配站	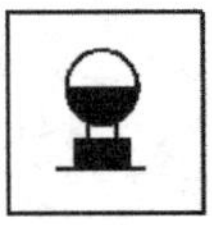	11	汽车加油加气站	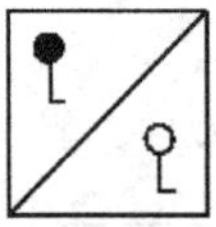
5	液化天然气储配站	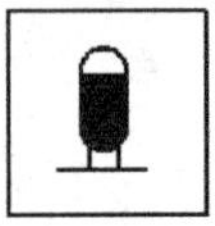	12	燃气发电站	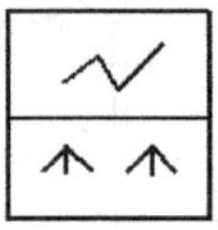
6	天然气、压缩天然气储配站	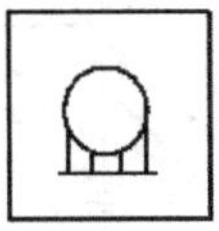	13	阀室	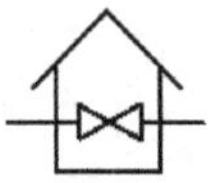
7	区域调区站	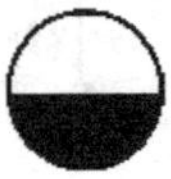	14	阀井	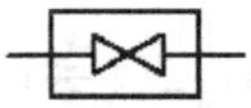

（2）常用管线、道路等图形符号（表 5-9）

常用管线、道路等图形符号　　　　表 5-9

序号	名称	图形符号	序号	名称	图形符号
1	燃气管道	—G—	13	氮气管道	—N—
2	给水管道	—W—	14	供油管道	—O—
6	热水供水管线	—H—	18	石笼稳管	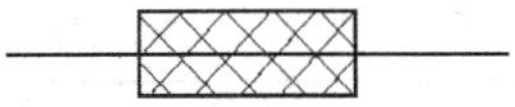
7	热水回水管线	—HR—	19	混凝土压块稳管	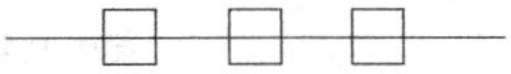
8	蒸汽管道	—S—	20	桁架跨越	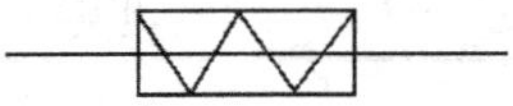

（3）室内用气设备常用符号（表 5-10）

序号	名称	图形符号	序号	名称	图形符号
1	用户调压器		8	炒菜灶	
2	皮膜燃气表		9	燃气沸水器	
3	燃气热水器		10	燃气烤箱	
4	壁挂炉、两用炉		11	燃气直燃机	
5	家用燃气双眼灶		12	燃气锅炉	
6	燃气多眼灶		13	可燃气体泄漏探测器	
7	大锅灶		14	可燃气体泄漏报警控制器	

思 考 题

5-1　什么是燃气？燃气燃烧的意义是什么？

5-2　什么是燃气的爆炸极限？天然气的爆炸极限大约是多少？

5-3　建筑燃气供应系统管道最高压力限制是多少？

5-4　简述燃气灶具包括哪些设备？

5-5　燃气热水器有哪几类？

5-6　简述容积式燃气热水器的工作原理及基本结构。

5-7　燃气热水器中的水气联动装置起什么作用？

5-8　建筑燃气供应系统由哪几部分构成？

5-9　居民用户液化石油气气瓶的使用场所有哪些要求？

5-10　建筑燃气管道施工图主要包含哪些内容？

项目6 建筑电气系统

任务1 建筑供配电系统的安装

建筑供配电系统的任务就是要经济合理地将电能安全、可靠、连续、经济地送给用户，并提高设备的利用率，减少整个地区的总备用容量，满足用户对水质、水量、水压的要求，保证用水安全可靠。

一、电力系统简介

（一）电力系统概念

电力是工农业生产、国防及民用建筑中的主要动力，在现代社会中得到了广泛的应用。用电部门除自备发电机补充供电外，几乎都是由电力系统提供电能。在电力系统中，如果每个发电厂孤立地向用户供电，其可靠性不高。如当某个电厂发生故障或停机检修时，该地区将被迫停电。为了提高供电的安全性、可靠性、连续性、运行的经济性，并提高设备的利用率，减少整个地区的总备用容量，常将许多的发电厂、电力网和电力用户连成一个整体。由发电厂、电力网和电力用户组成的统一整体称为电力系统。典型电力系统示意图如图 6-1 所示。

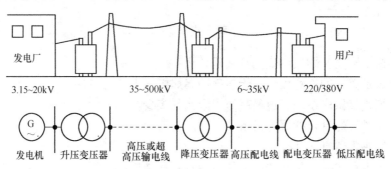

图 6-1　电力系统示意图

1. 发电厂

发电厂是将一次能源（如水力、火力、风力、地热、太阳能、核能和沼气等）转换成二次能源（电能）的场所。

2. 变电站、配电所

变电站是进行电压变换以及电能接收和分配的场所。根据变电站的性质可分为升压和降压变电站。升压变电站是将发电厂发出的电能进行升压处理，便于大功率和远距离传输。降压变电站是对电力系统的高电压进行降压处理，以便电气设备的使用。在降压变电站中，根据变电站的用途可分为枢纽变电站、区域变电站和用户变电站。

只进行电能接收和分配，没有电压变换功能的场所称为配电所。

3. 电力线路

电力线路是进行电能输送的通道。它分为输电线路和配电线路两种。输电线路是将发电厂发出的经升压后的电能送到邻近负荷中心的枢纽变电站，或由枢纽变电站将电能送到区域变电站，其电压等级一般在 220kV 以上；配电线路则是将电能从区域变电站经降压后输送到电能用户的线路，其电压等级一般为 110kV 及以下。电力用户根据供电电压分为高压用户和低压用户。如果用户电压高于 1000V 及以上，则供电线路称为高压配电线路；如果用户电压低于 1000V，则称为低压配电线路。低压用户的额定电压一般为 380/220V。

4. 电力用户

电力用户也称电力负荷。在电力系统中，一切消耗电能的用电设备均称为电力用户。按其用途可分为：动力用电设备、工艺用电设备、电热用电设备、照明用电设备等，它们分别将电能转换为机械能、热能和光能等不同形式，适应生产和生活的需要。据统计，用电设备中 70% 是电动机类设备，20% 是照明设备。

（二）电力系统的电压

1. 电压等级

电力系统的电压等级很多，不同的电压等级所起的作用不同。我国电力系统的额定电压等级主要有：220V、380V、6kV、10kV、35kV、110kV、220kV、330kV、500kV 等几种。其中 220V、380V 用于低压配电线路，6kV、10kV 用于高压配电线路，而 35kV 以上的电压则用于输电网。

对于输电线路，电压越高则输送的距离越远，输送的容量越大，线路的电能损耗越小，但相应的绝缘水平要求也越高，变压器和开关设备的价格愈高。目前最高的输电电压等级是 750kV。

2. 各种电压等级的适用范围

在我国电力系统中，较大的电力系统主干输电线一般采用 220kV 及以上的电压等级，输送距离为几百千米；中、小电力系统的主干输电线一般采用 110kV 电压等级，输送距离为 100km 左右；电力系统的二次电网以及大型工厂的内部供电一般采用 35kV 电压等级，输送距离为 30km 左右；6～10kV 电压等级用于送电距离 10km 左右的城镇和工业与民用建筑施工供电；电动机、照明等用电设备，一般采用 380/220V 三相四线制供电。3kV、6kV 是工业企业高压电气设备的供电电压。

10～110kV 配电网为高压配电网，1kV 以下配电网称为低压配电网。

（三）电能的质量

1. 频率质量

频率会直接影响着电气设备的运行，频率偏差将影响电钟的准确性，也会影响工厂产品的质量和产量。电力系统的额定频率为 50Hz。当电力系统的容量在 300 万 kW 及以上时，频率偏差允许值为 ±0.2Hz；电力系统的容量在 300 万 kW 以下时，频率偏差允许值为 ±0.5Hz。

电力系统的频率由调频系统自动装置控制，由调度机构监视和管理。

2. 电压质量

《电能质量、供电电压允许偏差》GB 12325—2008 规定，电压变动幅度不应超过以下标准：35kV 及其以上三相供电电压正、负偏差的绝对值之和不超过额定电压的 10％，若供电电压上、下偏差同号时，以较大偏差的绝对值作为依据；10kV 及其以下三相供电电压允许偏差为额定电压的 ±7％；220V 单相供电电压允许偏差为额定电压的 +7％、−10％；对供电电压允许偏差有特殊要求的用户，由供用电双方协议解决。

《供配电系统设计规范》GB 50052—2009 规定，正常运行情况下，用电设备端子处电压偏差的允许值应符合下列要求：①电动机为 ±5％；②照明：在一般场所为 ±5％；对于远离变电所的小面积一般工作场所，难以满足以上要求时，可为 +5％、−10％；应急照明、道路照明和警卫照明等为 +5％、−10％。③其他用电设备：当无特殊规定时为 ±5％。

电气设备在使用时所接受的实际电压与额定电压相同时才能获得最佳的经济效果。如果用电设备的受电电压与额定电压有偏移时，设备的特性和使用寿命都会受到影响，影响的大小取决于用电设备的特性和受电电压对额定电压偏移的大小。例如，当电压下降 10％时，白炽灯的使用寿命会延长 2~3 倍，但发光效率将下降 30％以上；当电压上升 10％时，白炽灯发光效率将提高 1/3，但其使用寿命会缩短为原来的 1/3。对于感应电动机，因为其转矩与电压的平方成正比，所以当电压低于额定电压时，转矩急剧下降，转速降低，生产效率降低，产品质量下降，同时负荷电流增加，温升增加，将缩短电动机的寿命，甚至将其烧坏；当电压高于额定电压时，负荷电流和温升也会增加，绝缘容易受损，也会缩短电动机寿命。

3. 波形质量

电力系统电压的波形应是 50Hz 的正弦波形，如果波形偏离正弦波形就称为波形畸变。

在电力系统中，发电机感应的电动势的波形畸变很小，电网本身的各级电压波形畸变也很小。但近年来随着硅整流及晶闸管换流设备的广泛使用，用户的非线性负荷大量增加，从而使电网中产生谐波电压，电能的波形质量下降，给电网带来极为严重的危害，如降低设备运行效率、加剧电气设备绝缘的老化、产生过电压或过电流、增加感应式电能表的测量误差、引起半导体继电保护误动作等。

二、电力负荷的分级及供电要求

（一）负荷分级

在电力系统上的用电设备所消耗的功率称为用电负荷或电力负荷。根据电力负荷对供电可靠性的要求及中断供电在政治、经济上所造成的损失或影响的程度，分为三级。

1. 一级负荷

符合下列条件之一的，为一级负荷：

（1）中断供电将造成人身伤亡的负荷。如医院急诊室、监护病房、手术室等的负荷。

（2）中断供电将在政治、经济上造成重大损失的负荷。如由于停电，使重大设备损坏、重大产品报废、用重要原料生产的产品大量报废、国民经济中重点企业的连续生产过程被打乱需要长时间才能恢复等的负荷。

（3）中断供电将影响有重大政治、经济意义的用电单位正常工作的负荷，如重要交通枢纽、重要通信枢纽、重要宾馆、大型体育场馆、经常用于国际活动的大量人员集中的公共场所等用电单位中的重要负荷。

在一级负荷中，当中断供电将发生中毒、爆炸和火灾等情况的负荷，以及特别重要场所的不允许中断供电的负荷，应视为特别重要的负荷。如在工业生产中正常电源中断时处理安全停产所必需的应急照明、通信系统、保证安全停产的自动装置等；民用建筑中大型金融中心的关键电子计算机系统和防盗报警系统、大型国际比赛场馆的记分系统及监控系统等。

2. 二级负荷

符合下列条件之一的，为二级负荷：

(1) 中断供电将在政治、经济上造成较大损失的负荷。如由于停电，使主要设备损坏、大量产品报废、连续生产过程被打乱需较长时间才能恢复、重点企业大量减产等的负荷。

(2) 中断供电将影响重要用电单位正常工作的负荷。如交通枢纽、通信枢纽等用电单位中的重要负荷，以及中断供电将造成大型影剧院、大型商场等较多人员集中的重要公共场所秩序混乱的负荷。

(3) 三级负荷

不属于一、二级负荷者为三级负荷。

在一个工业企业或民用建筑中，并不一定所有用电设备都属于同一等级的负荷，因此在进行系统设计时应根据其负荷级别分别考虑。

(二) 不同等级负荷对电源的要求

1. 一级负荷对电源的要求

一级负荷分为普通一级负荷和一级负荷中特别重要的负荷。

(1) 普通一级负荷应由两个电源供电，且当其中一个电源发生故障时，另一个电源不应同时受到损坏。例如，电源来自两个不同的发电厂；或电源来自两个不同的区域变电站，且区域变电站的进线电压不低于35kV；或电源来自一个区域变电站、一个自备发电设备。

(2) 一级负荷中特别重要的负荷供电，除应由双重电源供电外，尚应增设应急电源，并严禁将其他负荷接入应急供电系统。设备的供电电源的切换时间，应满足设备允许中断供电的要求。

应急电源可以是独立于正常电源的发电机组、供电网络中独立于正常电源的专用馈电线路、蓄电池、干电池等。

2. 二级负荷对电源的要求

二级负荷的供电系统应做到当发生变压器故障或线路常见故障时不致中断供电（或中断供电后能迅速恢复供电）。二级负荷宜由两条回线路供电，当电源来自于同一区域变电站的不同变压器时，即可认为满足要求。在负荷较小或地区供电条件困难时，可由一回6kV及以上专用的架空线路或电缆线路供电。当采用架空线时，可为一回架空线供电；当采用电缆线路时，应采用两根电缆组成的线路供电，且每根电缆应能承受100%的二级负荷。

3. 三级负荷对电源的要求

三级负荷对供电电源无要求，一般单电源供电即可，但在可能的情况下，也应提高其供电的可靠性。

三、建筑供电系统

建筑供电系统由高压电源、变配电所和输配电线路组成。

（一）建筑供电系统的基本方式

（1）对于100kW以下的用电负荷，一般采用380/220V低压供电即可，所以只需设立一个低压配电室。

（2）小型民用建筑的供电，一般设立一个降压变电所，把电源进线6～10kV经过降压变压器变为380/220V。

（3）对于用电负荷较大的民用建筑，且使用多台变压器时，一般采用10kV高压供电，经过高压配电所，分别送到各变压器，降为380/220V低压后，再配电给用电设备。

（4）大型民用建筑，供电电源进线可为35kV，经过两次降压，先将35kV的电压降为6～10kV，然后用高压配电线送到各建筑物变电所，再降为380/220V低压。

（二）变配电所

变配电所主要用来变换供电电压，集中和分配电能，并实现对供电设备和线路的控制与保护。

1. 变配电所的基本组成

变配电所主要由变压器室、高压配电室、低压配电室、电容器室与值班室等组成。变压器可采用油浸式或干式，安置必须合理，安全距离和散热条件必须满足。高压配电室是供电系统高压配电的中枢，主要设备有高压断路器、电流互感器、计量仪表等。低压配电室是供电系统低压配电的中枢，主要设备有隔离刀闸、空气开关、电流互感器、计量仪表等。当高压电容器较多时应设置电容器室。需要有人值班的变配电所还应设置值班室。

2. 变配电所的类型

变配电所按设置的位置可分为独立式变配电所、附设变配电所、户内变配电所、户外杆上或台上变配电所。

变配电所的型式应根据用电负荷的状况和周围环境情况确定。负荷较大的车间和站房，宜设附设变电所或半露天变电所；负荷较大的多跨厂房，负荷中心在厂房的中部且环境许可时，宜设车间内变电所或组台式成套变电站；高层或大型民用建筑内，宜设室内变电所或组合式成套变电站；负荷小而分散的工业企业和大中城市的居民区，宜设独立变电所，有条件时也可设附设变电所或户外箱式变电站；环境允许的中小城镇居民区和工厂的生活区，当变压器容量在315kVA及以下时，宜设杆上式或高台式变电所。

3. 变电所位置的选择

在确定变电所的位置时选择，应遵循以下原则：接近负荷中心；进出线方便；接近电源侧；设备运输方便；不应设在有剧烈振动、高温、多尘或有腐蚀性气体的场所；不应设在地势低洼和可能积水的场所；避免设在有爆炸危险和有火灾危险环境的正上方或正下方。

4. 对建筑的要求

（1）高压配电室宜设不能开启的自然采光窗，窗台距室外地坪不宜低于1.8m；低压配电室可设能开启的自然采光窗。配电室临街的一面不宜开窗。

（2）变压器室、配电室、电容器室的门应向外开启。相邻配电室之间有门时，此门应能双向开启。

（3）配电所各房间经常开启的门、窗，不宜直通相邻的酸、碱、蒸汽、粉尘和噪声严重的场所。

（4）变压器室、配电室、电容器室等应设置防止雨、雪和蛇、鼠类小动物从采光窗、通风窗、门、电缆沟等进入室内的设施。

（5）配电室、电容器室和各辅助房间的内墙表面应抹灰刷白。地（楼）面宜采用高标号水泥抹面压光。配电室、变压器室、电容器室的顶棚以及变压器室的内墙面应刷白。

（6）长度大于7m的配电室应设两个出口，并宜布置在配电室的两端。长度大于60m时，宜增加一个出口。当变电所采用双层布置时，位于楼上的配电室应至少设一个通向室外的平台或通道的出口。

（7）变电所建筑物各部构造要求有一定的耐火等级，变压器室为一级，其他为二级。变电所屋面应有保温、隔热、防水及排水设施。电缆沟要求水泥抹面，其盖板宜采用钢筋混凝土结构等。电缆夹层、电缆沟和电缆室，应采取防水、排水措施。

四、建筑低压配电系统

低压配电系统的功能是将电能合理分配给低压用电设备，一般由配电装置（配电柜或配电箱）和配电线路（干线及分支线）组成。配电系统应满足安全、可靠、经济等原则。低压配电系统又分为动力配电系统和照明配电系统。一栋建筑物的配电系统分支级数不宜超过三级。

（一）低压配电方式

低压配电方式是指由变电所低压配电箱（屏）分路开关至各建筑物楼层配电箱或大型用电设备干线的配线方式。常用的低压配电方式主要有以下几种：

1. 放射式

放射式配电是由总低压配电装置直接供给各分配电箱或用电设备，如图6-2（a）所示。

该配电方式由于各负载独立受电，配电线路之间相互独立，发生故障时仅限于本身，而其余回路不受影响，供电可靠性较高；但该系统所需线路多，金属材料消耗大，系统灵活性差，线路不易更改，适用于用电设备大而集中，对供电可靠性要求较高的场所。

2. 树干式

树干式配电指从总低压配电装置引出一条主干线路，由主干线不同的位置分出支线并连至各分配电箱或用电设备，如图6-2（b）所示。该配电方式线路简单，投资低，施工方便，但供电可靠性差，干线发生故障时影响范围大，适用于负荷分散，容量不大、线路较长且用电无特殊要求的场所。

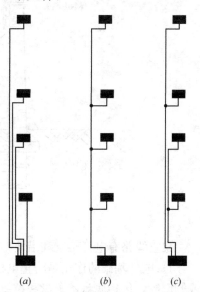

(a)　　　　(b)　　　　(c)

图 6-2　低压配电方式分类示意图
(a) 放射式；(b) 树干式；(c) 混合式

3. 混合式

放射式与树干式相结合的配电方式称为混合式，如图6-2（c）所示。该方式综合了放射式和树干式的优点，在建筑低压配电系统得到广泛应用。

一般情况下，动力负荷容量大，配电线路多采用放射式，照明负荷线路多采用树干式或混合式。

（二）低压配电线路的敷设方式

配电线路的作用是输送和分配电能，按电压等级分，1kV 及以下称为低压配电线路，1kV 以上称为高压配电线路。低压配电线路是指由变电所低压配电柜（箱）中引出至分配电箱（盘）和负载的线路，分为室外和室内配电线路。

1. 室外配电线路

室外配电线路主要有架空线路和电缆地下暗敷设线路。

（1）架空线路

架空配电线路是用电杆将导线悬空架设，直接向用户供电的电力线路，主要由电杆基础、电杆、横担、导线、绝缘子（瓷瓶）、拉线、金具及避雷装置等组成。电杆装置的结构示意图如图 6-3 所示。架空线路设备材料简单，造价低、易于发现故障和便于维修，但容易受外界环境的影响，施工难度大，对施工人员技术要求高，供电可靠性较差。

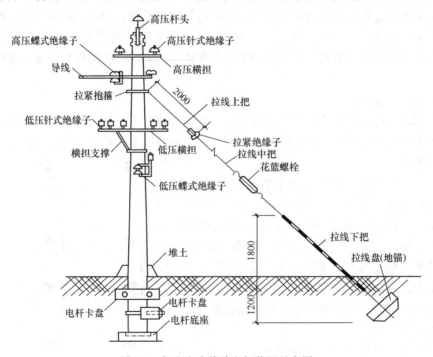

图 6-3 架空电力线路电杆装置示意图

架空线路有电杆架空和沿墙架空两种形式。

1）电杆基础的作用是防止电杆因承受垂直、水平负荷极事故负荷而发生上拔、下陷或倾倒等，包括底盘、卡盘和拉线盘。电杆基础一般均为钢筋混凝土预制件。

2）电杆用来安装横担、绝缘子及架设导线和避雷线，并使导线与大地、公路、铁路、河流、弱电线路等被跨物之间，保持一定的安全距离。电杆按材质可分为木杆、钢筋混凝土杆和金属杆；按受力可分为普通型电杆和预应力电杆；按电杆在线路中的作用可分为直线杆、耐张杆、转角杆、终端杆、跨越杆和分支杆。

3）横担用于安装绝缘子、固定开关、电抗器、避雷器等。横担按材质可分为木横担、铁横担、瓷横担三种。低压横担根据安装形式可分为正横担、侧横担及和合横担、交叉横担。

4）导线用于传输电能，应具有足够的截面积以满足发热、电压损失及机械强度的要求。架空线路可按电压等级不同而采用裸绞线和绝缘导线，常用裸绞线的种类有：裸铜绞线（TJ）、裸铝绞线（LJ）、钢芯铝绞线（LGJ）和铝合金线（HLJ）。

5）绝缘子俗称瓷瓶，用来固定导线并使导线与导线间、导线与横担间、导线与避雷线间以及导线与电杆之间保持良好的绝缘，同时承受导线的垂直荷重和水平荷重。要求绝缘子必须具有良好的绝缘性能和足够的机械强度。常用的绝缘子有针式绝缘子、蝶式绝缘子、悬式绝缘子和拉紧绝缘子等。

6）拉线的作用是平衡架空线路电杆各方向的拉力，防止电杆弯曲或倾倒。拉线主要由拉线抱箍、拉线钢索、UT形线夹、花篮螺栓、拉线棒和拉线盘等组成。拉线绝缘一般距地不应小于2.5m。

7）金具是用来固定横担、绝缘子、拉线和导线的各种金属联结件，一般统称线路金具，按其作用分为联结金具、横担固定金具和拉线金具。除地脚螺栓外，金具均应采用热浸镀锌制品。

8）避雷线的作用是把雷电流引入大地，以保护线路绝缘，免遭大气过电压（雷击）的侵袭。对避雷线的要求，除电导率较低一项外，其余各项基本上与导线相同。

架空配电线路施工的主要程序为：线路路径选择→测量定位→基础施工→杆顶组装→电杆组立→拉线组装→导线架设及弛度观测→杆上设备安装以及架空接户线安装。

若由于与建筑物之间的距离较小，无法埋设电杆，可采用导线穿钢管或电缆沿墙架空明设，架设的部位距地面高度不小于2.5m。

（2）电缆线路

电缆配电线路的特点是受外界环境影响小，人为损失少，供电可靠性高；电缆阻抗小，供电容量大；有利于美化环境；材料和安装成本高，造价约为架空线路的10倍。

电缆的敷设方式有电缆直接埋地敷设、电缆沟敷设、电缆隧道敷设、电缆桥架敷设、电缆排管敷设、穿钢管、混凝土管、石棉水泥管等管道敷设，以及用支架、托架、悬挂方法敷设等。具体敷设方式应根据电缆线路的长度、电缆数量、环境条件等综合决定。电缆敷设应遵守：①电缆敷设施工前应检验电缆电压系列、型号、规格等是否符合设计要求，表面有无损伤等。对6kV以上的电缆，应做交流耐压和直流泄露试验，6kV及以下的电缆应测试其绝缘电阻，500V电缆其绝缘电阻值应大于0.5MΩ，1000V及以上电缆绝缘电阻值应大于1MΩ/1kV。②电缆敷设时，电缆中间头及终端头附近、电缆进入电缆沟、建筑物、配电柜及穿管的出入口时应留有一定余量的备用长度，用作温度变化引起变形时的补偿和安装检修。③电缆敷设时，不应破坏电缆沟、隧道、电缆井和人井的防水层。④并联运行的电力电缆，其长度应相等。⑤在三相四线制系统中使用的电力电缆，不得采用三芯电缆外加一根单芯电缆或导线，也不可将电缆金属护套线作为中性线。⑥电缆敷设时，应将电缆排列整齐，不宜交叉，并应按规定在一定间距上加以固定，及时装设标志牌。

1）电缆直埋敷设

在同一路径上敷设的室外电缆根数超过8根，且场地有条件时，宜采用直埋电缆敷设方式。电缆直接埋设在地下，不需要复杂的结构设施，故施工简便，造价低，电缆散热好，但不宜检修和查找故障，且易受外来机械损伤和水土侵蚀。直埋电缆宜采用有外护套的铠装电缆，在无机械损伤可能的场所，也可采用塑料护套电缆或带外护套的铅（铝）包电缆。在直埋电缆线路路径上，如果存在可能是电缆收机械损伤、化学作用、地下电流、振动、热影响、腐殖物质、鼠害等的危险地段，应采用保护措施。在含有酸、碱强腐蚀或杂散电化学腐蚀的地段，电缆不宜采用直埋敷设。直埋电缆敷设应符合下列要求：

A. 直埋敷设时，电缆埋设深度不应小于 0.7m，穿越农田时不应小于 1m，并应在电缆上、下各均匀铺设 100mm 厚的软土或细沙，然后覆盖砖块或混凝土保护板，只有在引入建筑物、与地下建筑交叉及绕过地下建筑物处，可埋设浅些，但应采取保护措施。

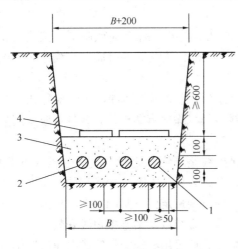

图 6-4　10kV 及以下电缆沟结构示意
1—10kV 及以下电力电缆；2—控制电缆；
3—砂或软土；4—保护板

B. 在寒冷地区，电缆应埋设于冻土层以下。电缆沟的宽度，根据电缆的根数与散热所需的间距而定。电缆沟的形状一般为梯形，如图 6-4 所示。电缆通过有振动和承受压力的地段应穿保护管。

C. 电缆与铁路、公路、街道、厂区道路交叉时，穿入保护管应超出保护区段路基或街道路面两边各 1m，管的两端宜伸出道路路基两边各 2m，且应超出排水沟边 0.5m；在城市街道应伸出车道路面。保护管的内径应不小于电缆外径的 1.5 倍，使用水泥管、陶土管、石棉水泥管时，内径不应小于 100mm。

D. 对重要回路的电缆接头，宜在其两侧约 1m 开始的局部段，按留有备用余量方式敷设电缆。电缆直埋敷设时，电缆长度应比沟槽长出 1.5%～2%，作波状敷设。

E. 电缆与建筑物平行敷设时，电缆应埋设在建筑物的散水坡外。电缆引入建筑物时，所穿保护管应超出建筑物散水坡 100mm。

F. 埋地敷设的电缆，接头盒下面必须垫混凝土基础板，其长度应伸出接头盒两侧 0.6～0.7m。

G. 电缆在拐弯、接头、终端和进出建筑物等地段，应装设明显的主位标志。直线段上应适当增设标桩，标桩露出地面一般为 0.15m。

电缆直埋敷设的施工程序如下：

电缆检查→挖电缆沟→电缆敷设→铺砂盖转→盖盖板→埋标桩。

2）电缆沟内敷设

电缆在专用电缆沟或隧道内敷设，是室内外常见的电缆敷设方法。电缆沟一般设在地面下，四周由混凝土浇筑或由砖砌成，沟顶部用防滑钢板或钢筋混凝土盖板封住。一般在同一路径敷设的电缆根数较多，而且按规划沿此路径敷设的电缆线路有所增加时，为施工及维护方便，宜采用电缆沟敷设。

电缆沟内敷设应符合下列要求：

A. 电缆沟或电缆隧道应有防水排水措施，其底部应做坡度不小于 0.5% 的排水沟。

积水可直接接入排水管道或经集水坑用泵排出。

B. 电缆沟底应平整，沟壁沟底需用水泥砂浆抹面。

C. 电缆支架的长度，在电缆沟内不宜大于 0.35m；在隧道内不宜大于 0.5m。在盐雾地区或化学气体腐蚀地区，电缆支架应涂防腐漆或采用铸铁支架。

D. 电缆敷设在电缆沟或隧道的支架上时，电缆应按下列顺序排列：高压电力电缆应放在低压电力电缆的上层；电力电缆应放在控制电缆的上层；强电控制电缆应放在弱电控制电缆的上层。若电缆沟或隧道两侧均有支架时，1kV 以下的电力电缆与控制电缆应与 1kV 以上的电力电缆分别敷设在不同侧的支架上。

E. 电缆沟宜用一定承重的防滑钢板作盖板，也可用钢筋混凝盖板，但每块盖板的重量不能超过 50kg，必要时还应将盖板缝隙密封，以免水汽、油侵入。

F. 电缆沟在进入建筑物应设防水墙。电缆隧道进入建筑物处或变电所围墙处应高带门的防水墙。防火门应采用非燃材料或防燃材料制作，并应装锁。

G. 敷设在电缆沟的电缆与热力管道、热力设备之间的净距，平行时不应小于 1m，交叉时不应小于 0.5m。如果受条件限制，无法满足净距要求，则应采取隔热保护措施。

电缆沟一般由土建专业施工，砌筑沟底、沟壁，沟壁上用膨胀螺栓固定电缆支架，也可将支架直接埋入沟壁。电缆沟的宽度应根据土质情况、人体宽度、沟深、电缆条数和电缆间距离来确定。在电缆沟开挖前应先挖样坑，以帮助了解地下管线的布置情况和土质对电缆护层是否会有损害，以进一步采取相应措施。样坑的宽度和深度一定要大于施放电缆本身所需的宽度和深度。

电缆沟应垂直开挖，不可上狭下宽或淘空挖掘，开挖出来的泥土与其他杂物应分别堆置于距沟边 0.3 以外的两侧，这样既可避免石块等硬物滑进沟内使电缆受到机械损伤，又留出了人工牵引电缆时的通道，还方便电缆施放后从沟边取细覆盖电缆。人工开挖电缆沟时，电缆沟两侧应根据土壤情况留置边坡，防止塌方。

在土质松软的地段施工时，应在沟壁上加装护土板，以防挖好的电缆沟坍塌。在挖沟时，如遇到有坚硬的石块，砖块和含有酸、碱等腐蚀物质的土壤，应清除干净，调换成无腐蚀性的松软土质。

在有地下管线地段挖掘时，应采取措施防止损伤管线。在杆塔或建筑物附近挖沟时，应采取防止倒塌的措施。直埋电缆沟在电缆转弯处要挖成圆弧形，以保证电缆的弯曲半径。在电缆接头的两端以及电缆引入建筑物和引上电杆处，要挖出备用电缆的余留坑。

当电缆沟全部挖出后，应将沟底铲平夯实。

3）电缆桥架敷设

电缆桥架是由托盘、梯架的直线段、弯通、附件及支、吊架等构成，是用以支撑电缆的连续性刚性结构系统的总称。电缆桥架按结构形式分为托盘式、梯架式、组合式、全封闭式；按材质分为钢电缆桥架和铝合金电缆桥架。电缆桥架的特点是制作工厂化、系列化、安装及维修方便、安装后整齐美观，多用于工业厂房和高层建筑中，图 6-5 为电缆桥架无孔托盘结构示意图。

电缆桥架安装技术要求如下：

A. 相关建筑物、构筑物的建筑工程均完工，并且工程质量符合国家现行的建筑工程质量验收规范。

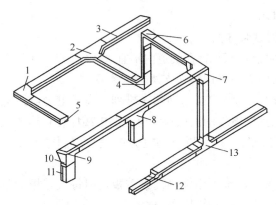

图 6-5　无孔托盘结构示意图

1—水平弯通；2—水平三通；3—直线段桥架；4—垂直下弯通；5—终端板；6—垂直上弯通；7—上角垂直三通；8—上边垂直三通；9—垂直右上弯通；10—连接螺栓；11—扣锁；12—异径接头；13—下边垂直三通

B. 配合土建结构施工过墙、过楼板的预留孔（洞），预埋铁件的尺寸应符合设计规定。电缆托盘、梯架经过伸缩沉降缝时，电缆桥架、梯架应断开，断开距离以100mm左右为宜。电缆桥架在穿过防火墙及防火楼板时，应采取防火隔离措施。

C. 电缆沟、电缆隧道、竖井内、顶棚内、预埋件的规格尺寸、坐标、标高、间隔距离、数量不应遗漏，应符合设计图规定。电缆桥架（托盘、梯架）水平敷设时的距地高度，一般不宜低于2.5m；无孔托盘（槽式）桥架距地高度可降低到2.2m。垂直敷设时应不低于1.8m。低于上述高度时应加金属盖板保护，但敷设在电气专用房间（如配电室、电气竖井、电缆隧道、技术层）内的除外。

D. 电缆桥架安装部位的建筑装饰工程全部结束；通风、暖卫等各种管道施工已经完工；材料、设备全部进入现场经检验合格。

E. 为保证线路运行安全，不同用途、不同电压的电缆不宜敷设在同一层桥架上。

F. 电缆桥架内的电缆应在首端、尾端、转弯及每隔50m处，设置编号、型号、规格及起止点等标记。

电缆线路施工完毕，经试验合格后办理交接验收手续方可投入运行。电力电缆的试验项目如下：

①测量绝缘电阻。

②直流耐压试验并测量泄漏电流。

③检查电缆线路的相位，要求两端相位一致，并与电网相位相吻合。

电缆施工质量检查及验收方法包括：

①电缆规格应符合规定。电缆应排列整齐，无机械损伤。电缆标示牌应装设齐全、正确、清晰。

②电缆固定、弯曲半径、有关距离和单芯电力电缆的金属护层的接线、相序排列等应符合要求。

③电缆终端、电缆接头及充油电缆的供油系统应安装牢固，不应有渗漏现象。充油电缆的油压及表计整定值应符合要求。

④应接地良好。充油电缆及护层保护器的接地电阻应符合设计。

⑤电缆终端的相别标志色应正确。电缆支架等的金属部件防腐层应完好。

⑥电缆沟、电缆隧道内无杂物，盖板齐全，照明、通风、排水等设施应符合设计。

⑦直埋电缆路径标志，应与实际路径相符。路径标志应清晰、牢固，间距适当，在直埋电缆直线段每隔50～100m处、电缆接头处、转弯处、进入建筑物等处，都应有明显的方位标志或标桩。

⑧防火措施应符合设计，且施工质量合格。

⑨隐蔽工程应在施工过程中进行中间验收，并做好签证。

2. 室内配电线路

敷设在建筑物内部的配线，统称为室内配线或室内配线工程。按线路敷设方式，可以分为明敷和暗敷两种。不论哪种敷设方式均应符合电气装置安装安全、可靠、经济、方便和美观的原则。

室内配线工程应满足以下要求：

1）所用导线的额定电压应大于线路的工作电压。导线的绝缘应符合线路安装方式和敷设环境的条件。导线截面应满足供电负荷和机械强度的要求。

2）导线敷设时，应尽量避免接头。若必须接头，应保证接头牢靠，接触良好。

3）导线在连接处或分支处，不应受机械作用。导线与设备界限端子，连接要可靠。

4）穿在管内的导线，在任何情况下不得有接头，必须接头时，应把接头放在接线盒、灯头盒或开关盒内。

5）导线穿越墙体、楼板时，应加装保护管。穿越墙体时，保护管的两端出线口伸出墙面距离不应小于10mm；穿越楼板时，保护管上端距地面不小于1.8m，下端口到楼板为止。

6）导线相互交叉时，为避免碰线，应在每根导线上套绝缘管保护，并将套管牢靠的固定。

7）各种明配线应垂直和水平敷设，要求横平竖直。一导线水平高度距地不小于2.5m；垂直敷设不低于1.8m，否则应加管、槽保护，以防机械损伤。

8）导线穿过建筑物、构筑物的伸缩缝或沉降缝时，应装设补偿装置，导线应留有余量。

（1）明线敷设

明线敷设就是将导线直接或穿管敷设于建筑物的墙壁、顶棚、桁架、柱子等表面。该敷设方式安装简便、易于维修、造价低，但影响室内美观，易受有害气体腐蚀和机械损伤而发生事故。明线敷设主要用于原有建筑物的电气改造或因土建无条件而不能采用暗敷设线路的建筑。

室内线路的明敷设常采用瓷夹、瓷瓶、槽板、线槽、塑料护套线及穿管等配线方式（现代建筑物中较少采用瓷夹、瓷瓶的配线方法）。不论采用何种配线方式进行明配线，都应做到横平竖直。

1）塑料护套线配线

采用铝片线卡固定塑料护套线的配线方式，称为塑料护套线配线。塑料护套线具有防潮和耐腐蚀等性能，可用于比较潮湿和有腐蚀性的特殊场所。塑料护套线多用于照明线路，可以直接敷设在楼板、墙壁等建筑物表面上，但不得直接埋入抹灰层内暗设或建筑物顶棚内。室外受阳光直射的场所不宜明配塑料护套线。

塑料护套线一般是在木结构；砖、混凝土结构；沿钢索上敷设，以及在砖、混凝土结构上粘接。塑料护套线在砖、混凝土结构上敷设的施工程序是：测位、划线、打眼、埋螺钉、下过墙管、上卡子、装盒子、配线、焊接线头。

2）槽板配线

将绝缘导线敷设在木槽板或塑料槽板内，上部用盖板把导线盖住，使导线不外露。槽板配线整齐美观、使用安全、造价低，适用于负荷小、干燥的民用建筑和古建筑的修复，房屋内照明线路及室内线路的改造。

槽板配线施工程序是：定位划线、槽板固定、敷设导线、固定盖板。

3）线槽配线

将导线敷设于塑料线槽或金属线槽内的配线方式，称为线槽配线。塑料线槽采用非燃性塑料制成，有槽体和槽盖两部分组成，槽盖和槽体挤压结合。塑料线槽配线方式安装、维修及更换导线方便，适用于正常环境的室内场所，特别是潮湿及酸碱腐蚀的场所，但在高温和易受机械损伤的场所不宜使用。

金属线槽多由厚度为 0.4～1.5mm 的钢板或镀锌薄钢板制成，适用于正常环境的室内场所明配，但不适用于有严重腐蚀的场所。具有槽盖的封闭式金属线槽，其耐火性能与钢管相似，可敷设在建筑物的顶棚内。

4）穿管明配线

穿管明配线是将导管敷设于墙壁、桁架等建筑物的表面明露处，绝缘导线穿在导管内的配线方式。常用的导管有塑料管（PVC 管）、水煤气管、薄壁钢管、金属软管和瓷管等。导管配线安全可靠，可避免腐蚀性气体的侵蚀和机械损伤，更换导线方便，普遍应用于重要公用建筑和工业厂房中，以及易燃、易爆和潮湿的场所。

穿钢管明配线施工程序是：定位、锯管、套丝、弯管、钢管连接、钢管固定、焊接地跨接线、管内穿线等。

（2）暗管敷设

暗线敷设就是在建筑土建工程施工过程中将管子预先埋入建筑物的墙壁、顶棚、地板及楼板内，再将导线穿入管内。这种敷设方式不影响建筑物的美观整洁，而且能防潮和防止导线受到机械损伤和有害气体的侵蚀。但该配线方式管材耗费高，一次性投资大，安装费用高，由于导线穿在管内，管子又是暗敷设，施工、维护困难。暗线敷设主要用于新建筑物、装修要求较高场所及易引起火灾和爆炸的特殊场所。所用管材一般有钢管、PVC阻燃硬塑料管、半硬塑料管、波纹塑料管等。钢管由于造价高、施工困难，一般用于一类建筑电气配线及特殊场合的配线。而半硬塑料管由于具有可挠性、造价低、易加工、具有一定阻燃性、施工方便的特点，目前得到普遍应用。

钢管在现浇混凝土楼板、柱、墙内暗敷设时，应在土建钢筋绑扎完毕后进行。暗配的钢管、接线盒、配电箱、开关盒、插座盒等可用细钢丝绑扎固定，也可焊接固定在结构钢筋上，固定后应对管口、箱或盒的开口进行封口保护，防止浇混凝土时被堵。钢管在砖墙内暗敷设时，应在土建砌墙时，将钢管、配电箱、开关盒、插座盒等埋设在相应位置，注意防止砂浆流入管、箱、盒内造成堵塞。室内配线工程质量控制见表 6-1、表 6-2。

室内布线工程施工主控项目质量要求 表 6-1

项　　目	验　收　要　求
金属导管、金属线槽的接地或接零	金属导管和金属线槽必须接地或接零可靠，并符合下列规定： 1）镀锌的钢导管、可挠性导管和金属线槽不得熔焊跨接接地线，以专用接地卡跨接的两卡间连接为铜芯软导线，截面面积不小于 4mm²。 2）当非镀锌钢管采用螺纹连接时，连接处两端焊跨接接地线；当镀锌钢管采用螺纹连接时，连接处两端用专用接地卡固定跨接地线。 3）金属线槽不做设备的接地导体，当设计无要求时，金属线槽全长不少于 2 处与接地或接零干线连接。 4）非镀锌金属线槽间连接板的两端跨接铜芯接地线，镀锌线槽间连接板的两端不跨接接地线，但连接板两端有不少于两个防松螺母或放松螺栓的连接固定螺栓

项　目	验　收　要　求
金属导管的连接	金属导管严禁对口熔焊连接；镀锌和壁厚小于 2mm 的钢导管不得套管熔焊连接
绝缘导管在砌体内剔槽埋设	当绝缘导管在砌体内剔槽埋设时，应采用强度等线不小于 M10 的水泥砂浆抹面保护，保护层厚度大于 15mm
爆炸危险环境照明线路电线选用和穿管	爆炸危险环境下照明线路电线的额定电压不得低于 750V，且电线必须穿于钢管内
槽板敷设和木槽板阻燃处理	槽板敷设应紧贴建筑物表面，且横平竖直、牢固可靠，严禁用木楔固定；木槽板应经过阻燃处理，塑料槽板表面应有阻燃标识
低压电线、电缆绝缘电阻	低压电线、电缆，线间和线对地间的绝缘电阻值必须大于 0.5MΩ

室内布线工程施工一般项目质量要求　　　　　　　　　　　表 6-2

项　目	验　收　要　求
埋地导管的选择与埋深	室外埋地敷设的导管埋深不应小于 0.7m；壁厚小于等于 2mm 的钢制电线导管不应埋设于室外土壤中
导管管口设置与处理	室外导管的管口应设置在盒、箱内。落地式配电箱内管口，箱底无封板时，管口应高出基础面 50～80mm。所有管口在穿入电线后应作密封处理。由箱式变电所和落地式配电箱引向建筑物的导管，建筑物一侧导线管管口应设在建筑物内
金属导管的防腐	金属导管内外壁应作防腐处理；埋设于混凝土内的导管内壁应作防腐处理，外壁可以不作防腐处理
柜、台、箱、盘内导管管口高度	室内进入落地柜、台、箱、盘内的导管管口，应高出基础面 50～80mm

暗配管埋深和明配管规定	暗配导管埋设深度与建筑物表面的距离不应小于 15mm；明配导管应排列整齐，固定点间距均匀，安装牢固；中断、弯头中点或距柜、台、箱、盘等边缘距离为 150～500mm 之间应设管卡，中间直线段管卡间最大距离应符合下表规定

敷设方式	导管种类	导管直径（mm）				
		15～20	25～32	32～40	50～65	65 以上
		管卡间最大距离/mm				
支架敷设或沿墙明敷设	壁厚＞2/mm 钢管	1.5	2.0	2.5	2.5	3.5
	壁厚≤2/mm 钢管	1.0	1.5	2.0		
	硬质绝缘导管	1.0	1.5	1.5	2.0	2.0

线槽固定及外观检查	线槽应安装牢固，扭曲变形，紧固件的螺母应在线槽外侧
防爆导管的连接、接地、固定和防腐	防爆导管敷设应符合下列规定： 1）导管间以及与灯具、开关、线盒等的螺纹连接处紧密牢固，除设计有特殊要求外，连接外不跨接地线，在螺纹上涂以电力复合酯或导电性防锈酯。 2）安装牢固顺直，镀锌层锈蚀或剥落处作防腐处理

项　目	验　收　要　求
绝缘导管的连接和保护	绝缘导管敷设应符合下列规定： 1) 管口平整光滑，管与管、管与盒等器件采用插入法连接时，连接处结合面涂以专用胶合剂，接口牢固密封。 2) 直埋于地下或楼板内的硬质绝缘导管，在穿出地面或楼板易受机械损伤的一段应采取保护措施。 3) 当设计无要求时，埋设参墙内或混凝土内的绝缘导管，宜采用中型以上的导管。 4) 沿建筑物表面和支架上敷设的硬质绝缘导管，按设计要求装设温度补偿装置
柔性导管的长度、连接和接地	金属、非金属柔性导管敷设应符合下列规定： 1) 钢性导管径柔性导管与电气设备、器具连接时，柔性导管的长度在动力工程中不大于0.8m，在照明工程中不大于1.2m。 2) 可挠金属管或其他柔性导管与钢性导管或电气设备、器具间的连接采用专用接头；复合型可挠金属或其他柔性导管的连接处应密封良好，防潮覆盖层完整无损。 3) 可挠金属导管和金属柔性导管不能作接地或接零的接续导体
导管和线槽在建筑物变形缝处的处理	导管和线槽在建筑物变形缝处，应作补偿装置
电线管内清扫和管口处理	电线穿管前，应清除管内杂物和积水。管口应有保护措施，不进入接线盒的垂直管口在穿入电线后管口应密封

任务2　建筑电气照明系统的安装

一、电气照明基础知识

电气照明是建筑物的重要组成部分，良好的照明环境是保证人们进行正常工作、学习和生活的必要条件。照明还能对建筑进行装饰，表现建筑物的美感。

1. 常用的光学物理量

（1）光通量

光通量是指光源在单位时间内，向空间发射出使人产生光感觉的能量，也称为发光量，用符号 Φ 表示，单位为 lm（流明）。

光通量是光源的一个基本参数，是说明光源发光能力的基本量。例如，一只 220V、40W 的白炽灯发射的光通量为 350lm，而一只 220V、36W 荧光灯发射的光通量为 2000lm 以上，是白炽灯的几倍。光通量越大，人对周围环境的感觉越亮。

（2）发光强度

发光强度简称光强，是指发光体在给定方向的立体角内传输的光通量与该立体角之比，即单位立体角的光通量。发光强度的符号为 I，单位为坎德拉（cd），是国际单位制中七个基本单位之一，$1cd=1lm/sr$。

（3）亮度

亮度是指单位投影面积上的发光强度。亮度的符号为 L，单位为坎德拉/米^2（cd/m^2）。亮度表示物体的明亮程度。

（4）照度

表面上一点的照度是入射在包含该点的面元上的光通量与该面元面积之比。照度的符号为 E，单位为勒克斯（lx），$1lx=1lm/m^2$。照度表示被照物体表面的被照亮程度。

《建筑照明设计标准》GB 50034—2013 对几种场所的照度标准值进行了规定，见表 6-3、表 6-4 和表 6-5。

居住建筑照明标准值　　　　　　　　　　　　　　　　　　　表 6-3

房间或场所		参考平面及其高度	照度标准值 （lx）	Ra
起居室	一般活动	0.75m 水平面	100	80
	书写、阅读		300*	
卧室	一般活动	0.75m 水平面	75	80
	床头、阅读		150*	
餐厅		0.75m 餐桌面	150	80
厨房	一般活动	0.75m 水平面	100	80
	操作台	台面	150*	
卫生间		0.75m 水平面	100	80
电梯前厅		地面	75	60
走道、楼梯间		地面	50	60
车库		地面	30	60

办公建筑照明标准值　　　　　　　　　　　　　　　　　　　表 6-4

房间或场所	参考平面及其高度	照度标准值（lx）
普通办公室	0.75m 水平面	300
高档办公室	0.75m 水平面	500
会议室	0.75m 水平面	300
接待室、前台	0.75m 水平面	300
营业厅	0.75m 水平面	300
设计室	实际工作面	500
文件整理、复印、发行室	0.75m 水平面	300
资料、档案室	0.75m 水平面	200

学校建筑照明标准值　　　　　　　　　　　　　　　　　　　表 6-5

房间或场所	参考平面及其高度	照度标准值（lx）
教室	课桌面	300
实验室	实验桌面	300
美术教室	桌面	500
多媒体教室	0.75m 水平面	300
教室黑板	黑板面	500

2. 照明质量

（1）照度水平

照度决定物体的明亮程度。合理的照度能够提高工作效率，保护人眼的视力。不同场所对照度的要求不同，除应满足《建筑照明设计标准》GB 50034—2013 规定的照度标准值外，有些情况下还需要将照度标准值提高一级。例如，对视觉要求高的精细作业的场所、视觉作业对操作安全有重要影响的场所、连续长时间紧张的视觉作业且对视觉器官有不良影响的场所等。在进行很短时间的作业时，或作业精度、速度无关紧要时，也可将照度标准值降低一级。

（2）照度均匀度

照度均匀度是指规定表面上的最小照度与平均照度之比。室内照度的分布应具有一定的均匀度，合理的照度均匀度能够减轻因频繁适应照度变化较大的环境而对人眼造成的视觉疲劳，并防止因亮度差别过大而产生的不适眩光。

照度均匀度应满足以下要求：

1）公共建筑的工作房间和工业建筑作业区域内的一般照明照度均匀度，不应小于0.7，而作业面邻近周围的照度均匀度不应小于0.5。

2）房间或场所内的通道和其他非作业区域的一般照明的照度值不宜低于作业区域一般照明照度值的1/3。

（3）眩光限制

眩光是指由于视野中的亮度分布或亮度范围的不适宜，或存在极端的对比，以致引起不舒适感觉或降低观察细部或目标的能力的视觉现象。眩光会产生不舒适感，严重的还会损害视觉功效，所以工作必须避免眩光干扰。可用下列方法防止或减少眩光：避免将灯具安装在干扰区内；采用低光泽度的表面装饰材料；限制灯具亮度；照亮顶棚和墙表面，但避免出现光斑。

（4）光源颜色

光源的发光颜色与温度有关，当温度不同时，光源发出光的颜色不同，光源的显色性也不同。一般用显色指数评价光源的显色性。显色指数越高，光源的显色性越好。显色指数是指在具有合理允差的色适应状态下，被测光源照明物体的心理物理色与参比光源照明同一色样的心理物理色符合程度的度量。长期工作或停留的房间或场所，照明光源的显色指数不宜小于80。在灯具安装高度大于6m的工业建筑场所，显色指数可低于80，但必须能够辨别安全色。

二、照明的种类和方式

（一）照明的种类

1. 正常照明

正常照明是指在正常情况下使用的室内外照明。

2. 应急照明

应急照明是指因正常照明的电源失效而启用的照明。应急照明包括：

（1）疏散照明

疏散照明是在正常照明因故障熄灭后，为了避免发生意外事故，而需要对人员进行安全疏散时，在出口和通道设置的指示出口位置及方向的疏散标志灯和照亮疏散通道而设置的照明。疏散照明的地面水平照度不宜低于 0.5lx。

（2）安全照明

安全照明是指用于确保处于潜在危险之中的人员安全的照明，如使用圆盘锯等作业场所。工作场所的安全照明照度不应低于该场所正常照明的 5%。

（3）备用照明

备用照明是在当正常照明因故障熄灭后，可能会造成爆炸、火灾和人身伤亡等严重事故的场所，或停止工作将造成很大影响或经济损失的场所而设的继续工作用的照明，或在发生火灾时为了保证消防能正常进行而设置的照明。一般场所的备用照明照度不应低于正常照明的 10%。

应急照明应选用能快速点燃的光源，如白炽灯、卤钨灯、荧光灯，因为这些灯在正常照明断电时可在几秒内达到标准流明值；对于疏散标志灯还可采用发光二极管（LED）。采用高强度气体放电灯则达不到快速点燃的要求。

3. 值班照明

值班照明是指在非工作时间里，为需要值班的车间、商店营业厅、展厅等大面积场所提供的照明。它对照度要求不高，可以利用工作照明中能单独控制的一部分，也可利用应急照明，对其电源没有特殊要求。

4. 警卫照明

警卫照明是指在重要的厂区、库区等有警戒任务的场所，为了防范的需要，应根据警戒范围的要求设置的照明。

5. 障碍照明

障碍照明是指在有危及航行安全的建筑物、构筑物上，根据航行要求而设置的照明。例如，在飞机场周围建设的高楼、烟囱、水塔等，对飞机的安全起降可能构成威胁，应按民航部门的规定，装设障碍标志灯。船舶在夜间航行时航道两侧或中间的建筑物、构筑物或其他障碍物，可能危及航行安全，应按交通部门有关规定，在有关建筑物、构筑物或障碍物上装设障碍标志灯。

（二）照明的方式

照明方式是指照明设备按照安装部位或使用功能而构成的基本形式。一般分为以下几种。

1. 一般照明

一般照明是指为照亮整个场所而设置的均匀照明。为照亮整个场所，除旅馆客房外，均应设一般照明。

2. 分区一般照明

分区一般照明是指对某一特定区域，如进行工作的地点，设计成不同的照度来照亮该区域的一般照明。同一场所的不同区域有不同照度要求时，为节约能源，贯彻照度该高则高和该低则低的原则，应采用分区一般照明。

3. 局部照明

局部照明是指特定视觉工作用的、为照亮某个局部而设置的照明。如在书房、舞台等场所使用的台灯、射灯等就属于局部照明。在一个工作场所内，如果只设局部照明往往形成亮度分布不均匀，从而影响视觉作业，故不应只设局部照明。

4. 混合照明

混合照明是指由一般照明与局部照明组成的照明。对于部分作业面照度要求较高，但作业面密度又不大的场所，若只装设一般照明，会大大增加安装功率，而采用混合照明的方式（增加局部照明来提高作业面照度），则既可以满足照度要求又可以节约能源。

三、常用照明电光源和灯具

（一）电光源的分类

电光源是指将电能转化为光能的设备。在照明工程中使用的各种各样的电光源，根据发光原理的不同，可分为热辐射发光光源、气体放电发光光源和其他发光光源。

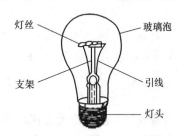

图 6-6　普通白炽灯结构图

1. 热辐射发光光源

（1）白炽灯

白炽灯是最早出现的电光源，它是依靠钨丝通过电流时被加热至白炽状态而发光的热辐射光源。白炽灯由灯头、玻璃泡、支架、钨丝及惰性气体构成，如图 6-6 所示。白炽灯的优点是结构简单、使用方便、价格便宜、无频闪现象、能瞬间点燃、显色性能好等。缺点是光效很低，对电压变化较敏感，且由于钨丝在高温时存在蒸发现象，所以寿命较短，抗震性差。

白炽灯种类较多，有普通白炽灯、信号灯、指示灯、磨砂灯、乳白灯、彩色灯等。其灯头型式有螺口和插口两种。

（2）卤钨灯

卤钨灯是在白炽灯的基础上改进而来的，工作原理与普通白炽灯基本一致，不同的是卤钨灯泡内填充的气体含有部分卤族元素或卤化物。卤素物质的作用是，当灯泡通电工作时，从灯丝蒸发出来的钨，在灯泡壁区域内与卤素化合，形成一种挥发性的卤钨化合物。该化合物扩散到较热的灯丝周围时，分解为卤素和钨，释放出的钨沉积在灯丝上，卤素可在温度较低的灯泡壁附近与钨再次化合，从而形成卤钨循环。这样就抑制了钨的蒸发，不仅延长了卤钨灯的使用寿命，而且提高了光效。卤钨灯的结构如图 6-7 所示。

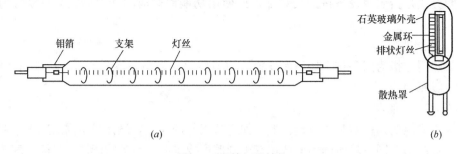

(a)　　　　　　　　　　　　　　　　　　　(b)

图 6-7　卤钨灯的结构

(a) 管形卤钨灯；(b) 柱形卤钨灯

根据充入灯泡内卤素的不同，卤钨灯可分为碘钨灯和溴钨灯；按外形的不同可分为管形卤钨灯和柱形卤钨灯。卤钨灯的优点是体积小、功率大、光色好、光效高、寿命长；缺点是电压变化较敏感，不耐振动。卤钨灯主要用在大范围照明的场所，如广场、工地照明等。

卤钨灯不能在低温环境下工作。双端卤钨灯的灯管应水平安装，倾斜角度不得超过4°。灯具周围应无易燃物质，且避免振动和撞击。

2. 气体放电发光光源

（1）荧光灯

荧光灯是低压汞蒸气放电灯。在外加电压作用下，汞蒸气放电会产生大量紫外线和少量的可见光，紫外线激活管内壁涂敷的荧光粉发出的光与可见光混合在一起，发出的光接近于白色，故荧光灯又称日光灯。荧光粉的化学成分不同，荧光灯发出的光颜色也将不同，常见的有日光色（RR）、冷光色（RL）、白色（RB）、白炽灯色（RD）和三基色（YZS）（即由蓝、绿、红三色光混合而成的白光）。

荧光灯一般由灯管、启动器、镇流器和补偿电容组成，如图6-8～图6-10所示。灯管两边有钨丝电极，电极表面涂有氧化钡，灯管内壁涂有荧光粉，管内充有氩气和少量的汞。启动器由封装在玻璃泡内的一个固定的静触片和用双金属片制成U形的动触片组成，玻璃泡内充有氖气。当接通电源后，静触片和动触片在电压作用下产生辉光放电，使玻璃泡内的温度迅速升高，双金属片受热膨胀使动触片与静触片接触，电路闭合，同时辉光放电结束，玻璃泡内的温度降低，双金属片恢复原状，动、静触片分开。电感式镇流器的内部是一只绕在硅钢片铁芯上的电感线圈，其自感系数很大。当启动器的动、静触片分开的瞬间，线圈产生很高的电压脉冲，从而使灯管两电极之间产生弧光放电，灯管点燃。荧光灯点燃后，启动器端的电压较低，不能使其产生辉光放电而处于常开状态。为消除启动器断开时对周围电子设备产生电磁干扰，所以在启动器内并联一个小电容。

荧光灯的电路如图6-11所示。

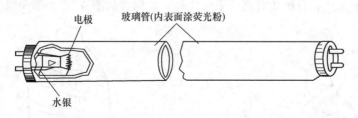

图 6-8　双端荧光灯的构造

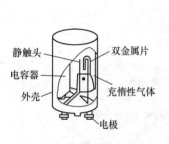

图 6-9　启动器的构造

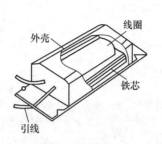

图 6-10　镇流器的构造

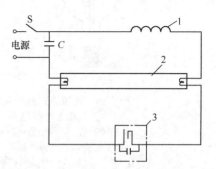

图 6-11　荧光灯电路接线图
1—镇流器；2—灯管；3—启动器

荧光灯的分类方式有多种。根据形状不同分为直管形和紧凑形荧光灯，根据电源加电端不同分为单端（图6-12）和双端荧光灯，根据启动方式分为预热启动、快速启动和瞬时启动等。单端荧光灯按照放电管的数量和形状的不同又可分为单管、双管、四管、多管、方形、环形荧光灯等类型。

双曲灯　　　　环形荧光灯　　　双D灯　　　　H灯

图6-12　常见的单端荧光灯

荧光灯的优点是发光效率高（是相同功率白炽灯的2～5倍）、显色性好、表面亮度低、光线柔和、寿命长（约为2000～10000h）、眩光影响小，光谱接近日光等。新型直管T5型荧光灯，比T8、T12型荧光灯的光效更高，环保、节能效果更明显。环形荧光灯的光源集中、照度均匀且造型美观，在家庭居室照明中应用较多。紧凑型节能荧光灯兼具白炽灯和荧光灯二者的优点，具有较好的显色性和较高的光效，且寿命长、使用方便，可制成各种造型新颖的台灯、吊灯、装饰灯等，广泛应用于家庭、宾馆、办公室等场所的照明。荧光灯的缺点是功率因数低，约为0.5，在低温环境中难启动，频闪效应严重，附件多，不宜频繁开关。

（2）高压汞灯

高压汞灯也叫高压水银灯，常用于车间、施工现场等需要大面积照明的场所。按构造的不同分为外镇流式和自镇流式高压汞灯两种，其构造如图6-13和图6-14所示。

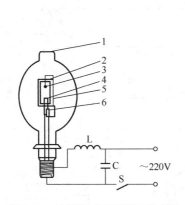

图6-13　外镇流式高压汞灯的构造
和工作线路图

1—外泡壳；2—放电管；3—主电极1；
4—主电极2；5—辅助电极；6—灯丝；
L—镇流器材，C—补偿电容器；S—开关

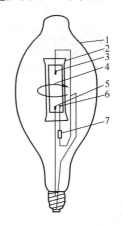

图6-14　自镇流高压
汞灯的构造

1—外泡壳；2—石英内管；3—主极1；
4—自镇流灯；5—主极2；6—辅助电极；
7—电阻

自镇流式高压汞灯去掉了镇流器，采用自镇流灯丝，不需要任何附件，旋入灯座即可点燃，较外镇流式高压汞灯结构简单。高压汞灯的优点是发光效率高、省电、耐振、耐

178

热、寿命长、发光强等。缺点是点燃和再点燃的时间较长，启动一般需 4～8min，再点燃需 5～10min。对电压变化敏感，当电压波动过大时，会导致灯自动熄灭。

（3）高压钠灯

高压钠灯的发光原理与荧光灯类似，除灯管外也需要镇流器和启动器（采用双金属片开关），通过高压钠蒸气放电而发出金白色光。其结构如图 6-15 所示。高压钠灯的放电管内除钠外，还充入汞和惰性气体（氙或氩）。高压钠灯按泡壳分为普通型和漫射椭圆形；按触发方式不同分为内启动型（不需要触发器）和外触发型，目前应用较多的是采用外触发型。高压钠灯的发光效率较高，约为高压汞灯的两倍，属节能型光源。它结构简单，使用平均寿命长，紫外线辐射小，不会招引飞虫；透雾性能和耐振性能好，受环境温度变化影响小，特别适合交通道路照明。其缺点是对电压偏移较为敏感，电源电压过高或过低，灯泡的正常燃点和寿命将会受较大影响。

使用时需注意：灯泡必须按线路图正确接线，并与相应的专用镇流器、触发器配套使用；避免使灯头温度高于 250℃，在重要场合及安全性要求高的场合使用时，应选用密封型、防爆型或其他专用工具；为防止破壳爆裂，灯泡点燃时应避免与水或冷物接触；由于热态启动容易使灯泡损坏或烧毁，所以必须在点燃的灯泡关闭或熄灭 15min 后，待灯泡温度降下来，才能通电再次启动。

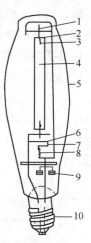

图 6-15　高压钠灯构造示意图

1—铌排气管；2—铌帽；3—钨丝电极；4—放电管；5—外泡壳；6—双金属片；7—触头；8—电阻；9—钡钛消气剂；10—灯帽

（4）金属卤化物灯

金属卤化物灯是在高压汞灯的基础上发展而来的，其结构与高压汞灯类似。不同之处在于，金属卤化物灯的放电管内，不仅充有汞和氩气，还充入能发光的金属卤化物（一般为金属碘化物）。放电管工作时，金属卤化物在电弧的高温下被分解成金属和卤素原子，金属原子在电弧中受激发而辐射该金属特征的光谱线，从而弥补了高压汞蒸气放电辐射光谱中的不足，因此发光效率显著提高。不同的金属卤化物，所发出的光颜色不同，如碘化铊汞灯发出的光为绿色，钠铊铟灯发出的光为白色，镝灯为日光型光源，铟灯发出蓝色光等。钠铊铟灯结构示意图如图 6-16 所示。

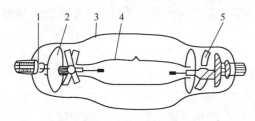

图 6-16　钠铊铟灯结构示意图

1—引线；2—云母片；3—硬玻璃外壳；4—石英玻璃放电管；5—点架

金属卤化物灯的尺寸小、功率大，发光效率高，显色性好，所需启动电流小、抗电压波动稳定性比较高，是一种较理想的光源，常用高照度或要求显色性好的场所，如码头、繁华街道、体育馆等。

金属卤化物灯的平均寿命比高压汞灯短，对电压变化敏感，要求电压变化不宜超过额定值的±5%。灯管熄灭约 10min 后才能再次启动。不宜频繁启动，否则将使灯泡寿命显著缩短。当环境温度较低，灯泡启动将变得困难。

（5）氙灯

氙灯通过高压氙气的放电产生很强白光，与太阳光相似，显色性很好，发光效率高，功率大，又称为"小太阳"。氙灯适用于广场、飞机场、海港等大面积的照明，分为长弧氙灯和短弧氙灯两种，在建筑施工现场一般使用的是长弧氙灯。氙灯能瞬时点燃，且工作稳定，耐高、低温性能好，耐振动。但平均寿命较短，只有约 500～1000min，价格较高。氙灯的工作温度较高，所以灯座和灯具的引入线应耐高温，工作时辐射的紫外线较多，人应保持适当距离。

（6）霓虹灯

霓虹灯是一种冷阴极辉光放电灯，由电极、引入线以及灯管组成。正常工作时处于高电压、小电流状态，一般通过特殊设计的漏磁式变压器给霓虹灯供电。接通电源后，变压器次级产生的高电压（为保证安全，一般不大于 15000V）使灯管内气体电离，发出彩色的辉光。

霓虹灯的发光效率特别低，能耗较大，但颜色鲜艳，控制方便，多用于广告图案。因为变压器的次级电压较高，所以二次回路必须与所有金属构架或建筑物完全绝缘。

3. 其他照明光源

（1）场致发光灯（屏）

场致发光灯（屏）是利用场致发光现象制成的发光灯（屏）。它可以通过分割做成各种图案与文字，多用于指示照明、电脑显示屏等照度要求不高的场所。

（2）LED 发光二极管

发光二极管是一种半导体光源。一般由电极、P-N 结芯片和封装树脂组成。它具有发光效率高、反应速度快、无冲击电流、高可靠性、长寿命等特点，多用作指示灯、显示器、交通信号灯、汽车灯等，是一种非常有前途的照明光源。

（3）光纤照明

光纤照明是利用光纤将光线导向被照物体。因为光纤具有柔韧性，所以可以用其勾勒出建筑物的外形轮廓，突出建筑物的特点。

（二）照明灯具

灯具是能透光、分配和改变光源光分布的器具，包括除光源外所有用于固定和保护光源所需的全部零、部件以及与电源连接所必需的线路附件。灯具由光源和控照器组成。控照器也称为灯罩或灯具，其主要功能是固定光源，透光、分配和改变光源光分布。灯具对创造舒适的照明环境非常重要，它不仅能使光线按所需方向投射，还可以降低眩光，装饰和美化环境，改善人们的视觉效果。

1. 灯具的分类

（1）按灯具光通量在空间中的分配特性分类

1）直接型灯具

直接型灯具是能向灯具下部发射 90％～100％直接光通量的灯具。一般由搪瓷、铝或镀银镜面等反光性能良好的不透明材料制成，绝大部分光线被反射向下，使灯的上部几乎没有光线，顶棚很暗，很容易与明亮灯光形成对比眩光。直接型灯具光线集中，方向性很强，灯具的光通量利用率最高，适合于工作环境照明。直接型灯具又可按其配光曲线的形状分为：特深照型、深照型、广照型、配照型和均匀配照型 5 种。

2）半直接型灯具

半直接型灯具是能向灯具下部发射 60％～90％直接光通量的灯具。一般由半透明材料制成下面开口的式样，它能将较多的光线照射到工作面上，又能发出少量的光线照射顶棚，使空间环境得到适当的亮度，减小灯具与顶棚间的强烈对比，改善房间内的亮度比，使室内环境亮度更舒适。这种灯具常用于办公室、书房等场所。

3）漫射型灯具

漫射型灯具是能向灯具下部发射 40％～60％直接光通量的灯具。这类灯具采用漫射透光材料制成封闭式的灯罩，选型美观，光线均匀柔和，如乳白玻璃球形灯。它常用于起居室、会议室和厅堂的照明。缺点是光的损失较多，光效较低。

4）半间接型灯具

半间接型灯具是能向灯具下部发射 10％～40％直接光通量的灯具。它的上半部一般用透光材料制成，下半部用漫射透光材料制成，这样就把大部分光线投向顶棚和上部墙面，使室内光线更为柔和宜人。使用中上半部容易聚集灰尘，影响灯具的效率。

5）间接型灯具

间接型灯具是能向灯具下部发射 10％以下的直接光通量的灯具。大部分光线投向顶棚，使顶棚成为二次光源，使室内光线扩散性极好，光线均匀柔和。缺点是光通损失较大，不经济。

（2）按灯具结构分类

1）开启型灯具。

开启型灯具的特点是没有灯罩，光源直接照射周围环境。

2）闭合型灯具。

闭合型灯具采用闭合的透光罩，但灯具内部与外界能自然通气，不防尘，如半圆罩天棚灯和乳白玻璃球形灯等。

3）封闭型灯具

与闭合型灯具结构类似，但封闭型灯具的透光罩接合处作一般封闭，与外界隔绝比较可靠，罩内外空气只能有限流通。

4）密闭型灯具

密闭型灯具的透光罩接合处严密封闭，具有防水、防尘功能。

5）防尘型灯具。

灯具密闭，灯具外壳与玻璃罩以螺栓连接。防尘式灯具不能完全防止灰尘进入，但进入量不妨碍设备的正常使用。

6）防水灯具

防水灯具是指在构造上具有防止水浸入功能的灯具。如防滴水、防溅水、防喷水、防雨水等。

7）防爆型灯具。

防爆型灯具的透光罩及接合处、灯具外壳均能承受要求的压力，用于爆炸危险场所，它能保证在任何条件下，不会因灯具引起爆炸危险。

8）隔爆型灯具

隔爆型灯具结构特别坚实，能承受灯具内部爆炸性气体混合物的爆炸压力，并能阻止内部的爆炸向灯具外罩周围爆炸性混合物传播，适用于有可能发生爆炸的场所。

9）增安型灯具

增安型灯具是指在正常运行条件下，不能产生火花或可能点燃爆炸性混合物的高温的灯具结构上，采取措施提高安全度，以避免在正常条件下或认可的不正常的条件下出现上述现象的灯具。

10）防振型灯具

防振型灯具采取了防振或减振措施，可安装在有振动的环境中，如吊车、行车或有振动的车间、码头等场所。

（3）按灯具的安装方式分类

1）悬吊式灯具。用吊绳、吊链、吊管等悬吊在顶棚上或墙支架上的灯具。

2）吸顶灯具。直接安装在顶棚表面上的灯具。

3）嵌入式灯具。安全或部分地嵌入安装表面内的灯具。

4）壁灯。直接固定在墙上或柱子上的灯具。

5）落地灯。装在高支柱上并立于地面上的可移式灯具。

6）可移式灯具。在接上电源后，可轻易地由一处移至另一处的灯具。

2. 照明灯具及其附属装置的选择

灯具的选择应在满足使用功能和照明质量的要求下，便于安装和维护，长期运行费用低。因此，应优先采用高效节能电光源和高效灯具。

对于灯具的具体选择应考虑如下原则：

（1）选用的照明灯具应符合国家现行相关标准的有关规定。

（2）在满足眩光限制和配光要求条件下，应选用效率高的灯具，并应符合下列规定：

1）荧光灯灯具的效率不应低于表 6-6 的规定。

荧光灯灯具的效率　　　　　　　　　　　表 6-6

灯具出光口形式	开敞式	保护罩（玻璃或塑料）		格　栅
		透　明	磨砂、棱镜	
灯具效率	75%	65%	55%	60%

2）高强度气体放电灯灯具的效率不应低于表 6-7 的规定。

高强度气体放电灯灯具的效率　　　　　　　　表 6-7

灯具出光口形式	开敞式	格栅或透光罩
灯具效率	75%	60%

（3）根据照明场所的环境条件，分别选用下列灯具：

1）在有蒸汽场所当灯泡点燃时由于温度升高，在灯具内产生正压，而灯泡熄灭后，由于灯具冷却，内部产生负压，将潮气吸入，容易使灯具内积水。所以在潮湿的场所，应采用相应防护等级的防水灯具或带防水灯头的开敞式灯具。

2）在有腐蚀性气体或蒸汽的场所，宜采用防腐蚀密闭式灯具。若采用开敞式灯具，各部分应有防腐蚀或防水措施。

3）在高温场所，宜采用散热性能好、耐高温的灯具。

4）在有尘埃的场所，应按防尘的相应防护等级选择适宜的灯具。

5）在装有锻锤、大型桥式吊车等振动、摆动较大场所使用的灯具，应有防振和防脱落措施。因为振动对光源寿命影响较大，甚至可能使灯泡自动松脱掉下，既不安全，又增加了维修工作量和费用，所以，在此种场所应采用防振型软性连接的灯具或防振的安装措施，并在灯具上加保护网，以防止灯泡掉下。

6）在易受机械损伤、光源自行脱落可能造成人员伤害或财物损失的场所使用的灯具，应有防护措施。

7）在有爆炸或火灾危险场所使用的灯具，应符合国家现行相关标准和规范的有关规定。

8）在有洁净要求的场所，应采用不易积尘、易于擦拭的洁净灯具。

9）在需防止紫外线照射的场所，应采用隔紫灯具或无紫光源。

（4）直接安装在可燃材料表面的灯具，应采用标有 F 标志的灯具。

（5）自镇流荧光灯应配用电子镇流器，直管形荧光灯应配用电子镇流器或节能型电感镇流器，高压钠灯、金属卤化物灯应配用节能型电感镇流器。在电压偏差较大的场所，宜配用恒功率镇流器；功率较小者可配用电子镇流器。采用的镇流器应符合该产品的国家能效标准。

（6）高强度气体放电灯的触发器与光源的安装距离应符合产品的要求。

四、照明供电线路

（一）照明负荷的供电方式

1. 一级负荷

一级负荷应由两个电源供电，当一个电源发生故障时，另一个电源可以照常供电。照明一级荷与电力一级负荷应结合一起考虑。对一级负荷中的特别重要负荷，除上述两个电源外，还必须增设应急电源，以保证对特别重要负荷的供电。严禁将其他负荷接入应急供电系统。常用的应急电源有：独立于正常电源的发电机组、供电网络中有效独立于正常电源的专门馈电线路、蓄电池、干电池。

根据允许中断供电的时间可分别选择下列应急电源：允许中断供电时间为 15s 以上的供电，可选用快速自启动的发电机组；自投装置的动作时间能满足允许中断供电时间的，可选用带有自动投入装置的独立于正常电源的专用馈电线路；允许中断供电时间为毫秒级的供电，可选用蓄电池静止型不间断供电装置、蓄电池机械贮能电机型不间断供电装置或柴油机不间断供电装置。应急电源的工作时间，应按生产技术上要求的停车时间考虑。当与自动启动的发电机组配合使用时，不宜少于 10min。

2. 二级负荷

二级负荷一般由两回线路供电，其高压电源可以是一个电源。当电力变压器或线路发生故障时不致中断供电，或中断后能迅速恢复。

3. 三级负荷

三级负荷对照明没有特殊要求。动力和照明负荷功率较大时应分开供电，功率较小时可合并供电。动力和照明应在进户线处分开。

（二）照明供电系统的组成

1. 进户线

进户线的引入方式主要有两种，即架空引入和电缆引入。架空引入是由建筑物外部低压架空供电线路的电杆上将电线接到外墙横担的绝缘子上。电缆引入是将电缆由室外埋地穿过基础进入建筑物内。架空引入施工简单，造价低，但影响建筑物的整体美感。当架空线下方有道路时，对通行的车辆有高度限制。电缆进线美观，对周围环境影响小，但施工复杂。

2. 配电箱

配电箱是接受和分配电能的装置。配电箱中一般装有开关、熔断器及电能计量仪表（如电度表）等。

3. 干线和支线

用电负荷较大的建筑物一般设有总配电箱和分配电箱。汇集干线接入总进户线的配电装置称为总配电箱，汇集支线接入干线的配电装置称为分配电箱。干线是指从总配电箱到分配电箱的线路。支线是指从分配电箱到灯具或其他电器的线路。

（三）常用的照明配电方式

配电方式有多种，可根据实际情况选定。基本的照明配电有放射式、树干式、混合式三种。放射式的优点是各负荷独立受电，可靠性较高，但投资较高，有色金属消耗量较大，一般用于重要的负荷。树干式虽然建设费用低，但当干线出现故障时影响范围较大，可靠性差。混合式是放射式和树干式的综合，兼具二者优点，应用最为广泛。

《建筑照明设计标准》GB 50034—2013 规定：照明配电宜采用放射式和树干式结合的系统。三相配电干线的各相负荷宜分配平衡，最大相负荷不宜超过三相负荷平均值的 115%，最小相负荷不宜小于三相负荷平均值的 85%。照明配电箱宜设置在靠近照明负荷中心便于操作维护的位置。每一照明单相分支回路的电流不宜超过 16A，所接光源数不宜超过 25 个；连接建筑组合灯具时，回路电流不宜超过 25A，光源数不宜超过 60 个；连接高强度气体放电灯的单相分支回路的电流不应超过 30A。插座不宜和照明灯接在同一分支回路。在电压偏差较大的场所，有条件时，宜设置自动稳压装置。供给气体放电灯的配电线路宜在线路或灯具内设置电容补偿，功率因数不应低于 0.9。

五、照明配电箱与控制电器的安装

（一）照明配电箱的安装

照明配电箱分为明装式和嵌入式两种，主要由箱体、箱盖、汇流排（接线端子排）、断路器安装支架等部分组成。

1. 照明配电箱安装的作业条件

（1）照明配电箱安装所在的室内土建装修工程已完毕，顶板、墙体涂料作业已完成，地面平整干净，门窗安装完毕。

（2）土建结构工程施工中预埋管路，预留孔洞位置、标高和尺寸符合施工图设计要求。

（3）与照明配电箱安装有关的建筑物、构筑物的土建工程质量应符合国家现行的建筑工程施工及验收规范中的规定。

2. 照明配电箱的安装要求

（1）照明配电箱应安装在干燥、明亮、不易受振、便于操作的场所，不得安装在水池的上、下侧，若安装在水池的左、右侧时，其净距不应小于 1m。

（2）配电箱的安装高度应按设计要求确定。配电箱应安装牢固，垂直度允许偏差为 1.5‰；底边距地面为 1.5m，照明配电板底边距地面不小于 1.8m，相互间接缝不应大于

2mm，成列盘面偏差不应大于 5mm。

（3）配电箱应采用不可燃材料制作。

（4）箱体开孔与导管管径适配，箱体涂层完整。箱内配线整齐，无绞接现象，回路编号齐全，标识正确。导线连接紧密，不伤芯线，不断股。垫圈下螺丝两侧压的导线截面积相同，同一端子上导线连接不多于 2 根，防松垫圈等零件齐全。箱内开关动作灵活可靠，带有漏电保护的回路，漏电保护装置动作电流不大于 30mA，动作时间不大于 0.1s。照明配电箱内，分别设置零线（N）和保护地线（PE 线）汇流排，零线和保护地线经汇流排配出。

（5）配电箱外壁与墙面的接触部分应涂防腐漆，箱内壁及盘面均刷两道驼色油漆。除设计有特殊要求外，箱门油漆颜色一般均应与工程门窗颜色相同。

（6）暗装配电箱箱盖紧贴墙面，墙壁内的预留孔洞应比配电箱的外形尺寸略大。

3. 成品保护

（1）应对已完工项目及设备配件进行成品保护，避免设备磕碰、倒立，防止设备油漆及电器元件损伤。不能及时安装的设备，应存放在室内，防止设备被风吹、日晒或雨淋。

（2）在安装过程中，不能碰坏室内墙面、地面、顶板、门窗、装饰等，严禁剔槽、打孔。安装配电箱面板时，应注意保护墙面整洁。

（3）土建工程不能在设备安装完毕后再进行施工。

（4）设备安装完毕后，周边不能有存水管道。

4. 安全环保措施

（1）应认真检查机具和索具，确认合格后方能进行吊装作业。

（2）试运行前应准备好安全防护用品，应严格按试运行方案操作，操作和监护人员不得随意改变操作程序。

（3）配电箱需刷防腐漆时，不得污染设备和室内地面。

（二）灯具的安装

1. 作业条件

（1）土建工程全部结束，场地清理干净，对照明灯具的安装无任何妨碍。

（2）预埋件及预留孔洞的位置、几何尺寸符合图纸要求。

（3）灯头盒内刷防锈漆，灯头盒四周修补完整。

（4）剔除盒内残存的灰块及杂物，并用湿布将盒内灰尘擦净。

2. 灯具的安装要求

（1）灯具重量大于 3kg 时，固定在螺栓或预埋吊钩上。

（2）软线吊灯，灯具重量在 0.5kg 及以下时，采用软电线自身吊装；大于 0.5kg 的灯具采用吊链，且软电线编叉在吊链内，使电线不受力。

（3）灯具固定牢固可靠，不使用木楔。每个灯具固定用螺钉或螺栓不少于 2 个；当绝缘台直径在 75mm 及以下时，采用 1 个螺钉或螺栓固定。

（4）花灯吊钩圆钢直径不应小于灯具挂销直径，且不应小于 6mm。大型花灯的固定及悬吊装置，应按灯具重量的 2 倍做过载试验。

（5）当钢管做灯杆时，钢管内径不应小于 10mm，钢管厚度不应小于 1.5mm。

（6）固定灯具带电部件的绝缘材料以及提供防触电保护的绝缘材料，应耐燃烧和防明火。

（7）一般敞开式灯具，室外墙上安装时灯头对地面距离不小于2.5m。

（8）当灯具距地面高度小于2.4m时，灯具的可接近裸露导体必须接地（PE）或接零（PEN）可靠，并应有专用接地螺栓，且有标识。

（9）行灯电压不大于36V，在特殊潮湿场所或导电良好的地面上以及工作地点狭窄、行动不便的场所行灯电压不大于12V。

（10）安全出口标志灯距地高度不低于2m，且安装在疏散出口和楼梯口里侧的上方。

（11）疏散标志灯安装在安全出口的顶部，楼梯间、疏散走道及其转角处应安装在1m以下的墙面上，不易安装的部位可安装在上部。疏散通道上的标志灯间距不大于20m（人防工程不大于10m）。

3. 成品保护

（1）灯具应码放整齐、稳固，注意防潮。搬运时轻拿轻放，避免碰坏表面的镀层或玻璃罩。

（2）设专人保管，操作人员应有成品保护意识，领料时不应过早地拆去包装物。

（3）安装灯具时应保持墙面、地面清洁，不得碰坏墙面。对施工中无法避免的损伤，应在施工结束后，及时修补破损部分。

（4）灯具安装完毕后，不得再次进行喷涂作业，防止照明器具的污染。其他工种作业时，应注意避免碰坏灯具。

（三）开关、插座、风扇的安装

1. 作业条件

（1）顶板和墙面应完刷涂料或油漆，地面清洁，无妨碍施工的模板或脚手架。

（2）线路的导线已敷设完毕，各回路电线已做完绝缘摇测。

（3）吊扇的吊钩预埋完成。

（4）开关、插座、风扇进场验收合格。

2. 安装要求

（1）当交流、直流或不同电压等级的插座安装在同一场所时，应有明显的区别，且必须选择不同结构、不同规格和不能互换的插座；配套的插头应按交流、直流或不同电压等级区别使用。

（2）单相两孔插座，面对插座的右孔或上孔与相线连接，左孔或下孔与零线连接；单相三孔插座，面对插座的右孔与相线连接，左孔与零线连接；单相三孔、三相四孔及三相五孔插座的接地（PE）或接零（PEN）线接在上孔。插座的接地端子不与零线端子连接。同一场所的三相插座，接线的相序一致。接地（PE）或接零（PEN）线在插座间不串联连接。

（3）当接插有触电危险家用电器的电源时，采用能断开电源的带开关插座，开关断开相线；潮湿场所采用密封型并带保护地线触头的保护型插座，安装高度不低于1.5m。

（4）当不采用安全型插座时，托儿所、幼儿园及小学等儿童活动场所安装高度不小于1.8m；暗装的插座面板紧贴墙面，四周无缝隙，安装牢固，表面光滑整洁、无碎裂、划伤，装饰帽齐全；车间及试（实）验室的插座安装高度距地面不小于0.3m；特殊场所暗装的插座不小于0.15m；同一室内插座安装高度一致；地插座面板与地面齐平或紧贴地面，盖板固定牢固，密封良好。

（5）开关安装位置便于操作，开关边缘距门框边缘的距离 0.15～0.2m，开关距地面高度 1.3m；拉线开关距地面高度 2～3m，层高小于 3m 时，拉线开关距顶板不小于 100mm，拉线出口垂直向下；相同型号并列安装及同一室内开关安装高度一致，且控制有序不错位。并列安装的拉线开关的相邻间距不小于 20mm；暗装的开关面板应紧贴墙面，四周无缝隙，安装牢固，表面光滑整洁、无碎裂、划伤，装饰帽齐全。

（6）吊扇挂钩安装牢固，吊扇挂钩的直径不小于吊扇挂销直径，且不小于 8mm；有防振橡胶垫；挂销的防松零件齐全、可靠；吊扇扇叶距地高度不小于 2.5m；吊扇组装不改变扇叶角度，扇叶固定螺栓防松零件齐全；吊杆间、吊杆与电机间螺纹连接，啮合长度不小于 20mm，且防松零件齐全紧固；吊扇接线正确，当运转时扇叶无明显颤动和异常声响；同一室内并列安装的吊扇开关高度一致，且控制有序不错位。

（7）壁扇底座采用尼龙塞或膨胀螺栓固定；尼龙塞或膨胀螺栓的数量不少于 2 个，且直径不小于 8mm。固定牢固可靠；壁扇防护罩扣紧，固定可靠，当运转时扇叶和防护罩无明显颤动和异常声响；壁扇下侧边缘距地面高度不小于 1.8m。

3. 成品保护

（1）安装时不得污染墙面、地面，应保持其清洁。

（2）开关、插座、风扇安装完毕后，不得再次进行喷涂作业，其他工种作业时，应注意避免碰撞。

（3）不得插接超过插座允许的临时负荷。

4. 安全环保措施

（1）熔化焊锡时，锡锅要干燥，防止锡液爆溅。

（2）插座安装完成后，应检测插座接线是否正确，并用漏电检测仪检测插座的所有漏电开关是否动作正确、可靠。

（3）吊扇安装完毕后应作通电试验，以确定吊扇转动是否平稳。

（4）应做到工完场清，保持地面清洁，包装盒、电线头及绝缘层外皮等应分类收集，统一清运。

六、配电与照明节能

《建筑节能工程施工质量验收规范》GB 50411—2007 对建筑配电与照明节能作如下规定。

1. 照明光源、灯具及其附属装置的选择必须符合设计要求，进场验收时应对下列技术性能进行核查，并经监理工程师（建设单位代表）检查认可，形成相应的验收核查记录。质量证明文件和相关技术资料应齐全，并符合国家现行有关标准和规定。

2. 低压配电系统选择的电缆、电线截面不得低于设计值，进场时应对其截面和每芯导体电阻进行见证取样送检。每芯导体电阻值应符合国家现行有关标准和规定。

3. 工程安装完成后应对低压配电系统进行调试，调试合格后应对低压配电电源质量进行检测。其中：

（1）供电电压允许偏差：三相供电电压允许偏差为标称系统电压的±7%；单相220V 为+7%、−10%。

（2）公共电网谐波电压限值为：380V 的电网标称电压，电网总谐波畸变率（THDu）

为 5%，奇次（1～25 次）谐波含有率为 2%。

（3）谐波电流不应超过规定的允许值。

（4）三相电压不平衡允许值为 2%，短时不得超过 4%。

（5）照明值不得小于设计值的 90%；

（6）功率密度值应符合《建筑照明设计标准》GB 50034—2013 中的规定。

4. 母线与母线或母线与电器接线端子，当采用螺栓搭接连接时，应采用力矩扳手拧紧，制作应符合《建筑电气工程施工质量验收规范》GB 50303—2015 中的有关规定。

5. 交流单芯电缆分相后的每相电缆宜品字型（三叶型）敷设，且不得形成闭合铁磁回路。

6. 三相照明配电干线的各相负荷宜分配平衡，其最大相负荷不宜超过三相负荷平均值的 115%，最小相负荷不宜小于三相负荷平均值的 85%。

7. 输配电系统的节能

（1）输配电系统的功率因数、谐波的治理是节约电能提高输配电质量的有效途径。

（2）输配电系统应选择节约电能设备，减少设备本身的电能损耗，提高系统整体节约电能的效果。

（3）输配电系统电压等级的确定：选择市电较高的输配电电压深入负荷中心。设备容量在 100kW 及以下或变压器容量在 50kVA 及以下者，可采用 380/220V 配电系统。如果条件允许或特殊情况可采用 10kV 配电，对于大容量用电设备（如制冷机组）宜采用 10kV 配电。

8. 功率因数补偿

（1）输配电设计通过合理选择电动机、电力变电器容量以及对气体放电灯的启动器，降低线路阻抗（感抗）等措施，提高线路的自然功率因素。

（2）民用建筑输配电的功率因数由低压电容器补偿，宜由变配电所集中补偿。

（3）对于大容量负载、稳定、长期运行的用电设备宜单独就地补偿。

（4）集中装设的静电电容器应随负荷和电压变化及时投入或切除，防止无功负荷倒送。电容器组采用分组循环自动切换运行方式。

9. 电气照明节能

（1）在满足照明质量的前提下应选择适合的高效照明光源。

（2）在满足眩光限值的条件下，应选用高效灯具及开启式直接照明灯具。室内灯具效率不低于 70%，反射器应具有较高的反射比。

（3）为节约电能，灯具满足最低安装高度前提下，降低灯具的安装高度。

（4）高大空间区域设一般照明方式。对有高照度要求的部位设置局部照明。

（5）荧光灯应选用电子镇流器或节约电能的电感镇流器。大开间的场所选用电子镇流器，小开间的房间选用节能的电感镇流器。

（6）限制白炽灯的使用量。室外不宜采用白炽灯，特殊情况下也不应超过 100W。

（7）荧光灯应选用光效高、寿命长、显色性好的直管稀土三基色细管荧光灯（T8、T5）和紧凑型。照度相同的条件下宜首选紧凑型荧光灯，取代白炽灯。

10. 照明控制

（1）应根据建筑物的特点、功能、标准、使用要求等性质，对照明系统采用分散、集中、手动、自动等控制方式，进行节能有效的控制。

（2）对于功能复杂、照明环境要求较高的建筑物，宜采用专用智能照明控制系统。

（3）大中型建筑宜采用集中或分散控制；高级公寓宜采用多功能或单一功能的自动控制系统；别墅宜采用智能照明控制系统。

（4）应急照明与消防系统联动，保安照明应与安防系统联动。

（5）根据不同场所的照度要求采用分区一般照明、局部照明、重点照明、背景照明等照明方式。

（6）对于不均匀场所采用相应的节电开关，如定时开关、接触开关、调光开关、光控开关、声控开关等。

（7）走廊、电梯前室、楼梯间及公共部位的灯光控制可采用光时控制、集中控制、调光控制和声光控制等。

任务3　建筑防雷和安全用电

一、建筑物防雷

（一）雷电的形成及作用形式

1. 雷电的形成

雷电是雷云之间或雷云对地面放电的一种自然现象。大气中的电荷是如何产生的？目前有多种学说，如水滴冻裂效应、水滴破裂效应、吸收电荷效应等。常见的说法是在雷雨季节，地面上的水蒸发变成水蒸气，随热空气上升，在空气中与冷空气相遇，气体体积膨胀，温度下降凝结成水滴或冰晶，形成积云。云中的水滴受强烈气流摩擦产生电荷，微小的水滴带负电，较大的水滴带正电。带不同电荷的水滴分别聚集，形成带电的雷云。由于静电感应，带电的雷云在大地表面会感应出与雷云异号电荷，当雷云与大地之间以及雷云之间电场强度达到一定值时，便会发生空气被击穿而产生强烈的放电现象。雷电具有极大的破坏性，其电压可达数百万伏，电流可高达数万安培甚至数十万安培。雷电放电时，温度可高达20000℃，容易对建筑物，电气设施造成破坏，甚至对人、畜造成伤亡。因此必须根据被保护物的不同要求，雷电的不同形式，采取有效的措施进行防护。

2. 雷电的种类及危害

根据雷电对建筑物、电气设施、人、畜的危害方式不同，雷电可分为以下几类。

（1）直击雷　雷云与地面建筑物或其他物体之间直接放电形成的雷击称为直击雷。直击雷形成强大的雷电流，流过被击中物体时会产生巨大的热量，使物体燃烧、金属材料熔、使物体内部的水分急剧蒸发造成爆裂等破坏；当雷电流流过电气设施时，还会形成过电压破坏绝缘、产生火花、引起燃烧和爆炸等，对电气设施及人员造成危害。

（2）雷电感应　雷电感应分为静电感应和电磁感应两种，是建筑物或其他物体附近有雷电或落雷所引起的电磁作用的结果。静电感应是由于雷云靠近建筑物，使建筑物顶部由于静电感应而聚集了大量与雷云性质相反的异种电荷，当雷云对地放电后，这些电荷流散不及时，形成很高的对地电位，对建筑物能引起火花放电而造成火灾。电磁感应是当雷电流通过金属导体流散大地时，在雷电流周围空间形成强大的变化磁场，能在附近的金属导体内感应出很高的电动势，在闭合回路导体中产生强大的感应电流，而在导体回路接触不良或有间隙的地方产生局部过热或火花放电，引起火灾。

（3）雷电波侵入　架空线路、金属管道受直击雷或产生雷电感应后会感应出过电压，若不能及时将大量电荷导入大地，雷电过电压就会沿导体快速流动而侵入建筑物内，破坏建筑物和电气设备，并会造成人身触电。

（4）球状雷电　球状雷电又称滚地雷或球雷，是雷电放电时形成的一团处在特殊状态下的带电气团。球状雷电直径一般为 20cm，存在时间为 3～5s，移动速度每秒数米。通常在距地面 1m 处移动或滚动，能通过门、窗、烟囱等通道侵入室内，释放能量并造成人、畜烧伤，引发火灾、爆炸等灾难。

（二）建筑物防雷的分类

根据建筑物的重要性、使用性质、发生雷击事故的可能性和后果，建筑物防雷分为三类。

1. 第一类防雷建筑物

（1）凡制造、使用或贮存炸药、起爆药、火药、火工品等大量爆炸危险物质的建筑物，遇电火花会引起爆炸，造成巨大破坏和人身伤亡的建筑物。

（2）具有 0 区或 10 区爆炸危险环境的建筑物。

（3）某些具有 1 区爆炸危险环境的建筑物，因电火花而引起爆炸，会造成巨大破坏和人身伤亡的建筑物。

2. 第二类防雷建筑物

（1）国家级重点文物保护的建筑物。

（2）国家级的会堂、办公建筑物、大型展览和博览建筑物、大型火车站、国宾馆、国家级档案馆、大型城市的重要给水水泵房等特别重要的建筑物。

（3）国家级计算中心、国际通信枢纽等对国民经济有重要意义且装有大量电子设备的建筑物。

（4）制造、使用或贮存爆炸物质但电火花不易引起爆炸或不致造成巨大破坏和人身伤亡的建筑物。

（5）具有 2 区或 11 区爆炸危险环境的建筑物。某些具有 1 区爆炸危险环境，但电火花不易引起爆炸或不致造成巨大破坏和人身伤亡的建筑物。

（6）雷击大地的年平均密度（单位：次/平方公里·年）大于 0.06 地区的部、省级办公建筑物及其他重要或人员密集的公共建筑物。

（7）雷击大地的年平均密度大于 0.3 地区的住宅、办公楼一般性民用建筑物。

3. 第三类防雷建筑物

（1）省级重点文物保护的建筑物及省级档案馆。

（2）雷击大地的年平均密度大于等于 0.012、小于等于 0.06 地区的部、省给办公建筑物及其他重要的或人员密集的公共建筑物。

（3）雷击大地的年平均密度大于等于 0.06、小于等于 0.3 地区的住宅、办公楼等一般性民用建筑。

（4）雷击大地的年平均密度大于等于 0.06 地区的一般性工业建筑物。

（5）根据雷击后产生的影响及后果，并结合当地气象、地形、地质及周围环境等因素，确定需要防雷的 21 区、22 区、23 区火灾危险环境的建筑物。

（6）年平均雷暴日大于 15 天/平方公里的地区，高度在 15m 及以上的烟囱、水塔等孤立的高耸建筑物；年平均雷暴日小于或等于 15 天/平方公里的地区，高度在 20m 及以上的烟囱、水塔等孤立的高耸建筑物。

（三）建筑物的防雷措施

建筑物采取何种防雷措施，要根据建筑物的防雷等级来确定。按《建筑物防雷设计规范》GB 50057—2010 中规定，第一类防雷建筑物和第二类防雷建筑物中有爆炸危险的场所，应有防直击雷、防雷电感应和方雷电波侵入的措施。第二类防雷建筑物除有爆炸危险的场所外及第三类防雷建筑物，应有防直击雷和防雷电波侵入的措施。

1. 防直击雷的措施

防直击雷采取的措施是引导雷云与避雷装置之间放电，将雷电流直接导入大地，以保护建筑物、电气设备及人身不受损害。避雷装置主要由接闪器、引下线和接地装置三部分组成。

（1）接闪器

接闪器是引雷电流装置，也被称为受雷装置。接闪器的作用是使其上空电场局部加强，将附近的雷云放电诱导过来，通过引下线注入大地，从而使距接闪器一定距离内一定高度的建筑物免遭直接雷击。接闪器的类型主要有避雷针、避雷线、避雷网和避雷笼等。

避雷针适用于保护细高建（构）筑物或露天设备，如水塔、烟囱、大型用电设备等。避雷针一般用镀锌圆钢或镀锌钢管制成，其长度在 1m 以下时，圆钢直径不小于 12mm；钢管直径不小于 20mm。针长度在 1～2m 时，圆钢直径不小于 16mm，钢管直径不小于 25mm。烟囱顶上的避雷针，圆钢直径不小于 20mm，钢管直径不小于 40mm。屋顶上永久性金属物也可兼做避雷针使用，但各部分之间应能很好地连成电流通道，其壁厚不小于 2.5mm。

避雷线也称架空地线，采用截面不小于 35mm² 的镀锌钢绞线，架设在架空线路上方，用来保护架空线路避免遭雷击。

避雷带是用小截面圆钢或扁钢做成的条形长带，装设在屋脊、屋檐、女儿墙等易受雷击的部位。避雷带一般高出屋面 100～150mm，支持卡间距为 1～1.5m，两根平行的避雷带之间的距离应在 10m 以内。避雷带在建筑物上的做法如图 6-17 所示。

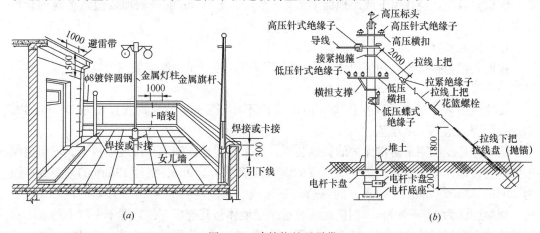

图 6-17　建筑物的避雷带

（a）有女儿墙平屋顶的避雷带 ；（b）无女儿墙平屋顶的避雷带

避雷网是在屋面上纵横敷设由避雷带组成的网格形状导体。高层建筑常把建筑物内的钢筋连接成笼式避雷网，避雷网宜采用圆钢和扁钢，优先采用圆钢。圆钢直径不应小于12mm。扁钢截面不应小于100mm²，其厚度不应小于4mm。避雷网是接近全保护的一种方法，它还起到使建筑物不受感应雷害的作用，可靠性更高。

避雷笼也称法拉第笼，适用于高层、超高层建筑物。它是利用建筑结构配筋所形成的笼网来保护建筑。一般是将避雷带、网按一定间距焊为一个整体，30m以上每6m在外墙的圈梁内用扁钢作带并与引下线焊接，30m以下，每3层沿四周将圈梁内的主筋焊接并与引下线焊好。避雷笼对雷电能起到均压和屏蔽的作用，使笼内人身和设备被保护。

《建筑电气工程施工质量验收规范》GB 50303—2015中要求：建筑物顶部的避雷针、避雷带等必须与顶部外露的其他金属物体连成一个整体的电气通路，且与避雷引下线连接可靠。

（2）引下线

引下线是将雷电流引入大地的通道。引下线的材料应采用圆钢或扁钢，宜优先采用圆钢。圆钢直径不应小于8mm。扁钢截面不应小于48mm²，其厚度不应小于4mm，在易遭受腐蚀的部位，其截面应适当加大。引下线的敷设方式分为明敷和暗敷两种：明敷引下线应沿建筑物外墙敷设，固定于埋设在墙内的支持件上，支持件间距应均匀，水平直线部分0.5～1.5m；垂直直线部分1.5～3m；弯曲部分0.3～0.5m。引下线应平直、无急弯并经最短路径接地；与支架焊接处需刷油漆防腐，且无遗漏。

建筑艺术要求较高者可暗敷，但其圆钢直径不应小于10mm，扁钢截面不应小于80mm²。暗敷在建筑物抹灰层内的引下线应有卡钉分段固定。引下线的安装路径应短直，其紧固件及金属支持件均应采用镀锌材料，在引下线距地面1.8m处设断接卡子。

引下线不得少于两根，其间距不大于30m。当技术上处理有困难时，允许放宽至40m，但对于周长和高度均不超过40m的建筑，可只设一根引下线。引下线应避开建筑物的出入口和行人较易接触的地点，以避开接触电压的危险。

在没有特殊要求时，允许用建筑物或构筑物的金属结构作为引下线，但必须连接可靠。明敷安装时，应在引下线距地面上1.7m至地面下0.3m的一段加装塑料管或钢管加以保护。

（3）接地装置

接地装置包括接地线和接地体，是将引下线引入的电流迅速流散到大地的装置，其材料应采用镀锌钢材。

接地线通常采用截面不小于100mm²，厚度不小于4mm²的扁钢或直径为12mm的圆钢焊接，埋入地下1m为宜。

接地体是专门用于防雷保护的接地装置，分垂直接地体和水平接地体两类。埋于土壤中的垂直接地体可采用直径20～50mm的钢管（壁厚3.5mm）、直径19mm的圆钢或截面为20mm×3mm～50mm×5mm的等边角钢做成。长度均为2～3m一段，间隔5m埋一根。顶端埋深为0.5～0.8m，用接地线或水平接地体将其连成一体；埋于土壤中的人工水平接地体宜采用扁钢或圆钢。圆钢直径不应小于10mm；扁钢截面不应小于100mm²，其厚度不应小于4mm；角钢厚度不应小于4mm；钢管壁厚不应小于3.5mm。

除上述人工接地体外，还可利用埋于地下的、有其他功能的金属物体（如直埋铠装电缆金属外皮、直埋金属水管、钢筋混凝土电杆等）或建筑物中的基础钢筋作为防雷保护的接地装置，但须具有一定的长度，并满足接地电阻的要求。

2. 防雷电感应的措施

为防止静电感应产生高电位和放电火花，应把建筑物内部的设备金属外壳、金属管道、构架、钢窗电缆外皮以及突出屋面的水管、风管等金属物件与接地装置可靠连接。屋面结构钢筋应绑扎或焊接成闭合回路并良好接地。

为防止电磁感应，平行敷设的金属管道、构架、电缆等间距应不小于100mm，若达不到时，应每隔20～30mm用金属线跨接，交叉敷设的管道间距小于100mm，交叉处也应用金属线跨接。管道接头、弯头等接触不可靠的部位，也应用金属线跨接，其接地装置可与其他接地装置共用。

3. 防雷电波侵入的措施

通常在架空线路上装设避雷线，在进入建筑物变压器高压侧装设避雷器，低压侧留有保护间隙。凡进入建筑物的各种线路及金属管道采用全线埋地引入的方式，并在入户处将其有关部分与接地装置连接。当低压线采用全线埋地有困难时，可采用一段长度不小于50m的铠装电缆直接埋地引入，并在入户端将电缆外皮与接地装置相连接。

（四）建筑施工工地的防雷措施

建筑施工工地中，15m以上的施工建筑和临时设施，由于雷击的可能性很高，必须采取防雷措施。一般采取的防雷措施如下：

1. 施工时首先做好全部永久性的接地装置，随时将混凝土柱内的主筋与接地装置连接，利用它做引下线，以对施工的建筑本身进行保护。对各层地面的配筋，应随时使其成为一个等电位面并与混凝土主筋相连。

2. 在脚手架上作树根避雷针，杉木的顶针至少高于杉木30cm，并直接连接到接地装置上。

3. 施工用起重机最上端务必装设避雷针，并将其下部的钢架连接于接地装置上，移动式起重机须将其两条滑行用钢轨接到接地装置上。

二、安全用电

建筑电气施工中，在电气设备的安装、使用、维护任一环节中，如果人们不掌握电气的安全知识，违反安全规程，在用电过程中有可能引发故障，甚至造成触电伤亡事故。

（一）电气危害的种类

人体接触带电导体或漏电的金属外壳，使人体任两点间形成电流，这就是触电事故。此时流过人体的电流称为触电电流。电流对人体的伤害主要分为电击和电伤两大类。

1. 电击

电击是指电流流过人体内部而对呼吸、内脏、神经系统造成一定影响，并导致人体器官受到损伤，甚至造成人体残废或伤亡。绝大部分的触点死亡事故都是电击造成的。当人体触及带电导体、漏电设备的金属外壳、近距离接触高电压以及遭遇雷击、电容器放电等情况下，都可能导致电击。电击的主要特征是：人体内部受伤害；在人体外表无明显痕迹；伤害程度取决于触电电流大小和触电持续时间。

2. 电伤

电伤是指触电时电流的热效应、化学效应以及电刺击引起的生物效应对人体造成的伤害。电伤多见于人体表面，常见的电伤有电灼伤、电烙印和皮肤金属化。

电灼伤一般由弧光放电引起，低压系统带负荷拉开裸露的闸刀开关、错误操作造成的线路短路、人体与高压带电部位距离过近而引起的放电等，都会造成强烈的弧光放电。弧光放电产生的电弧会烧伤人的手部和面部，电弧的辐射会造成眼部受伤，严重时会造成电击死亡或大面积烧伤而死亡。

电烙印通常发生在人体与带电体良好接触的情况下，由于电流的热效应和化学效应，是皮肤受伤病硬化，在皮肤表面形成圆形或椭圆形的肿块痕迹，颜色呈灰色或淡黄色。

皮肤金属化是在电流的作用下，使一些熔化和蒸发的金属微粒渗入人体皮肤表层，使皮肤受伤部位变得粗糙而坚硬，导致皮肤金属化。

（二）触电对人体的危害因素

电流通过人体，对人的危害程度与通过的电流大小、持续时间、电压高低、频率以及通过人体的途径，人体电阻状况和人的身体健康状况有关。

1. 触电电流　通过人体的电流越大，人体生理反应越明显，引起心室颤动所需的时间越短，致命的危险越大。通过人体的电流强度取决于触电电压和人体电阻。人体电阻主要由比较稳定的体内电阻和易随外界变化的表皮电阻组成，一般在 $1k\Omega \sim 2k\Omega$ 之间。体内电阻一般为 500Ω 左右，表皮电阻与皮肤湿度、粗糙程度、触电面积等有关。

2. 持续时间　触电时间越长人体电阻值就越低，人体允许的电流值就越小。通常将触电电流与触电时间的乘积作为触电安全参数，国际上目前公认为 30mA，即人体通过 30mA 的电流，时间为 1s 时便能受到伤害。

3. 电流频率　常用的 50～60Hz 的工频交流电对人体的伤害最严重，低于或高于此频率段的电流对人体伤害小。交流电危险性比直流电大。

4. 电流途径　电流通过心脏、呼吸系统和中枢神经时，其危害程度较其他途径大。

5. 人体健康情况　触电伤害程度与人体健康及精神状况有密切关系。身体患有心脏病、结核病等疾病承受电击力更差，触电后果更为严重。醉酒、疲劳过度也增加了触电的几率和危险性。

（三）触电方式

按照人体接触带电体的方式和电流流过人体的途径，人体触电一般有单相触电、两相触电、跨步电压触电和接触电压触电。

1. 单相触电　当人体的一部分直接或间接触及带电设备其中的一相时，电流通过人体流入大地，使电源和人体及大地之间形成了一个电流通路，这种触电方式称为单相触电。若人体过于接近高压带电体，超过安全距离，高电压会对人体放电，造成单相接地而引起的触点，也属于单相触电。

2. 两相触电　人体两部分直接或间接同时触及带电设备或电源的两相，或在高压系统中人体同时接近两相带电导体，发生电弧放电，在电源与人体之间构成电流通路，这种触电方式称为两相触电。

3. 跨步电压触电　当电气设备或线路发生接地故障，接地电流从接地点向大地流散，在地面形成分布电位，若人体进入地面带电区域时，其两脚之间存在电位差，即为跨步电压。由跨步电压引起的人体触电，称为跨步电压触电（图 6-18）。跨步电压的大小受接地电流大小、鞋和地面特征、两脚的方位及离接地点的远近等众多因素影响。成人的跨距一般按 0.8m 考虑。

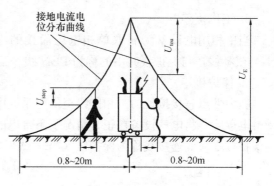

图 6-18　跨步电压触电示意图

4. 接触电压触电　电气设备由于绝缘损坏、安装不良等原因致使设备金属外壳带电，在身体可同时触及的不同部位之间出现电位差，人若触及带电外壳，便会发生触电事故，这种触电称为接触电压触电。一般认为接触电压是指人站在带电金属外壳旁（水平方向 0.8m 处），人手触及带电外壳时，其手、脚之间所承受的电位差。

（四）供电系统接地形式

为了避免触电危险，保证人身安全和电气系统、电气设备的正常工作需要，采取各种安全保护措施很有必要。保护接地和保护接零是最简单可靠的技术保护措施，其做法是将电气设备的外壳通过一定的装置（人工接地体或自然接地体）与大地直接连接。采取保护接地措施后，如相线发生碰壳故障时，该线路的保护装置则视为单相短路故障，并及时将线路切断，使短路点接地电压消失，确保人身安全。根据电气设备接地不同的作用，可将接地和接零类型分为以下几种：

1. 工作接地

在正常情况下，为保证电气设备的可靠运行并提供部分电气设备和装置所需要的相电压，将电力系统中的变压器低压侧中性点通过接地装置与大地直接相连，该接地方式称为工作接地。工作接地如图 6-19 所示。

2. 保护接地

为了防止电气设备由于绝缘损坏而造成的触电事故，将电气设备在正常情况下不带电的金属外壳或构架通过接地线与接地体连接起来，这种接地方式称为保护接地。其连接于接地装置与电气设备之间的金属导线称为保护线（PE）或接地线，与土壤直接接触的金属称为接地体或接地极。接地线和接地体合称接地装置，一般要求接地电阻不大于 4Ω。保护接地适用于中性点不接地的三相三线至供电系统中。保护接地如图 6-20 所示。

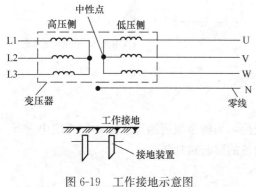

图 6-19　工作接地示意图

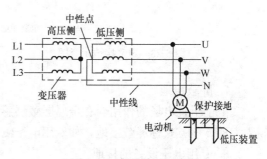

图 6-20　保护接地示意图

195

3. 工作接零

当单相用电设备为获取单相电压而接的零线，称为工作接零。其连接线称中性线（N）或零线，与保护线共用的称为 PEN 线。工作接零如图 6-21 所示。

4. 保护接零

在中性点直接接地的三相四线至供电系统中，为防止电气设备因绝缘损坏而使人身遭受触电危险，将电气设备在正常情况下不带电的金属外壳与电源的中性线相连接的方式称为保护接零。其连接线称为保护线（PE）或保护零线。保护接零如图 6-22 所示。

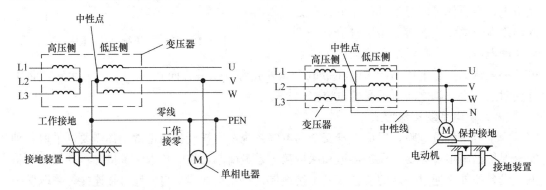

图 6-21　工作接零示意图　　　　　图 6-22　保护接零示意图

5. 重复接地

当线路较长或要求接地电阻较低时，为尽可能降低零线的接地电阻，除变压器低压侧中性点直接接地外，将零线上一处或多处再进行接地，则称为重复接地。如图 6-23 所示。

6. 防雷接地

防雷接地的作用是将雷电流迅速安全地引入大地，避免建筑物及其内部电器设备遭受雷电侵害。防雷接地如图 6-24 所示。

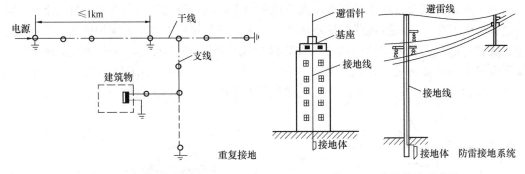

图 6-23　重复接地示意图　　　　　图 6-24　防雷接地示意图

7. 屏蔽接地

由于干扰电场的作用会在金属屏蔽层感应电荷，而将金属屏蔽层接地，使感应电荷导入大地，该方式称屏蔽接地，如专用电子测量设备的屏蔽接地等。

8. 专用电子设备的接地

如医疗设备、电子计算机等的接地，即为专用电气设备的接地。电子计算机的接地主要有：直流接地（即计算机逻辑电路、运算单元、CPU 等单元的直流接地，也称逻辑接地）和安全接地。一般电子设备的接地有：信号接地、安全接地、功率接地（即电子设备中所有继电器、电动机、电源装置、指示灯等的接地）等。

9. 接地模块

接地模块是近年来推广应用的一种接地方式。接地模块顶面埋深不小于 0.6m，接地模块间距不应小于模块长度的 3～5 倍。接地模块埋设基坑，一般为模块外形尺寸的 1.2～1.4 倍，且在开挖深度内详细记录地层情况。接地模块应垂直或水平就位，不应倾斜设置，保持与原土层接触良好。接地模块应集中引线，用干线把接地模块并联焊接成一个环路，干线的材质与接地模块焊接点的材质应相同，钢制的采用热浸镀锌扁钢，引出线不少于两处。

（五）电击防护措施

1. 对于经常带电设备的防护

根据电气设备的性质、电压等级、周围环境和运行条件，要求保证防止意外的接触、意外的接近或可能的接触。因此，对于裸导线或母线应采用封闭、高挂或设置等，予以绝缘、屏蔽遮拦、保证安全距离的措施。应该注意对于高压设备，不论是否裸露，均应屏护遮拦和保证安全距离的措施。此外，还有不少情况可以采用连锁装置来防止偶然触及后接近带电体，一旦接触或走近连锁装置动作，自动切断电源。

2. 对于偶然带电设备的防护

操作人员对于原来不带电部分的金属外壳的接触是难免的，有时接触还是正常的操作。操作手持电动工具，则在工作时要接触它的外壳，如果这些设备绝缘损坏，就会有电压产生，会出现意外触电的危险。为了减少或避免这种电压出现在设备外壳的危险，可以采用保护接地和保护接零等措施；或将不带电部分采用双重绝缘结构；也可采用使操作人员站在绝缘座或绝缘毯上等临时措施。对于小型电动工具或者经常移动的小型机组也可采取限制电压等级的措施，以控制使用电压在安全电压的范围之内。

3. 检查、修理作业时的防护

在进行电气线路或电气设备的检查、修理护试验时，为预防工作人员麻痹或偶尔丧失判断的能力，应采用标志和信号来帮助做出正确的判断。标志用来分别电气设备各部分、电缆和导线的用途，可用文字、数字和符号来表示，并用不同的颜色区分，以避免在运行、巡检和检修时发生错误。用红绿信号向工作人员指示电气装置中某设备的情况；用工作牌和告白牌等向其他人员警示和指示运行及正在检修的情况。如遇特殊情况需要带电检修时，应使用适当的防护用具。电工常用的防护用具有：绝缘台、垫、靴、手套、绝缘棒、钳、电压指示器和携带式临时接地装置等。

任务4 建筑弱电系统的认知

建筑弱电系统是利用系统集成的方法，将计算机技术、通信技术、控制技术与建筑技术有机结合的产物。智能建筑将建筑物中用于综合布线、楼宇控制、计算机系统的各种分离的设备及其功能信息，有机地组合成一个相互关联、统一协调的整体，各种硬件与软件资源被优化组合成一个能满足用户需要的完整体系，并朝着高速化、共性能的方向发展。

智能建筑以建筑环境内的系统集成中心（System Integrated Center，SIC）通过建筑物综合布线系统（Generic Cabling System，GCS）或通信网络系统（Communication Network System，CNS）与各种信息终端（微机、电话、传真机、各类传感器等）连接，收集数据，"感知"建筑环境各个空间的"信息"并通过计算机处理，得出相应的处理结果，再通过网络系统向通信终端或控制终端（各类步进电机、阀门、电子锁和电子开关）发出指令，终端作出相应动作，使建筑物具有某种"智能"功能。

智能建筑的核心是通过多种综合技术对楼宇进行控制、通信和管理，强调实现楼宇三个方向自动化的功能，即建筑物的自动化 BA（Building Automation）；通信系统的自动化 CA（Communication Automation）；办公业务的自动化 OA（Office Automation）。与建筑工程技术专业紧密相关的主要包括以下内容：火灾自动报警及消防联动系统；通信网络系统；建筑设备监控系统；安全防范系统；信息网络系统；综合布线系统；智能化系统集成等。

一、火灾自动报警及消防联动系统

在建筑物中装设火灾自动报警系统，能在火灾初期阶段，但还未成灾之前发出警报以便及时疏散人员、启动灭火系统、并联动其他设备的输出接点，能够控制自动灭火系统、事故广播、事故照明、消防给水和排烟等减灾系统，并对外发送火警信息实现检测、报警和灭火的自动化。这对于消除火灾或减少火灾的损失，是一种极为重要的方法和十分有效的措施。

（一）火灾自动报警系统组成及作用

火灾自动报警系统由触发器件（探测器、手动报警按钮）、火灾报警装置（火灾报警控制器）、火灾警报装置（声光报警器）、控制装置及消防联动系统和自动灭火系统等部分组成，实现建筑物的火灾自动报警及消防联动。

火灾探测器将现场火灾信息（烟、温度、光）转换成电气信号，传送至自动报警控制器；火灾报警控制器将接收到的火灾信号，经过逻辑运算处理后认定火灾，输出指令信号。一方面启动火灾报警装置，如声光报警等，另一方面启动灭火联动装置，用以驱动各种灭火设备；同时也启动联锁减灾系统，用以驱动各种减灾设备。火灾探测器、火灾报警控制器、报警装置、联动装置、连锁装置等组成了一个实用的自动报警与灭火系统。为提高可靠性，火灾自动报警系统还应设置手动触发装置，以防止系统由于故障原因而导致火灾信号不能发出。

火灾探测器是火灾自动探测系统的传感部分，能在现场发出火灾报警信号或向控制或指示设备发出现场火灾状态信号，被形象地称为"消防哨兵"。

警报器的作用是当发生火情时，能发出区别环境声光的声或光报警信号。

火灾报警控制器一般可分为区域报警控制器、集中报警控制器和通用报警控制器。

区域报警控制器用于火灾探测器的监测、巡检、供电与备电，接收监测区域内火灾探测器的报警信号，并转换为声光报警输出，显示火灾部位等。其主要功能有火灾信号处理与判断、声光报警、故障监测、模拟检查、报警计时备电切换和联动控制等。

集中报警控制器用于接收区域控制器发送的火灾信号，显示火灾部位和记录火灾信息，协调联动控制和构成终端显示等。主要功能包括报警显示，控制显示、计时、联动连锁控制，信息传输处理等。

通用火灾报警控制器兼有区域和集中控制器功能，小型的可作为区域控制器使用，大型的可以构成中心处理系统，其形式多样，功能完备，可按其特点构成各种类型的火灾自动报警系统模式。

自动灭火系统是在火灾报警装置控制器的联动控制下，执行灭火的自动系统。如自动喷洒水灭火系统、卤代烷灭火系统、泡沫灭火系统、二氧化碳灭火系统等成套装置。

（二）火灾探测器的分类及选用

根据对可燃固体、可燃液体、可燃气体及电气火灾等的燃烧实验，为正确无误地对不同物体的火灾进行探测，目前研制出来的常用探测器主要有感烟式、感温式、感光可燃、气体探测式、复合式和智能型等主要类型。按其警戒范围不同又可分为点型和线型两大类。

1. 感烟火灾探测器

感烟火灾探测器用以探测火灾初期燃烧所产生的气溶胶或烟粒子浓度，适用于火灾的前期和早期报警。但是在正常情况下多烟或多尘的场所、存放火药或汽油等着火迅速的场所、安装高度大于 20m 是烟不宜到达的场所，以及维护管理困难的场所，不宜设置感烟火灾探测器。感烟火灾探测器分为离子型、光电型、电容式或半导体型等类型。

2. 感温火灾探测器

感温火灾探测器响应异常温度、温升速率和温差等火灾信号，感温探测器不受非火灾性烟尘雾气等干扰，当火灾发生并达到一定温度时工作状态较稳定，但此时火灾已引起物质上的损失，故适用于早期、中期火灾报警。凡是不可能采用感烟探测器、非爆炸性的并允许产生一定损失的场所，均可采用感温探测器。常用的有定温型—环境温度达到或超过预定值时响应；差温型—环境温升速率超过预定值时响应；差定温型—兼有差温、定温两种功能。

3. 感光火灾探测器

感光火灾探测器主要对火焰辐射出的红外、紫外、可见光予以响应，故又称火焰探测器，该类型探测器在一定程度上可克服感烟探测器的缺点，但报警时已造成一定的物质损失。当探测器附近有过强的红外或紫外光源时，可导致探测器工作状态不稳定，一般只适宜在特定场所下选用。常用的有红外火焰型和紫外火焰型两种。

4. 可燃气体火灾探测器

可燃气体火灾探测器主要用于易燃、易爆场所中探测可燃气体的浓度。可燃气体火灾探测器目前主要用于宾馆厨房或燃料气储备间、汽车库、压气机站、过滤车间、溶剂库、炼油厂、燃油电厂等存在可燃气体的场所。

5. 复合火灾探测器

复合火灾探测器可响应两种或两种以上火灾参数，是两种或两种以上火灾探测器性能的优化组合，对相互关联的每个探测器的测值进行计算，从而降低了误报率。主要有感温感烟型、感光感烟型、感光感温型等。火灾探测器外形如图 6-25 所示。

6. 智能型火灾探测器

智能型火灾探测器在内部微处理芯片上预设一些针对常规及个别区域和用途的火情判定计算规则，探测器本身带有微处理信息功能，可以处理由环境所收到的信息，并针对信息进行处理，统计评估，再根据相关预设程序作出正确报警动作。从而大大降低由环境变

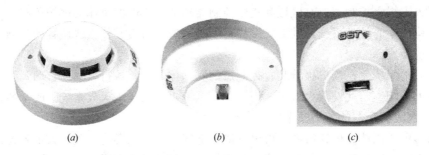

图 6-25　常用火灾探测器

(a) 感烟探测器；(b) 感温探测器；(c) 感光探测器

化而引起的误报或漏报。

一般规定，探测区域内的每个房间至少应布置一个探测器。各类型探测器的保护面积和保护半径，与探测区域的面积、高度及屋顶坡度有关。在实际安装中还应考虑房间通风换气及梁对探测器的影响，在通风换气房间，烟的自然蔓延发生受到破坏，换气越频繁，烟的浓度越低，部分烟被空气带走，导致探测器接收烟量的减少，致使感烟探测器的灵敏度降低此时应注意采取一定的补偿方法。一般采取压缩每只探测器的保护面积或增大探测器的灵敏度。而房间顶棚有梁时，由于烟的自然蔓延也受到梁的阻碍，探测器的保护面积会受到梁的影响，一般规定房间高度在 5m 以下，感烟探测器在梁高小于 200mm 时，无需考虑其梁的影响；房间高度在 5m 以上，梁高大于 200mm 时，探测器的保护面积需重新考虑。

（三）火灾自动报警系统的基本方式

在实际工程中，主要采用以下三种火灾自动报警系统

1. 区域报警系统

该报警系统由火灾探测器、手动火灾报警器、区域火灾报警控制器、火灾报警装置组成。区域报警控制系统用于对建筑物内某一个局部范围或设施进行报警或控制，报警控制器应设在专门有人值班的房间或场所。通常用于图书馆、档案室、电子计算机房等。

2. 集中报警系统

由火灾探测器、手动火灾报警器、区域火灾报警控制器、集中火灾报警控制器、火灾报警装置组成。如图 6-26 所示。

3. 控制中心报警系统

由消防控制室的消防控制设备、集中火灾报警控制器、区域火灾报警控制器和火灾探测器等组成，或由消防控制室的消防控制设备、火灾报警控制器、区域显示器和火灾探测器等组成，功能复杂的火灾自动报警系统称为控制中心报警系统。系统的容量较大，消防设施控制功能较全，适用于大型建筑的保护。

二、共用天线电视系统

共用天线电视接收系统简称 CATV 系统。该系统是为了提高建筑物内各用户的收视效果，避免在楼顶形成"天线森林"而影响建筑美观，所采用的一种用户共用一组天线接收电视台电视信号，信号经过适当的技术处理后，由专用部件将信号合理地分配给各电视

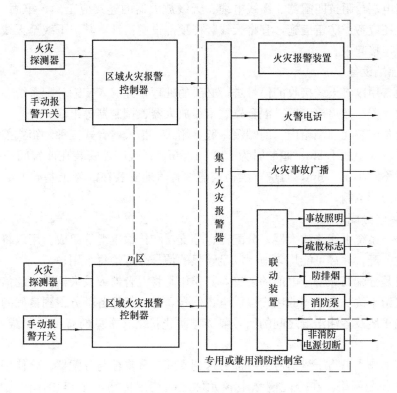

图 6-26　集中报警系统组成示意图

接收机。由于系统各部件之间采用了大量的同轴电缆作为信号传输线，故 CATV 系统又称电缆电视系统，是目前广泛应用的有线电视。

共用天线电视系统一般由信号源设备、前端设备、传输分配网络和用户终端组成。如图示 6-27 所示。

（一）信号源设备

信号源设备包括接收天线和录像机等自办节目制作设备，是用以接收并输出图像及伴音信号的设备。接收天线的作用是获得地面无线电视信号、调配广播信号、微波传输电视信号和卫星电视信号。接收

图 6-27　共用天线电视系统组成

天线可分为引向天线、抛物面天线、环形天线和对数周期天线等。

在共用天线系统中，天线的选型及其安装位置的选择都极其重要，要结合现场条件，避开天线入射方向的障碍和各种干扰，提高接收信号强度和减少噪声强度。为防止天线的互相干扰，在组合使用时，应尽量使天线间隔得大一些。共用天线在安装时，天线应朝向电视发射台的方向，附近不应有阻挡物，天线与建筑物应保持 6m 以上的距离。此外，接收天线宜装设在距电梯房、风机机房等电力设施较远处，以避开因电视设备产生的干扰。

天线应根据生产厂家的安装说明书，在地面组装好后，再安装于竖杆合适基座位置上，其基座上的地脚螺栓应与建筑物钢筋焊连，必须与接地系统焊连。天线与地面应平行

安装，其馈电端与阻抗匹配器、馈线电缆、天线放大器的连接应正确、牢固、接触良好。对天线系统还应考虑防雷措施，宜将天线竖杆顶部设避雷针，其引下线至天线基座底部并与接地装置连接起来。

（二）前端设备

前端设备用以将天线接收的信号进行必要的处理，并送入传输分配系统。前端设备一般由天线放大器、频道放大器、混合器、干线放大器、调制器等组成。

前端设备安装在前端箱内，前端箱一般分箱式、柜式、台式三种。箱式前端明装于前置间内时，箱底距地 1.2m；暗装时为 1.2～1.5m。台式前端安装在前置间内的操作台桌面上，高度不宜小于 0.8m，且应牢固柜式前端宜落地安装在混凝土基础上面，安装方式同落地式动力配电箱。

（三）传输分配系统

传输分配系统由线路放大器、分配器、分支器和传输电缆等组成。用以将前端输出信号进行传输分配，并尽可能均匀地、以足够强的信号分配给每个用户。

分配器是分配高频信号电能的装置，其作用是将混合器或放大器送来的信号平均分成若干份，送给干线，向不同的用户提供电视信号，并能保证各部分得到良好的匹配，同时保持各传输干线及各输出端之间的信号隔离，防止扰动。常见的有二分配器、三分配器、四分配器。

分支器的作用是将干线信号的一部分送到支线，分支器与分配器配合使用可组成形形色色的传输分配网络。在分配网络中各元件之间均用传输电缆连接，构成信号传输的通路。

传输电缆一般采用同轴电缆，可分为主干线、干线、分支线等。主干线接在前端与传输分配网络之间；干线用于分配网络中各元件之间的连接；分支线用于分配网络与用户终端的连接。

用户终端又称为用户接线盒，是共用天线电视系统供给电视机电视信号的接线器。用户接线盒有单孔盒和双孔盒之分。单孔盒输出电视信号，双孔盒可同时输出电视信号和调频广播信号。用户盒的安装分明装和暗装。明装用户盒可直接用塑料胀管和木螺钉固定在墙上。暗装用户盒应配合土建施工将盒及电缆保护管埋入墙内，盒口应和墙面保持平齐，面板可略高出墙面。同照明工程中插座盒、开关盒的安装。

三、广播音响系统

广播音响系统是指建筑物自称体系的独立的优先广播音响系统，是一种通信和宣传工具，由于该系统设备简单、维护和使用方便、影响面大、工程造价低，被广泛地应用于各类公共建筑内。广播音响系统一般可分为三大类，即业务性广播系统、服务性广播系统、火灾事故广播系统。

业务性广播系统主要以满足业务及行政管理为主的语言广播要求，设置于办公楼、商场、院校、车站、客运码头及航空港等建筑物内。系统一般较简单，在设计和设备选型上无过高的要求。

服务性广播多以播放欣赏性音乐为主，多设于商场、宾馆、大型公共活动场所。

火灾事故广播系统一般与火灾自动报警及联动控制系统配套设置，用于火灾事故发生时或其他紧急情况发生时，引导人员安全疏散。

广播音响系统主要由节目源设备、放大和处理设备、传输线路及扬声器系统四部分组成。

节目源设备通常由节目源和设备组成。节目源为有线广播系统提供声源，可以是无线电广播（调频、调幅）、普通唱片、激光唱片（CD）和盒式磁带等。节目源设备有FM/AM调谐器、电唱机、激光唱机和录音卡座以及传声器（话筒）、电视伴音（包括影碟机、录像机和卫星电视的伴音）、电子乐器等。

放大和信号处理设备主要对音频信号进行功率放大，并以电压显示输出具有一定功率的音频信号。一般包括调音台、前置放大器、功率放大器和各种控制器及音响加工设备等。

传输线路是将处理好的音频信号传输给扬声系统，由于系统和传输方式的不同对传输线路有不同的要求。

扬声器系统是将系统传送的音频信号还原为人们耳朵能听到的声音的设备。有电动式、静电式和电磁式等多种，音箱、扬声器箱均为扬声器系统。选择扬声器时应考虑其灵敏度、频率响应范围、指向性和功率等因素。

四、电话交换系统

电话交换系统是通信系统的主要方式之一。通信按传输的媒介可分为有线传输（明敷线、电缆、波导通信等）和无线传输（微波、短波、微波中继、卫星通信等）等。有线电话通信系统是实现两地之间最基本和最重要的传输方式。有线传输又分为模拟传输和数字传输两种。

电话交换系统由三部分组成，即电话交换设备、传输系统和用户终端设备。

1. 常用电话机

常用电话机有拨号盘式电话机、按键式电话机、扬声自动电话机、免提电话机、双音多频（DTMF）按键式电话机、无绳电话机、可视电话机、自动录音电话机、电视电话机以及各种功能奇特的电话机等。目前国内应用较广泛的是按键式电话机，该电话机由电话、发号和振铃三个基本部分组成，具有脉冲稳定、按键简单、话音失真度小等特点，且发送和接收系统的灵敏度可按要求调节，此外还有号码重发、所谓拨号、插入等待、锁号、脉冲与音频兼容、免提、发送闭音等多种附属功能。

2. 交换机

交换机是根据用户通话的要求，交换通断相应电话机通路的设备。可以完成建筑物内部用户与用户之间的信息交换，以及内部用户与外部用户之间的话音及图文数据传输。交换机的种类较多，总体上可以分为人工电话交换机和自动电话交换机两大类，目前应用较广泛的是一种利用软件预先把交换动作的顺序编成程序，集中存放在存储器中，然后由程序自动执行控制交换机的交换连续动作，从而完成用户之间的通话的通信方式，称为程控交换机。

程控交换机主要由话路系统、中央处理系统、输入输出系统等三部分组成。

3. 通信及传输设备

通信及传输设备包括配线设备、分线设备、配线电缆、用户线及用户终端机。配线设备主要指用户配线架或交接箱。在有用户交换机的建筑物内一般设置配线架与电话站内，在无用户交换机的较大型建筑物内，往往在首层或地下室一层电话进户电缆引入点设电缆交接间，内置交接箱。分线设备主要是分线箱（盒），分为明装和暗装两种。

配线电缆分市话电线电缆、双绞线、光缆等。常用市话电缆有 HQ 型纸绝缘铅包市话电缆、HYQ 型聚氯乙烯绝缘铅包市话电缆。建筑物内的电话干线常采用 HPVV 型塑料绝缘塑料护套通信电缆。

用户线是连接电话机和交换机之间的电气信号通路。要保证通话的清晰度，需采取必要的抗干扰措施，通常采用 RVS2×0.5 塑料绝缘的软绞线。电话线缆的敷设应符合《城市住宅区和办公楼电话通信设施验收规范》YO 5048 的有关规定。在具体敷设中应注意，交换机与电话机是以放射式连接。这一点与照明灯具布线方式不一样。

任务5　建筑电气施工图的识读

一、建筑电气施工图的一般规定

建筑电气施工图纸是电气设计人员依据现行设计规范并结合有关设计资料所表达出的工程语言，这些工程语言由图例符号、元件符号和图表等组成。通过阅读建筑电气施工图可以了解建筑电气工程的构成规模及功能，电气装置的安装技术数据等。

（一）图纸的幅面

图纸的幅面一般分为五类：A0 号、A1 号、A2 号、A3 号和 A4 号，具体尺寸见表 6-8。

基本幅面尺寸（mm）　　　　　　　　　　　　　　　　表 6-8

幅面代号	A0	A1	A2	A3	A4
宽×长（$B×L$）	841×1189	594×841	420×591	297×420	210×297
留装订边时的边宽（c）	10			5	
不留装订边时的边宽（e）	20		10		
装订侧边宽（a）	25				

（二）图线与字体

绘制电气施工图所用的各种线条统称为图线。常用图线见表 6-9。

图线形式及应用　　　　　　　　　　　　　　　　　　表 6-9

图线名称	图线形式	图线应用	图线名称	图线形式	图线应用
粗实线	——	电气线路，一次线路	点划线	—·—·—	控制线
细实线	——	二次线路，一般线路	双点划线	—··—··—	辅助围框线
虚线	------	屏蔽线路，机械线路	波浪线	∼	断裂处的边界线
折断线	——	被断开部分的分界线			

电气施工图所用的汉字应采用长仿宋体，字母或数字可以用正体或斜体。

（三）图例和文字符号见表 6-10，常用的文字符号见表 6-11～表 6-14。

图 例	名 称	备 注	图 例	名 称	备 注
	双绕组 变压器	形式 1 形式 2		电源自动切换 箱（屏）	
				隔离开关	
	三绕组 变压器	形式 1 形式 2		接触器（在 非动作位置 触点断开）	
—TV	电流互感器	形式 1		断路器	
—TV	电压互感器	形式 2		熔断器一般 符号	
	屏、台、箱柜 一般符号	当需要区分其类型时，宜在方框内标注下列字母：LA—照明配电箱；ELB—应急照明配电箱；PB—动力配电箱；EPB—应急动力配电箱；WB—电度表箱；SB—信号箱；TB—电源切换箱；CB—控制箱、操作箱		熔断器式 隔离器	
	动力或动力— 照明配电箱			熔断器式 隔离开关	
	照明配电 箱（屏）			避雷器	
	事故照明配 电箱（屏）		MDF	总配线架 （柜）	
FD	楼层配线架		IDF	中间配线架 （柜）	
SW	交换机		ODF	光纤配线架 （柜）	

图　例	名　称	备　注	图　例	名　称	备　注
⊗	灯的一般符号	当灯具需要区分不同类型时，宜在符号旁标注下列字母：ST—备用照明；SA—安全照明；LL—局部照明灯；W—壁灯；C—吸顶灯；R—筒灯；EN—密闭灯；G—圆球灯；EX—防爆灯；E—应急灯；L—花灯；P—吊灯；BM—浴霸		分线盒的一般符号	
荧光灯	荧光灯			三联单控开关	
二管荧光灯	二管荧光灯			三联单控开关（暗装）	EX—防爆；EN—密闭；C—暗装
三管荧光灯	三管荧光灯			n 联单控开关，$n>3$	
多管荧光灯，$n>3$	多管荧光灯，$n>3$			带指示灯的开关	
单管格栅灯	单管格栅灯		SL	单极声光控开关	
双管格栅灯	双管格栅灯			双控单极开关	
三管格栅灯	三管格栅灯			单极拉线开关	
⊗	投光灯，一般符号			风机盘管三速开关	
聚光灯	聚光灯		○	按钮	
自带电源的应急照明灯	自带电源的应急照明灯		⊗	带指示灯的按钮	

206

图例	名称	备注	图例	名称	备注
	开关，一般符号（单联单控开关）			电源插座、插孔，一般符号（用于不带保护极的电源插座）	
	双联单控开关			多个电源插座（符号表示三个插座）	
(V)	指示式电压表			带保护极的电源插座	
(cosφ)	功率因数表			单相二、三极电源插座	
Wh	有功电能表（瓦时计）			带保护极和单极开关的电源插座	当电源插座需要区分不同类型时，宜在符号旁标注下列字母：1P—单相；3P—三相；1C—单相暗敷；3C—三相暗敷；1EX—单相防爆；3EX—三相防爆；1EN—单相密闭；3EN—三相密闭
(TP) ⫟TP	电话插座				
(TO) ⫟TO	数据插座				
(TD) ⫟TD	信息插座			带隔离变压器的电源插座	
(nTO) ⫟nTO	n孔信息插座				
○ MUTO	多用户信息插座				
	单极限时开关		(A)	指示式电流表	
	调光器		▭	匹配终端	
🔲	钥匙开关			传声器一般符号	

图 例	名 称	备 注	图 例	名 称	备 注
	电铃、电喇叭、电动汽笛			扬声器一般符号	当扬声器箱、音箱、声柱需要区分不同的安装形式时，宜在符号旁标注下列字母，C—吸顶式安装；R—嵌入式安装；W—壁挂式安装
	天线一般符号			感烟探测器	
	放大器、中继器一般符号			感光火灾探测器	
	分配器，一般符号（表示两路分配器）			气体火灾探测器（点式）	
	分配器，一般符号（表示三路分配器）			复合式感光感烟探测器	
	分配器，一般符号（表示四路分配器）			感温火灾探测器（点型）	
	电线、电缆、母线、传输通路、一般符号 三根导线 三根导线 n 根导线			手动火灾报警按钮	
	接地装置 (1) 有接地极 (2) 无接地极			水流指示器	
TP	电话线路		★	火灾报警控制器	当火灾报警控制器需要区分不同类型时，符号"★"可采用下列字母表示：C—集中型火灾报警控制器；Z—区域型火灾报警控制器；G—通用火灾报警控制器；S—可燃气体报警控制器

图例	名称	备注	图例	名称	备注
──V──	视频线路		火灾报警电话机（对讲电话机）		
──B──	广播线路		E	应急疏散指示标志灯	
	摄像机		→	应急疏散指示标志灯（向右）	
	彩色转黑白摄像机		IR/M	被动红外/微波双技术探测器	
EL	电控锁			投影机	

线路敷设方式文字符号 表 6-11

敷设方式	新符号	旧符号	敷设方式	新符号	旧符号
穿焊接钢管敷设	SC	G	电缆桥架敷设	CT	
穿电线管敷设	MT	DG	金属线槽敷设	MR	GC
穿硬塑料管敷设	PC	VG	塑料线槽敷设	PR	XC
穿阻燃半硬聚氯乙烯管敷设	FPC	ZYG	直埋敷设	DB	
穿聚氯乙烯塑料波纹管敷设	KPC		电缆沟敷设	TC	
穿金属软管敷设	CP		混凝土排管敷设	CE	
穿扣压式薄壁钢管敷设	KBG		钢索敷设	M	

线路敷设部位文字符号 表 6-12

敷设方式	新符号	旧符号	敷设方式	新符号	旧符号
沿或跨梁（屋架）敷设	AB	LM	暗敷设在墙内	WC	QA
暗敷设在梁内	BC	LA	沿顶棚或顶板面敷设	CE	PM
沿或跨柱敷设	AC	ZM	暗敷设在屋面或顶板内	CC	PA
暗敷设在柱内	CLC	ZA	吊顶内敷设	SCE	
沿墙面敷设	WS	QM	地板或地面下敷设	F	DA

标注线路用途文字符号

表 6-13

名　称	常用文字符号			名　称	常用文字符号		
	单字母	双字母	三字母		单字母	双字母	三字母
控制线路		WC		电力线路		WP	
直流线路		WD		广播线路		WS	
应急照明线路	W	WE	WEL	电视线路	W	WV	
电话线路		WF		插座线路		WX	
照明线路		WL					

灯具安装方式文字符号

表 6-14

名　称	新符号	旧符号	名　称	新符号	旧符号
线吊式自在器线吊式	SW		顶棚内安装	CR	DR
链吊式	CS	L	墙壁内安装	WR	BR
管吊式	DS	G	支架上安装	S	J
壁装式	W	B	柱上安装	CL	Z
吸顶式	C	D	座装	HM	ZH
嵌入式	R	R			

线路的文字标注基本格式为：$ab-c(d \times e + f \times g)i-jh$

其中　a——线缆编号；

　　　b——型号；

　　　c——线缆根数；

　　　d——线缆线芯数；

　　　e——线芯截面（mm^2）；

　　　f——PE、N 线芯数；

　　　g——线芯截面（mm^2）；

　　　i——线路敷设方式；

　　　j——线路敷设部位；

　　　h——线路敷设安装高度（m）。

上述字母无内容时则省略该部分。

　　例：$12\text{-BLV}(3 \times 70 + 1 \times 50)\text{SC70-FC}$，表示系统中编号为 12 的线路，有三根 $70mm^2$ 和一根 $50mm^2$ 的聚氯乙烯绝缘铝芯导线，穿直径为 70mm 的焊接钢管沿地板暗敷设在地面内。

　　3. 用电设备的文字标注格式为：$\dfrac{a}{b}$

　　其中　a——设备编号；

　　　　　b——额定功率（kW）。

例：$\dfrac{P02C}{40kW}$ 表示设备编号为 P02C，容量 40kW。

4. 动力和照明配电箱的文字标注格式为：$a—b—c$ 或 $a\dfrac{b}{c}$

其中　a——设备编号；

　　　b——设备型号；

　　　c——设备功率（kW）。

例：$2\dfrac{PXTR-4-3\times3/1CM}{52.16}$ 表示 2 号配电箱，型号为 PXTR-4-3×3/1CM，功率为 52.16kW。

5. 桥架的文字标注格式为：$\dfrac{a\times b}{c}$

其中　a——桥架的宽度（mm）；

　　　b——桥架的高度（mm）；

　　　c——安装高度（m）。

例：$\dfrac{800\times200}{3.5}$ 表示电缆桥架的高度是 200mm，宽度是 800mm，安装高度为 3.5m。

6. 照明灯具的文字标注格式为：$a-b\dfrac{c\times d\times L}{e}f$

其中　a——同一个平面内，同种型号灯具的数量；

　　　b——灯具的型号；

　　　c——每盏照明灯具中光源的数量；

　　　d——每个光源的容量（W）；

　　　e——安装高度，当吸顶或嵌入安装时用"—"表示；

　　　f——安装方式；

　　　L——光源种类（常省略不标）。

例：$12-PKY501\dfrac{2\times36}{2.6}Ch$ 表示共有 12 套 PKY501 型双管荧光灯，容量 2×36W，安装高度 2.6m，采用链吊式安装。

二、建筑电气施工图的组成

常用的建筑电气施工图一般由以下几部分组成：

1. 图纸说明

图纸说明包括图纸目录、设计说明、图例、设备及材料明细表等。图纸目录说明图纸的名称、编号、张数等。设计说明主要阐述工程概况、设计依据、供电方式，以及图纸未能表达清楚的工艺要求、安装方法和有关注意事项的补充说明等。图例主要说明所使用的图形符号和文字代号所代表的意义。设备及材料明细表列出了主要设备和材料的规格、数量、型号、安装方法及其他特殊要求等。

2. 系统图

电气系统图是用单线图表示电气工程的供电方式、电能分配、控制和设备运行状况的图样。从系统图中可以了解系统的回路个数、名称、容量、用途，电气元件的规格、数量、型号和控制方式，导线的数量、型号、敷设方式、穿管管径等。电气系统图包括变配电系统图、动力系统图、照明系统图、弱电系统图等。

3. 平面图

电气平面图是表示各种电气设备、元件、装置和线路平面布置的图纸。它一般是在建筑平面图绘制出电气设备、元件等的安装位置、安装方式、型号、规格、数量、敷设方法等，是电气安装的主要依据。常用的电气平面图有变配电所平面图、室外供电线路平面图、照明平面图、动力平面图、防雷平面图、接地平面图、火灾报警平面图、综合布线平面图等。

4. 大样图

大样图又称详图，主要表示电气设备某一具体部位的具体安装方法，例如舞台聚光灯的安装大样图、灯头盒的安装大样图等。大样图一般采用标准通用图集。非标准的或有特殊要求的电气设备或元件安装，需要设计者专门绘制大样图。

三、电气施工图的识读方法

识读电气施工图，应先熟悉该建筑物的功能、结构特点等，特别是与电气设备安装有紧密联系的建筑部分。在识读电气施工图时，一般按照以下程序阅读，能够达到快速读懂图纸意图的目的。

1. 阅读图纸说明

首先阅读图纸目录和标题栏，了解项目内容、工程名称、图纸内容及数量等。其次看设计说明，了解工程概况、要求、采用的标准规范、标准图册和供电要求、电压等级等，了解图样中未能清楚表明的工艺特点、安装方法、供电电源的来源、施工注意事项等，掌握土建、暖通等专业对电气系统的要求或相互配合的说明，如基准线、抹灰厚度、电气竖井、管道交叉等。看图例说明主要熟悉补充使用的非标图符。最后阅读设备及材料明细表，了解主要设备和材料的规格、数量、型号、安装方法及其他特殊要求等，作为编制采购计划的依据。

2. 阅读系统图

阅读系统图应注意了解系统的基本概况，了解各系统的联络关系和联络方式，掌握进线回路的个数、编号、进线方式、容量、相序分配，导线回路的规格、型号、数量，各种电气设备的型号、规格、编号和数量，核对平面图回路标号与系统图是否一致。

3. 阅读平面图

通过阅读平面图，可以了解线路的敷设方式、设备的安装位置、导线的数量、规格、型号等。平面图一般与系统图结合，用以编制工程预算和施工方案。

4. 阅读大样图

通过阅读大样图，能够详细了解设备或元件的正确安装方法，对于指导安装施工和编制工程材料计划具有重要指导作用。

电气施工图往往需要反复阅读才能掌握图纸所表达的意图。一般可以先略读一遍，了解工程的总体情况，然后再精读，仔细阅读每台设备和元件的安装位置和安装要求，所有管线的敷设要求，与土建、暖通等专业的协作关系等。对图纸中的关键部位和重要设备还应反复阅读，力求精确无误。阅读施工图时，还应结合相关的规范、标准以及全国通用电气装置标准图集，以详细指导安装施工。

四、动力施工图的识读

1. 动力系统图识读

图 6-28 为某锅炉房的配电系统图。系统总安装容量为 290kW，计算电流 392A，进线电缆 VV22-2(3×185＋1×95)2RC100-FC-0.8m 为两根 VV22-(3×185＋1×95)电力电缆，

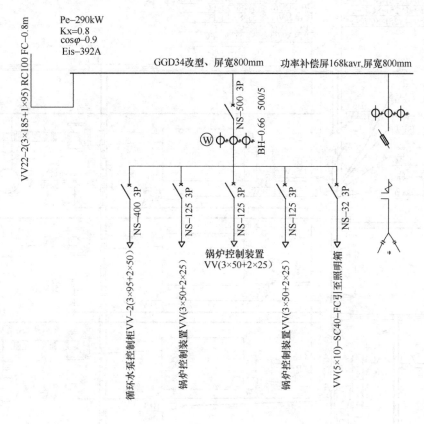

图 6-28　某锅炉房的配电系统图

分别穿管 RC100 埋地敷设。3 台锅炉的控制柜各为一个回路，电缆为 VV(3×50＋2×25)，循环泵的控制柜为一个回路，电缆为 VV-2(3×95＋2×50)，接照明控制箱回路的电缆为 VV(5×10)。为补偿系统功率因数，设有功率因数补偿柜，补偿容量 168kvar，屏宽 800mm，补偿后功率因数大于 0.9。

2. 动力平面图识读

图 6-29 为动力平面图。控制室内有 AA1、AA2 两面配电柜及 AC1、AC2、AC3、AC4 四面控制柜，各柜采用 GGD 改型，均为落地安装，配电柜后部、下方及锅炉房内部设有电缆沟，电缆沟 500mm×600mm。锅炉房的进线电缆为埋地敷设，位置在③轴处。控制柜到各设备的电缆先沿电缆沟敷设，然后再穿管引到设备接线盒，配电的管线标注在图样上，各设备的容量及位号均标注在各设备接线盒处。其中 $\frac{B1}{45kW}$ 表示设备编号为 B1，设备容量为 45kW。

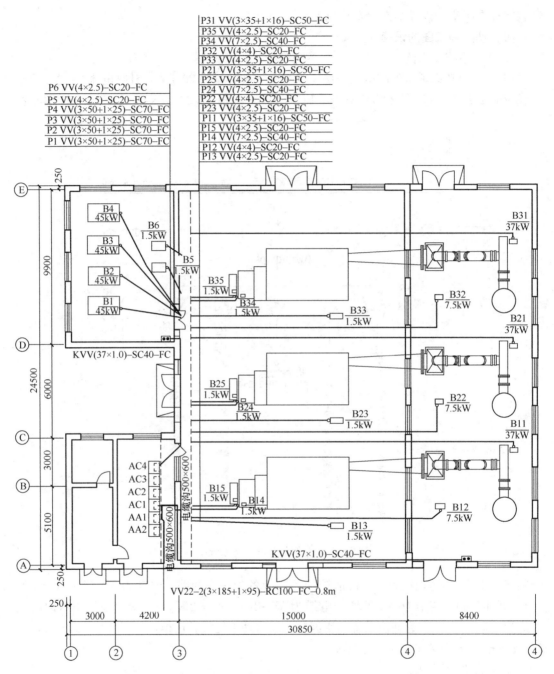

P31 VV(3×35+1×16)–SC50–FC
P35 VV(4×2.5)–SC20–FC
P34 VV(7×2.5)–SC40–FC
P32 VV(4×4)–SC20–FC
P33 VV(4×2.5)–SC20–FC
P21 VV(3×35+1×16)–SC50–FC
P25 VV(4×2.5)–SC20–FC
P24 VV(7×2.5)–SC40–FC
P22 VV(4×4)–SC20–FC
P23 VV(4×2.5)–SC20–FC
P11 VV(3×35+1×16)–SC50–FC
P15 VV(4×2.5)–SC20–FC
P14 VV(7×2.5)–SC40–FC
P12 VV(4×4)–SC20–FC
P13 VV(4×2.5)–SC20–FC

P6 VV(4×2.5)–SC20–FC
P5 VV(4×2.5)–SC20–FC
P4 VV(3×50+1×25)–SC70–FC
P3 VV(3×50+1×25)–SC70–FC
P2 VV(3×50+1×25)–SC70–FC
P1 VV(3×50+1×25)–SC70–FC

图 6-29　某锅炉房的动力平面图

五、照明施工图的识读

1. 总配电柜系统图

总配电柜系统图如图 6-30 所示。

该建筑物为三相四线电缆进户，配电柜 AA 采用 GZI 系列配电柜，其防护等级 IP55。主开关带有漏电保护，漏电动作电流 500mA。柜内设有电泳保护器，型号为 PRD40-4P。保护开关型号为 C65NC20 4P，主开关后设有电流互感器及电度表，型号分别为 LMZ-1-

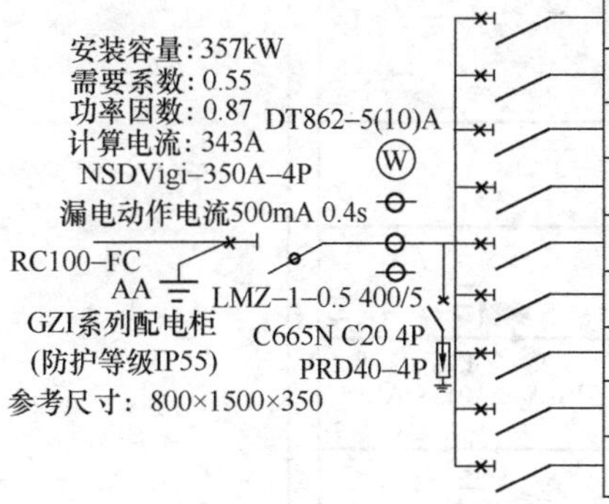

回路编号	开关型号	安装容量(kW)	需要系数	用途	配线
P1	NC100H–C80A–3P	54	0.75	一、二层门市	YJV(4×25+1×16)–PC50–WC
P2	NC100H–C100A–3P	72	0.70	一、二层门市	YJV(4×35+1×16)–PC63–WC
P3	NSD–125A–3P	101.3	0.57	三~五层客房	YJV(4×50+1×25)–SC100
P4	NC100H–D32A–3P	6.2	1.00	一、二层门厅	YJV(5×10)–SC50–SCE
P5	NC100H–C63A–3P	41.4	0.71	三~五层办公照明	YJV(5×16)–SC50–SCE
P6	NC100H–C63A–3P	72.0	0.41	三~五层办公空调	YJV(5×16)–SC50–SCE
P7	NC100H–D32A–3P	11.0	1.00	电梯	YJV(5×10)–SC50–SCE
	NC100H–D32A–3P	备用			
	NC100H–D32A–3P	备用			

安装容量：357kW
需要系数：0.55
功率因数：0.87　DT862-5(10)A
计算电流：343A
NSDVigi–350A–4P
漏电动作电流500mA 0.4s
RC100–FC
AA
GZI系列配电柜　LMZ–1–0.5 400/5
（防护等级IP55）　C665N C20 4P
参考尺寸：800×1500×350　PRD40–4P

总配电柜系统图

图 6-30　总配电柜系统图

0.5 400/5 及 DT862-5(10)。配电柜配出九路电源，门市为二路，P1 回路干线为 YJV(4×25＋1×16)-PC50-WC，保护开关 NC100H-C80A-3P，P2 回路干线为 YJV(4×35＋1×16)-PC63-WC，保护开关为 NC100H-C100A-3P。P3、P4、P5、P6、P7 回路与 P1、P2 相似。

2. 配电干线系统图

图 6-31 是配电干线系统图。一、二层门厅部分采用一路树干式配电，其中 P1 回路采用树干式连接了 6 套门市，P2 回路采用树干式连接了 8 套门市，干线敷设在墙内。图中的 P3 回路标注有"参 04D701-1-34"，表示此处选用了国家标准图集，04D701-1 为电气竖井设备安装图集，"-34"为图集所在的页码，经查图集为穿刺分支电力电缆安装。客房部分三~五层采用一路树干式配电，保护开关 NSD-125A-3P，管线为 YJV(4×50＋1×25)-SC100-SCE；办公部分三~五层照明及空调插座分别采用一路树干式配电，保护开关为 NC100H-C63A-3P，管线为 YJV(5×16)-SC50-SCE；本工程的电梯在配电室引出专用回路供电，配电管线为 YJV(5×10)-SC50-SCE。

3. 照明平面图

某办公楼三层照明平面布置图，如图 6-32 所示，图中有一个照明配电箱 AL3，由配电箱 AL3 引出 WL1~WL13 共 13 路配电线和 1 路应急照明回路。

其中 WL1 照明支路，共有双管荧光灯 12 盏，呈矩形分布，均在陈列馆中。分别位于①轴线的右侧，1/2 轴线的左侧，⑩轴线的上侧，Ⓕ轴线的下侧。灯具由一个暗装三极开关控制，其的控制开关位于 1/2 轴线和Ⓕ交点下方。

WL2 照明支路，共有双管荧光灯 8 盏，呈矩形分布，也在陈列馆中。分别位于①轴线的右侧，1/2 轴线的左侧，Ⓒ轴线的上侧，⑩轴线的下侧。灯具由一个暗装双极开关控制，其的控制开关位于 1/2 轴线和Ⓒ交点上方。

WL3 照明支路，共有双管荧光灯 5 盏，带遮光罩双管荧光灯 7 盏，天棚灯 3 盏，筒灯 3 盏，轴流风扇 2 个。双管荧光灯位于 1/2 轴线的右侧，③轴线的左侧，Ⓒ轴线的上侧，Ⓕ轴线的下侧，灯具由一个暗装双极开关控制，其位于③轴线和Ⓔ轴线的交点处。带

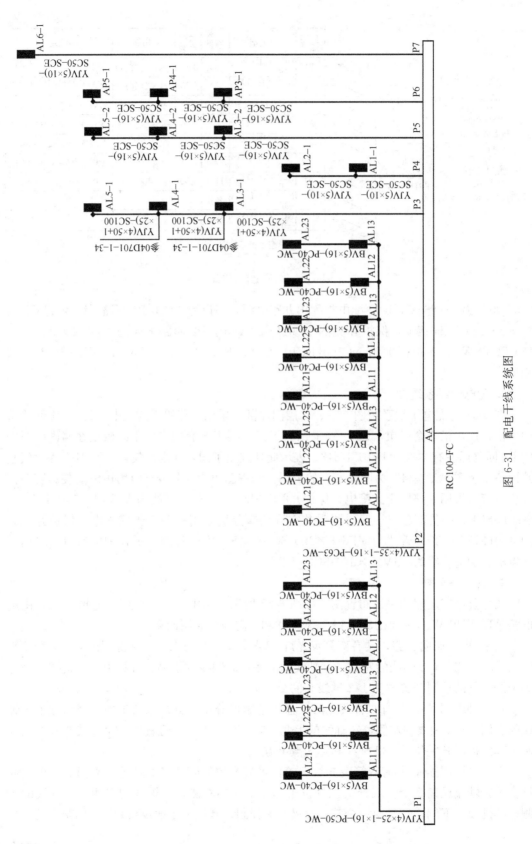

图 6-31　配电干线系统图

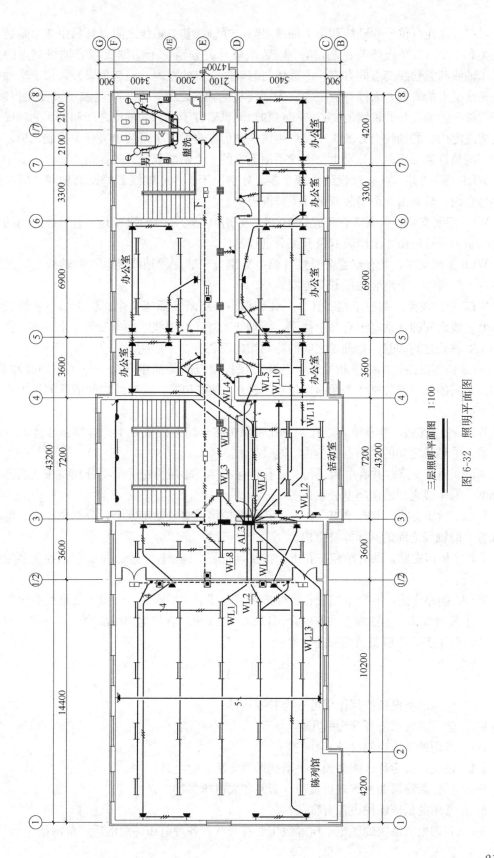

三层照明平面图 1:100

图 6-32　照明平面图

遮光罩双管荧光灯位于③轴线和1/7轴线之间、Ⓔ轴线和Ⓓ轴线之间，灯具由3个暗装双极开关和1个暗装单极开关控制，3个暗装双极开关分别位于③轴线与Ⓔ轴线交点的上方、④轴线与Ⓓ轴线交点的右侧、⑥轴线与Ⓓ轴线交点的左侧，暗装单极开关位于⑦轴线与Ⓔ轴线交点的右侧。天棚灯位于③、④轴线与Ⓕ轴线之间，由1个暗装单极开关控制，该开关位于④轴线与Ⓕ轴线的交点。筒灯和轴流风扇位于⑦、⑧轴线之间和Ⓔ、Ⓕ轴线之间的盥洗室内，Ⓔ轴线上方的1个筒灯由盥洗室门左边的1个暗装单极开关控制，男、女卫生间的筒灯和轴流风扇分别由位于洗手池上方的2个暗装双极开关控制。

WL4照明支路，共有双管荧光灯6盏。分别位于④、⑥轴线和Ⓔ、Ⓕ轴线之间的两间办公室内。灯具由2个暗装双极开关分别控制。

WL5照明支路，共有双管荧光灯10盏。分别位于④、⑧轴线和Ⓑ、Ⓓ轴线之间的四间办公室内。灯具由4个暗装双极开关分别控制。

WL6照明支路，共有双管荧光灯6盏。分别位于③、④轴线和Ⓑ、Ⓓ轴线之间的活动室内。灯具由1个暗装三极开关控制。

WL7插座支路，共有单相二孔、三孔带保护接点暗装插座7个。位于③、④轴线和Ⓑ、Ⓓ轴线之间的活动室内有2个插座，③轴线和Ⓒ、Ⓓ轴线的墙内安装2个插座，位于①和1/2轴线之间和Ⓑ、Ⓓ轴线之间的陈列馆内安装有3个插座。

WL8插座支路，共有单相二孔、三孔带保护接点暗装插座5个。位于③轴线和Ⓔ、Ⓕ轴线之间的墙内安装有2个插座，位于①、1/2轴线和Ⓔ、Ⓕ轴线之间的陈列馆内安装有3个插座。

WL9插座支路，共有单相二孔、三孔带保护接点暗装插座8个。分别位于④、⑥轴线和Ⓔ、Ⓕ轴线之间的两间办公室内。

WL10插座支路，共有单相二孔、三孔带保护接点暗装插座6个。分别位于⑥、⑧轴线和Ⓑ、Ⓓ轴线之间的两间办公室内。

WL11插座支路，共有单相二孔、三孔带保护接点暗装插座8个。分别位于④、⑥轴线和Ⓑ、Ⓓ轴线之间的两间办公室内。

WL12插座支路，共有单相三孔带保护接点暗装空调插座1个。位于③轴线和Ⓒ轴线交点附近。

WL13插座支路，共有单相三孔带保护接点暗装空调插座2个。位于②轴线右侧。

位于Ⓔ轴线和1/2轴线上共有安全出口标志灯4盏，自带电源事故照明灯5盏，双向疏散指示灯1盏，由应急照明回路供电。

思 考 题

6-1　建筑电气设备按其作用可分为有哪几类？

6-2　建筑电气系统可分为哪几类？

6-3　常用的低压控制设备有哪些？

6-4　铁壳开关为什么能够频繁手动接通和分断负荷电路？

6-5　低压断路器如何实现过负荷、短路和欠电压保护？

6-6　常用的低压保护设备有哪些？

6-7　我国电力系统的额定电压等级主要有哪些？各种电压等级的适用范围是什么？

6-8 电能的质量优劣由哪些因素决定？

6-9 变配电所的作用是什么？它由哪些单元组成？

6-10 变配电所对建筑有哪些要求？

6-11 常用的低压配电方式主要有哪几种？适用于什么场所？

6-12 简述架空配电线路的组成及各部分的作用。

6-13 灯具安装的作业条件是什么？安装后如何进行成品保护？

6-14 建筑电气施工图由几部分组成，其内容有哪些？

6-15 怎样识读电气动力施工图？

6-16 怎样识读电气照明施工图？

参 考 文 献

1 范柳先. 建筑给水排水工程（建筑设备安装专业）. 北京：中国建筑工业出版社

2 鲁雪利，许晓军，关晓宇. 建筑设备施工技术（水暖部分）. 北京：北京师范大学出版社

3 程文文. 建筑给排水工程（第二版）. 北京：中国电力出版社

4 上海市城乡建设和交通委员会. 建筑给水排水设计规范（2009 年版）. 北京：中国计划出版社

5 崔莉，常莲. 建筑设备. 北京：机械工业出版社，2011

6 孙岩，刘俊红. 建筑设备. 北京：化学工业出版社，2016

7 付小平. 空调技术. 北京：机械工业出版社，2015

8 张爱凤. 燃气供应工程. 合肥：合肥工业大学出版社，2009

9 同济大学、重庆大学、哈尔滨工业大学、北京建筑工程学院编. 燃气燃烧与应用（第四版）. 北京：中国建筑工业出版社，2011

10 段常贵. 燃气输配（第四版）. 北京：中国建筑工业出版社，2011

11 江亿. 天然气热电冷联供技术及应用. 北京：中国建筑工业出版社，2007

12 吕瀛. 燃气燃烧设备. 重庆：重庆大学出版社，2011